Teach Your

ROMANIAN FOR THE EN(

MW01013067

Titlul: **Teach Yourself Romanian!**
Romanian for the English Speaking World

Pentru informaţii generale despre Editura Teora –
cărţi, librării, distribuitori, oferte speciale, promoţii,
adrese de e-mail etc. – vă invităm să vizitaţi www.teora.ro.

Librăria „Teora - Cartea prin poştă":
Website: www.teora.ro

Editura Teora SRL,
Calea Moşilor nr. 211, ap. 40, sector 2, cod 020863,
Bucureşti, Romania
Tel.: 021 - 619.30.04,
Fax: 021 - 210.38.28
Editor: Teodor Răducanu

Copyright © 2013 **Teora**
Toate drepturile asupra acestei cărţi aparţin editurii Teora.
Reproducerea integrală sau parţială a textului
sau a ilustraţiilor din această carte este interzisă
fără acordul prealabil scris al editurii.

NOT 20390 LST LIMBA ROMANA PTR. ENGLEZI
ISBN 10: 973-20-1374-5
ISBN 13: 978-973-20-1374-8

Printed in Romania

Descrierea CIP a Bibliotecii Naţionale a României
TĂNĂSESCU, EUGENIA
    Teach yourself Romanian! : Romanian for the
English speaking world/ Eugenia Tănăsescu. - Ed. rev. - Bucureşti :
Teora, 2013
        ISBN 978-973-20-1374-8

811.135.1(075.4)

Înregistrarea CD-ului a fost efectuată în studioul Acustic Multimedia.
Voci: Dana Bartzer, Răzvan Vasilescu, Ileana Drăghici, Dan Creimerman.

Teach Yourself Romanian!

ROMANIAN FOR THE ENGLISH SPEAKING WORLD

Eugenia Tănăsescu

Teora

Contents / Cuprins

Contents / Cuprins

* L: listening; W: writing; R: reading; D: dictation.

Introduction

'Romanian for the English Speaking World' is a practical survival course, for the beginners. It is ideal for business professionals who want to study in their own time, and can be used flexibly to fit a busy schedule. From unit five the vocabulary can be studied unit by unit or selectively, in terms of the learners' urgent needs and their area of activity. The course also provides a rich source of material for the classroom teachers.

'Romanian for the English Speaking World' allows the students to work at their own pace, so that learning should suit their professional needs. Here are some of the realistic topics which are set in many everyday life situations, with a special focus on office and business related issues:

- Introducing and greeting people, speaking about jobs or positions in a company;
- Speaking about the meals of the day, the days of the week, the daily programme;
- Asking the time and expressing time;
- Vocabulary used in basic mathematics operations;
- Speaking about a businessman's agenda;
- Asking one's way and giving directions, the use of various techniques of asking questions;
- Speaking about countries and peoples;
- Speaking about native country, family and relatives;
- Expressing near future plans;
- Vocabulary specific to the house management (furniture, rooms, facilities);
- Business vocabulary, notes and coins, Romanian bank notes;
- Speaking about means of transport;
- Speaking about food, ordering meals; expressing eating habits; expressing likes and dislikes;
- The language of telephoning;
- Naming the objects and consumables in the office;
- Expressing needs and orders; drafting a purchase requisition; describing objects;
- Shopping and shops, the language used in estimating quantities;
- Speaking about special celebrations; expressing good wishes and congratulations;
- Asking for help, speaking about medical emergencies; calling for an ambulance; advising people; describing someone's health condition; basic vocabulary on diseases;
- Vocabulary specific to financial matters; foreign currencies; expressing a sequence of past events;
- Making inquiries; describing outfits;
- Sports and games; speaking about hobbies.

The dialogues are designed to develop vocabulary and practise grammar, to speak and write tasks, to build confidence in discussing various topics. The formal business vocabulary, as well as informal idiomatic Romanian are presented in appropriate contexts.

The explanations of the Romanian language structures and functions used in the units avoid 'philosophical' or confusing details as the 'target students' are real beginners with no previous linguistic or grammar experience.

'Romanian for the English Speaking World' is a course easy to work through. It can be used in a class, in one-to-one teaching or self-study. The course explains everything along the way and gives a lot of opportunities to practise structures and vocabulary by solving the multitude of follow up exercises.

Let's get started!

The Romanian Alphabet
(Alfabetul românesc)

Task 1   Listen to the CD and repeat.
(Ascultaţi CD-ul şi repetaţi.)

Letter	Phonetic Symbol	The Corresponding Sound in English	Examples	(Translation)
A	A; a	come	alb	(white)
Ă	ə	fur	ăsta	(this)
Â[1]	î	–	român	(Romanian)
B	b	bar	barcă	(boat)
C	k	call	cal	(horse)
D	d	dean	duş	(shower)
E	e	red	est	(east)
F	f	flower	fată	(girl)
G	g	girl	gară	(railway station)
H	h	hall	han	(inn)
I	i	in	imun	(immune)
Î[2]	î	–	înger	(angel)
J	ʒ	garage	joc	(game)
K	k	kilogram	kilogram	(kilogram)
L	l	leaf	limbă	(language)
M	m	mirror	munte	(mountain)
N	n	narration	nor	(cloud)
O	o	ball	ocazie	(occasion)
P	p	penny	parc	(park)
R	r	raft	roşu	(red)
S	s	sun	secară	(rye)
Ş	ʃ	shower	şanţ	(ditch)
T	t	trim	tren	(train)
Ţ	ts	rats	ţară	(country)
U	u	hook	unealtă	(tool)
V	v	vest	viteză	(speed)
W	v	veal	watt	(watt)
W	w	week	week-end	(weekend)
X	cs	box	xilofon	(xylophone)
Y	i	yard	yard	(yard)
Z	z	jazz	zi	(day)

[1] It is never used at the beginning of the words. Its correspondent is 'î', which is used both at the beginning and at the end of the words and inside the compound words (*e.g.* bineînţeles – of course) and the words with prefixes (*e.g.* neînţeles – not understood). This letter was dropped and transformed in 'î' in 1953 and reintroduced in 1993.
[1,2] They resemble to the sound uttered between 's' and 'n' when pronouncing 'St. Peter'.

Special Romanian Sounds
(Sunete specifice limbii române)

Diphthongs and Triphthongs (Diftongi și triftongi)

Letters	The Corresponding Sound in English	Examples	(Translation)
a + i	– sigh	rai	(heaven)
a + u	– vow; voucher	august	(August)
e + a	—	lalea	(tulip)
e + i	– ray	tei	(lime)
e + o	—	deodată	(suddenly)
e + a + u	—	vreau	(I want)
e + o + a	—	pleoapă	(lid)
i + a	– yah	iarbă	(grass)
i + a + u	– yowl	iau	(I take)
i + e	– yes	caiet	(copy-book)
i + o	– Yorkshire	iobag	(yeoman)
i + o + a	—	creioane	(pencils)
i + u	– yoo-hoo	fotoliu	(arm-chair)
î + i / â + i	—	câine	(dog)
î + u / â + u	—	râu	(river)
o + a	—	soare	(sun)
o + i	– oyster	doi	(two)
o + u	– sow	bou	(ox)
u + a	– white	canapeaua	(the sofa)
u + ă	– influence	rouă	(dew)
u + i	– ruined	cui	(nail)

Vowels (Vocale)

The letter 'e', when used at the beginning of the ancient words, has a different pronunciation – [ie]:

eu	[ieu]	– I	el	[iel]	– he	
ei	[iei]	– they (masc.)	ea	[ia]	– she	
ele	[iele]	– they (fem.)	eram	[ieram]	– I was / we were	
eşti	[ieʃti]	– you are (sing.)	este	[ieste]	– he / she is	

With neologisms, the letter 'e' demands the pronunciation [e]:

e.g.
elev	[elev]	– pupil / student
exerciţii	[egzertʃitsii]	– exercises
extrem	[ekstrem]	– extremely

Consonants (Consoane)

The letter 'c' when followed by the vowels 'a'; 'ă'; 'â'; 'o'; 'u' has the value of 'k':

'c'
casă	[kasə]	– house
călimară	[kəlimarə]	– ink-pot
câine	[kîine]	– dog
coloană	[koloanə]	– pillar; column
culoare	[kuloare]	– colour

Yet, when followed by 'i' and 'e', it has a similar pronunciation to 'ch' in 'chin' or 'check'.

'ce', 'ci'
cineva	[tʃineva]	– somebody
ceva	[tʃeva]	– something
ce	[tʃe]	– what
cine	[tʃine]	– who
cinci	[tʃintʃi]	– five
aici	[aitʃi]	– here
cer	[tʃer]	– sky

'G' when followed by the vowels 'a'; 'ă'; 'â'; 'o'; 'u' is pronounced like 'g' in 'garlic', 'garden' or 'Gore':

'g'
galben	[galben]	– yellow
găină	[gəinə]	– hen
gât	[gît]	– neck; throat
goană	[goanə]	– rush
gură	[gurə]	– mouth

However, when placed before 'e' and 'i' it is pronounced like 'g' in 'general' and 'j' in 'jest' or 'jig':

'ge', 'gi'
rege	[redʒe]	– king
frigider	[fridʒider]	– refrigerator
rigid	[ridʒid]	– rigid
ajunge	[aʒundʒe]	– (he/she) arrives
pagină	[padʒinə]	– page
fugi	[fudʒi]	– (you) run
mergi	[merdʒi]	– (you) go
Germania	[dʒermania]	– Germany

The vowels '**i**' and '**e**' are the only ones that can follow '**ch**' and '**gh**'.

'**Che**' is pronounced like '**k**' in 'kerosene':

        chemare   – calling
        chenar   – frame

'**Chi**' has a pronunciation like '**k**' in 'kick' or 'kid':

        chilipir   – good bargain
        chirurg   – surgeon

'**Ghe**' resembles '**g**' in 'gander' or 'Ghandy':

        gheață   – ice
        gheată   – boot
        Gheorghe; Gherman (proper names)

'**Ghi**' is like '**g**' in 'gift' or 'giddy':

        ghinion   – ill-luck
        ghimpe   – thorn

The consonant '**x**' is usually pronounced [ks] as 'extra', 'tax' or 'taxi':

        excepție   – exception
        extraordinar – extraordinary

Consonants '**k**', '**q**', '**w**' and '**y**' are used in neologisms and proper names:

        kilogram, kelvin, kaki, kurd, etc.;
        Quintus, Yaquimenko, etc.;
        watt, won (Korea's monetary unit), week-end, etc.;
        yen, yoga, yuan, yancheu, etc.

Note: In Romanian every written letter is uttered.

Listen to the CD and translate into Romanian the words provided.
TASK **2** Press 'pause' in order to take the necessary time.
(Ascultați CD-ul și traduceți cuvintele în limba română. Apăsați pe 'pause' pentru a avea timpul necesar.)

Lesson One / Lecția unu

TASK 1 Listen to the CD and then repeat.
(Ascultați CD-ul și apoi repetați.)

A: – Bună ziua.
B: – Cine sunteți dumneavoastră?
A: – Sunt un angajat al fabricii „Carpați". Sunt contabil.
B: – Îmi pare bine. Eu sunt din Norvegia și sunt director economic.
A: – Ce este aici?
B: – Un birou. Este secretariatul. Intrați, vă rog. Luați loc.
A: – Mulțumesc.
B: – În cameră mai sunt: un inginer din Norvegia, un maistru din Canada, un muncitor din Australia și un director din Anglia. Domnul Sava este contabil. El este român.

Vocabulary / Vocabular

acesta, aceasta	– this (masc., fem.)
aici	– here
angajat / **salariat**	– employee
birou	– office
bun *(masc.)*; **bună** *(fem.)*	– good
bună ziua	– hello / good afternoon / good day
cameră	– room
ce	– what
cine	– who
contabil	– accountant
din	– from
doamna	– Mrs. (*e.g.* Doamna Andrei)
domnul	– Mr. (*e.g.* Domnul Andrei)
domnule	– Sir! ; Mr. (specifically used when approaching the person; *e.g.* Domnule Andrei, intrați, vă rog!)
dumneavostră	– you (pronoun of politeness)
fabrică	– factory
inginer	– engineer
Îmi pare bine	– I am happy / delighted
în	– in
Intrați!	– Come in!
Luați loc!	– Sit down! / Take a seat!
lucrez	– I work
mai	– (here) also
maistru	– foreman
mulțumesc	– thank you
muncitor	– worker
secretariatul	– the secretariat
un *(masc.)*; **o** *(fem.)*	– a / an (indefinite article)
vă rog	– please

Grammar Session (Gramatică)

Personal Pronoun in Nominative
(Pronumele personal în nominativ)

Forms:

eu	– I	noi	– we
tu	– you	voi	– you
el	– he	ei	– they (masc.)
ea	– she	ele	– they (fem.)

A noun or pronoun in **Nominative Case** answers the concept question **'Who?'** and stands for the subject of that sentence.

A pronoun is a word that stands for a noun.

If Ion has a daughter named Ana, and says to his daughter *'You are absent-minded!'*, the pronoun **'you'** is a subject pronoun that stands for 'Ana'.

Let's study the sentence:

'El este foarte ocupat, totuşi **practică** jogging-ul în fiecare dimineaţă'.

('**He is** very busy; however, **he goes** jogging every morning.')

Here, one can see/observe that the verb **'practică'** is not accompanied by the personal pronoun **'el' ('he')**, as it had been mentioned before.

Moreover, the pronoun **'el'** could have been deleted even in the main clause:

'**Este foarte ocupat**, totuşi **practică** jogging-ul în fiecare dimineaţă'.

This is due to the fact that, in Romanian, each person has a specific verb form; accordingly, the use of the personal pronoun is optional. That is why the personal pronouns in the conjugations below are written in brackets.

It is to be noticed that the form correspondent to the pronoun **'it'** is missing; *in Romanian we use 'el' or 'ea' when referring to an animal, a plant, or any item.*

The Verbs in Romanian I
(Verbele din limba română I)

Verbs are conjugated in English in a much easier way than in Romanian. The verb forms are only slightly modified when turning from one person to another (**e.g. 'I work'; 'she works'**). Unlike from English, in Romanian the verb has a different form for each person, in relation to endings specific to each category of verbs; however, there are cases when slight differences exist even when dealing with the same category of verbs.

For the beginning, we shall manage the verb **'a fi'**, the Romanian correspondent to the English **'to be'**.

Affirmative form (*Forma afirmativă*)		Interrogative form (*Forma interogativă*)		Negative form (*Forma negativă*)	
Romanian	English	Romanian	English	Romanian	English
(eu) sunt	*I am*	sunt (eu)?	*am I?*	(eu) nu sunt	*I am not*
(tu) eşti	*you are*	eşti (tu)?	*are you?*	(tu) nu eşti	*you are not*
(el/ea) este	*he/she is*	este (el/ea)?	*is she/he?*	(el/ea) nu este	*he/she is not*
(noi) suntem	*we are*	suntem (noi)?	*are we?*	(noi) nu suntem	*we are not*
(voi) sunteţi	*you are*	sunteţi (voi)?	*are you?*	(voi) nu sunteţi	*you are not*
(ei/ele) sunt	*they are*	sunt (ei/ele)?	*are they?*	(ei/ele) nu sunt	*they are not*

Now, let's practise it with the phrase **'to be busy now'**!
Să-l conjugăm acum în expresia **'a fi ocupat acum'**!

TASK 2   Listen to the CD and repeat.
(Ascultaţi CD-ul şi repetaţi.)

Affirmative form *(forma afirmativă)*

Sunt ocupat[1] / ocupată acum.	I'm busy now.
Eşti ocupat / ocupată acum.	You're busy now.
Este ocupat / ocupată acum.	He's busy now. / She's busy now.
Suntem ocupaţi / ocupate acum.	We're busy now.
Sunteţi ocupaţi / ocupate acum.	You're busy now.
Sunt ocupaţi / ocupate acum.	They're busy now.

Interrogative form *(forma interogativă)*

Sunt ocupat / ocupată acum?	Am I busy now?
Eşti ocupat / ocupată acum?	Are you busy now?
Este ocupat / ocupată acum?	Is he/she busy now?
Suntem ocupaţi / ocupate acum?	Are we busy now?
Sunteţi ocupaţi / ocupate acum?	Are you busy now?
Sunt ocupaţi / ocupate acum?	Are they busy now?

Negative form *(forma negativă)*

Nu sunt ocupat / ocupată acum.	I'm not busy now.
Nu eşti ocupat / ocupată acum.	You're not busy now.
Nu este ocupat / ocupată acum.	He's not busy now. / She's not busy now.
Nu suntem ocupaţi / ocupate acum.	We're not busy now.
Nu sunteţi ocupaţi / ocupate acum.	You're not busy now.
Nu sunt ocupaţi / ocupate acum.	They're not busy now.

TASK 3   Listen to the CD and translate into Romanian the short sentences provided. Press 'pause' in order to take the necessary time.
(Ascultaţi CD-ul şi traduceţi propoziţiile date în limba română. Apăsaţi pe „pause" pentru a avea timpul necesar).

Note: In the negative, the third person in the singular has a contracted form, usually employed in informal Romanian: ***nu este = nu-i***

    Nu este ocupat/ocupată acum. = *Nu-i ocupat/ocupată acum.*

Similarly, in the plural: ***nu sunt = nu-s***

    Nu sunt ocupaţi/ocupate acum. = *Nu-s ocupaţi/ocupate acum.*

---

[1] The adjectives ending in a consonant are masculine, while those ending in a vowel are feminine.

TASK 4 Replace the adjective **'busy'** with the ones in the table below, and observe the transformations that occur in terms of number and gender. *(Înlocuiți adjectivul „ocupat" cu adjectivele prezentate mai jos și studiați transformările ce au loc în funcție de număr și gen.)*

	Masculine		Feminine	
	Singular	*Plural*	*Singular*	*Plural*
tired	obosit	obosiți	obosită	obosite
delighted	încântat	încântați	încântată	încântate
upset/angry	supărat	supărați	supărată	supărate
hurried/in a hurry	grăbit	grăbiți	grăbită	grăbite
confused	contrariat	contrariați	contrariată	contrariate
ill/sick	bolnav	bolnavi	bolnavă	bolnave

> *e.g.* **El este supărat.** *(He is upset.)*
> **Ele sunt grăbite.** *(They are in a hurry.)*

1. ....
2. ....
3. ....
4. ....
5. ....
6. ....
7. ....
8. ....
9. ....
10. ....

Frequency Adverbs
(Adverbe de frecvență)

întotdeauna	– always	**câteodată**	– sometimes
de obicei	– usually	**rareori / rar**	– seldom
în general	– generally	**foarte rar**	– occasionally
adesea / adeseori	– often	**niciodată**	– never
destul de des	– quite often	**aproape niciodată**	– hardly ever

The location of the 'frequency adverbs' in Romanian is different from the one in English. In Romanian, they are generally used **at the beginning** of the sentence; however, they may appear **at the end** of the sentence, too.

> *e.g.* Adesea sunt foarte ocupat. *or,* Sunt foarte ocupat adesea. *I'm often very busy.*
> Niciodată nu sunt ocupat. *or,* Nu sunt ocupat niciodată. *I'm never busy.*

> *It should be noticed that **the double negation is often used in Romanian**. In the example above there are two words with a negative meaning: **'niciodată'** (never) and **'nu'** (not). Word by word, the sentence "Niciodată nu sunt ocupat" would have the following translation: **'I'm not never busy'** which, obviously, is meaningless in English.*

On the other hand, the form *'Niciodată sunt ocupat'* (with only one negation, according to the English grammar rules) would be meaningless in Romanian. That is why, for the start, in order to avoid the double negation which could be a trouble-making problem for the beginners, it is advisable that you should avoid using the adverbs with a *negative meaning* or you should use the negative *'nu'* alone. For instance, we may avoid the adverb 'niciodată' using only 'nu', *e.g.* 'Nu sunt ocupat' – 'I'm not busy'.

TASK 5   Greet, introduce yourself and say what you are:
Group work   *(Salutaţi, prezentaţi-vă şi spuneţi cu ce vă ocupaţi:)*

> *e.g.*   Bună dimineaţa. / Bună ziua. / Bună seara.
> Mă numesc Ioana Popescu. Sunt profesoară.
>
> Good morning. / Good afternoon. / Good evening.
> My name is Ioana Popescu. I am a teacher.

The Nouns' Gender I
(Genul substantivelor I)

a) **Singular form.** In Romanian, masculine nouns generally end in a consonant or in '*e*', while feminine ones end in '*-ă*' or '*-e*'. The nouns with the stem ending in '*-or*' insert the vowel '*a*' between '*o*' and '*r*', in order to form the feminine gender (*oar+e*):

Gender	Ending		Examples
Masculine	*Consonant*		elev; student; profesor; muncitor
Feminine	*Vowels*	'*-ă*'	elevă; studentă; profesoară
		'*-e*'	muncitoare; directoare; vânzătoare

	Masculine *(masculin)*	Feminine *(feminin)*	
e.g.	secretar	secretară	*secretary*
	director	directoare	*director/manager*
	contabil	contabilă	*accountant*
	vânzător	vânzătoare	*shop-assistant*
	asistent	asistentă	*assistant*
	bibliotecar	bibliotecară	*librarian*
	inginer	ingineră	*engineer*
	economist	economistă	*economist*
	profesor	profesoară	*teacher*
	chimist	chimistă	*chemist*
	dentist	dentistă	*dentist*
	expert	expertă	*expert*
	fizician	fiziciană	*phisicist*

preşedinte   preşedintă   *president*

b) **Plural form.** Generally, masculine nouns end in vowel *'i'* and feminine ones end in *'e'*.

Gender	Ending			Examples
Masculine	*Consonant*	+	**'i'**	elevi; directori; profesori
	'st'	→	**'şti'**	economişti; chimişti; dentişti
	't'	→	**'ţi'**	studenţi
	'd'	→	**'zi'**	nomazi; camarazi
Feminine	*Vowels ('ă'; 'e')*	→	**'e'**	eleve; studente; profesoare
				muncitoare; directoare; vânzătoare

The masculine nouns ending in **'-st'**, turn **'s'** into **'ş'** and then add the suffix **'-i'** (-şti) while all the others ending in **'-t'** turn **'t'** into **'ţ'** and then add **'-i'** (-ţi):

economist – economişti   student – studenţi
dentist – dentişti   expert – experţi
chimist – chimişti   angajat – angajaţi

Masculine nouns ending in **'-d'**, transform **'d'** into **'z'** and then add **'-i'** (-zi)[1]:

nomad (*nomad*)   – nomazi
camarad (*comrade; schoolmate*) – camarazi

c) The third gender in Romanian, called **'Neuter'**, is used mostly for objects or concepts and has a masculin form in the singular and a feminine form in the plural.

| *e.g.* | scaun *(chair)* – scaune *(chairs)* |

Task 6   Give the plural form to the following nouns.
          (Treceţi următoarele substantive la plural.)

Director	....	Directoare	....
Contabil	....	Contabilă	....
Vânzător	....	Vânzătoare	....
Asistent	....	Asistentă	....
Bibliotecar	....	Bibliotecară	....
Inginer	....	Ingineră	....
Economist	....	Economistă	....
Profesor	....	Profesoară	....

Task 7   Listen to the CD and repeat.
          (Ascultaţi CD-ul şi repetaţi.)

However, there are certain jobs/positions (especially neologisms) which do not have a specific form for each gender:

Masculine	Feminine	
arheolog	arheolog	*archaeologist*
astronom	astronom	*astronomer*
chirurg	chirurg	*surgeon*

---

[1] An irregular plural for feminine undergoes a similar transformation: 'stradă'–'străzi' (street/streets).

consilier	consilier	*counsellor*
detectiv	detectiv	*detective*
medic	medic	*physician/doctor*
optician	optician	*optician*
pilot	pilot	*pilot* ·
portar	portar	*goal keeper*
strungar	strungar	*turner*

Task 8   Listen to the CD and repeat.
(Ascultaţi CD-ul şi repetaţi.)

Task 9   Listen to the CD and translate into Romanian the words provided. Press 'pause' in order to take the necessary time.
(Ascultaţi CD-ul şi traduceţi cuvintele în limba română. Apăsaţi pe 'pause' pentru a avea timpul necesar.)

The Article in Romanian I
(Articolul în limba română I)

In Romanian a noun can be used **without any articles** (that is why we call it 'substantiv nearticulat'), with the **indefinite article** ('articol nehotărât' with the forms 'un' / 'o', in terms of the gender) or with the **definite article** ('articol hotărât' formed by using certain suffixes).

In this grammar session we shall manage the **indefinite article (in Nominative or Accusative)**.

Singular form (*forma de singular*)

   un inginer   – an engineer / a male- engineer (*masculine*)
   o ingineră   – an engineer / a female-engineer (*feminine*)
   un birou   – an office (*neuter*)

> Nouns preceded by the article **'o'** are always **feminine** while those preceded by the article **'un'** are either **masculine** or **neuter**.

Plural form (*forma de plural*)

   nişte ingineri   – some he-engineers
   nişte inginere   – some she-engineers
   nişte birouri   – some offices

Task 10   Fill in the blanks with **'un'**, **'o'** or **'nişte'**, according to the meaning:
*(Completaţi spaţiile libere cu „**un**", „**o**" sau „**nişte**", în funcţie de sens:)*

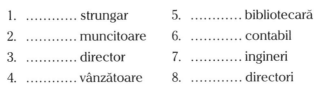

1. .... strungar   5. .... bibliotecară
2. .... muncitoare   6. .... contabil
3. .... director   7. .... ingineri
4. .... vânzătoare   8. .... directori

The Pronoun of Politeness
(Pronumele de politeţe)

It is a pronoun specific to Romanian, being in a way the correspondent to modal verbs *should, would or could* which are largely used in formal circumstances in English. It is used in business relations as well as by younger people in relation to older ones. Romanians make use of it, even with people of the same age. Official meetings, discussions or even business relations require that the pronoun of politeness should be used.

Forms:

Dumneavoastră — **you** (it goes with the verb at the 2-nd person, pl.: 'sunteţi')
e.g. **Dumneavoastră** *sunteţi* directorul? – Are **you** the manager?

Dumneaei — **she** (it goes with the verb at the 3-rd person, sing.: 'este')
* I.R. 'dânsa'
e.g. **Dumneaei** *este* doamna Andrei. – **She** / **This** is Mrs. Andrei.

Dumnealui — **he** (it goes with the verb at the 3-rd person, sing.: 'este')
* I.R. 'dânsul'
e.g. **Dumnealui** *este* directorul. – **He** is the manager.

Dumnealor — **they** (it goes with the verb at the 3-rd person, pl.: 'sunt')
* I.R. 'dânşii' (masc.); 'dânsele' (fem.)
e.g. **Dumnealor** *sunt* în birou. – **They** are in the office.

Topics for Conversation
(Subiecte de conversaţie)

Introducing People
(Formule de prezentare)

TASK 11 Listen to the CD and then repeat.
(Ascultaţi CD-ul şi apoi repetaţi.)

A: Permiteţi-mi să mă prezint! Mă numesc Anton Şerban şi sunt analist la compania „Astra".

B: Îmi pare bine. Eu mă numesc Maria Ionescu şi sunt director de marketing la compania „Star". Permiteţi-mi să vă prezint domnului director. Domnule director, vi-l prezint pe domnul Anton Şerban, analist la compania „Astra".

C: Îmi pare bine să vă cunosc!

B: Vi-l prezint pe domnul director Dan Stănescu.

A: Îmi pare bine să vă cunosc!

---

* I.R. = Informal Romanian

Vocabulary / Vocabular

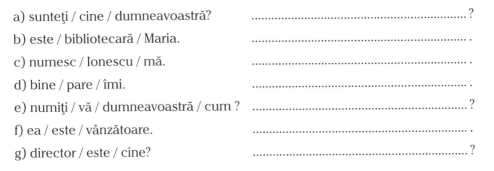

Mă numesc ...	– My name is ...
Îmi pare bine să vă cunosc!	– Glad to meet you!
Permiteţi-mi să vă prezint ...	– Allow me to /let me introduce you to ...
Vi-l prezint pe ...	– This is ...

TASK 12 Make up sentences using the following words:
(Alcătuiţi propoziţii utilizând cuvintele următoare:)

a) sunteţi / cine / dumneavoastră? .... ?

b) este / bibliotecară / Maria. ....

c) numesc / Ionescu / mă. ....

d) bine / pare / îmi. ....

e) numiţi / vă / dumneavoastră / cum ? .... ?

f) ea / este / vânzătoare. ....

g) director / este / cine? .... ?

TASK 13 Fill in the blanks with the appropriate personal pronouns.
(Completaţi spaţiile libere cu pronumele personale corespunzătoare.)

a) .... este analist.

b) .... nu sunt preşedinte.

c) .... este o bună secretară.

d) .... este contabil sau inginer?

e) .... sunt vânzătoare.

f) .... este asistentă?

TASK 14 Study the following situations and fill in the blanks with the corresponding pronouns of politeness.
(Studiaţi următoarele situaţii şi completaţi întrebările utilizând pronumele de politeţe.)

1. .... locuiţi în Bucureşti ? (*Do you live in Bucharest?* 'you' – the 2-nd person singular)

2. .... lucrează în biroul de la parter? (*Does he work in the office at the groundfloor?*)

3. .... vorbesc limba engleză? (*Do they speak English?*)

4. .... este româncă sau englezoaică? (*Is she a Romanian or an English lady?*)

5. .... sunt studenţi sau absolvenţi? (*Are they students or university graduates?*)

6. .... sunteţi bibliotecare sau profesoare? (*Are you librarians or teachers?*)

Task 15 Listen to the following sentences and answer the questions, according to the model:
(Ascultaţi următoarele propoziţii şi răspundeţi la întrebări, conform modelului:)

Bună ziua!	Bună ziua!	Bună ziua!
Eu sunt Mariana Ionescu.	Eu sunt Anton Şerban.	Eu sunt Jan Yvarsen.
Sunt director de marketing.	Sunt analist la compania	Sunt director financiar la
Sunt din România.	„Astra”.	compania „Carpaţi”.
Sunt din Bucureşti.	Sunt din România.	Sunt din Norvegia.
	Sunt din Braşov.	Sunt din Oslo.

Model: *Mariana Ionescu este din Norvegia?*
Nu, nu este din Norvegia. Este din România.
Mariana Ionescu este din România?
Da, (ea) este din România.

1. Anton Şerban este analist la compania „Carpaţi”?

....

2. Jan Yvarsen este director financiar la compania „Carpaţi”?

....

3. Anton Şerban locuieşte în Oslo?

....

4. Jan Yvarsen este din Norvegia?

....

5. Mariana Ionescu este din Bucureşti?

....

6. Anton Şerban este din România?

....

Task 16 Turn the above presentations into the corresponding forms for the third person.
(Treceţi prezentările de mai sus la persoana a III-a.)

Model: Ea / Dumneaei este Mariana Ionescu.
Este director / directoare de marketing.
Este din România.
Este din Bucureşti.

1. Anton Şerban

....

....

....

....

2. Jan Yvarsen

....

....

....

....

The Interrogative Pronoun
(Pronumele interogativ)

Forms: cine – **who** (used when referring to people)

e.g.   **Cine** este la telefon? **Who** is speaking on the phone?

ce – **what** (used when referring to things, animals, plants, etc. and to people denoting their occupation/job mainly)

e.g.   **Ce** este aici?   **What** *is here?*
          Aici este un birou.   *Here is an office.*

Topics for Conversation
(Subiecte de conversație)

Who is ...?
(Cine este ... ?)

TASK 17   Listen to the CD and repeat.
          (Ascultați CD-ul și repetați.)

A: Cine este domnul acela? Este domnul Ionescu?
B: Da, domnule, este domnul Ionescu, directorul companiei „Astra".
     Cine sunteți dumneavoastră?
A: Eu mă numesc Eugen Cristea. Sunt constructor.
B: Îmi pare bine. Eu sunt secretara. Domnul director este ocupat acum. Vă rog
     să reveniți după-amiază.

Vocabulary / Vocabular

acela	– that
constructor	– builder
reveniți	– come back; call back
după-amiază	– in the afternoon

Prepositions I
(Prepoziții I)

The most familiar prepositions are:

pe	– on	**vizavi de**	– opposite
lângă	– near (to)	**printre**	– among
peste	– over / above	**între**	– between
sub	– below, under	**în**	– in / into
după	– after	**la**	– at / to
înainte de	– before	**cu**	– with

Note: When suggesting the idea of location or existence, the form of the verb *'a fi'* for the third person is often replaced by the expression *'se află'* or *'există'*, irrespective of the number. Thus, its translation into English might be *'is / there is'* or *'are / there are'*.

e.g. În birou **se află / este** un inginer. (***There is*** *an engineer in the office.*)
        În birou **se află / sunt** doi ingineri. (***There are*** *two engineers in the office.*)

 TASK 18 a Read the following groups of words and letters.
                    (Citiţi următoarele grupuri de cuvinte şi de litere.)

Words	Letters
secretară; contabil; asistentă; inginer; soţie	t o t e s u a x v
directoare; muncitor; profesor; asistent; soţ;	â g s m ă ş l r ţ
economist; bibliotecar; vânzător; preşedinte	h b d w î c f n j

TASK 18 b Give the location / coordinates to the above words and letters.
           (Localizaţi cuvintele şi literele de mai sus.)

Model: A: Unde este cuvântul „**profesor**"? (*Where is the word 'profesor'?*)
            B: „**Profesor**" este între „**muncitor**" şi „**asistent**", lângă „**asistent**" etc.
               (*The word 'profesor' is between 'muncitor' and 'asistent' etc.*)

1. Unde este cuvântul „*economist*"?

....

2. Unde este cuvântul „*bibliotecar*"?

....

3. Unde este cuvântul „*preşedinte*"?

....

4. Unde este cuvântul „*muncitor*"?

....

5. Unde este litera „*r*"?

....

6. Unde este litera „*â*"?

....

7. Unde este litera „*ş*"?

....

8. Unde este litera „*ţ*"?

....

 TASK 19 Replace the forms of the verb **'a fi'** in the above exercise by the expression **'se află'**.
                   (Înlocuiţi formele verbului „a fi" din exerciţiul de mai sus cu expresia „se află" .)

TASK 20 Fill in the blanks with the correct form of the verb *'a fi'*.
(*Completaţi spaţiile libere cu forma corectă a verbului „a fi".*)

1. Cine .... dumneavoastră?

2. Eu .... Andrei.

3. Cine .... ea?

4. Ea .... Angela.

5. Domnul Niculescu .... director.

6. Dumneavoastră .... preşedinte?

Greeting People
(Formule de salut)

Bună dimineaţa!	*– Good morning!*
Bună ziua!	*– Good afternoon! / Good day!*
Bună seara!	*– Good evening!*
Bună!	*– Hi!* (the informal expression for all above)
La revedere!	*– Good-bye!*
Noapte bună!	*– Good night!*
Pe mâine!	*– See you tomorrow!*
Pe curând!	*– See you soon!*
Ce mai faci ?	*– How are you?* (Informal Romanian – I.R.)
Ce mai faceţi?	*– How do you do?* (Formal Romanian – F.R.)
Bine, mulţumesc!	*– I'm fine, thank you!* (F.R.)
Bine!	*– I'm fine!* (I.R.)
(Dar) dumneavoastră?	*– How about you?* (F.R.)
(Dar) tu?	*– How about you? / And you?* (I.R.)
Salut! Noroc![1]	*– Hello!* (I.R.)

TASK 21 Listen and repeat, then translate the dialogues into English.
(*Ascultaţi şi repetaţi, apoi traduceţi dialogurile în limba engleză.*)

Dialogue One

Maria: – Bună, Victor, ce mai faci? ....

Victor: – Bună, Maria. Bine. Tu? ....

Maria: – Bine. Sunt cam ocupată. ....

Victor: – Atunci, pe mâine. ....

Maria: – Sigur. Pe mâine. ....

Victor: – La revedere! ....

Maria: – La revedere! ....

---

[1] These expressions are used between men and denote friendly relationships; *apart from this meaning, the expression **'Noroc'** also means **'Good luck'** and **'Cheers!'***.

Dialogue Two

Dl. Ionescu: – Bună ziua.

....

D-na Niculescu: – Bună ziua.

....

Dl. Ionescu: – Sunt inginerul Victor Ionescu.

....

D-na Niculescu: – Îmi pare bine. Sunt Elena Niculescu. Eu sunt secretara.

....

Dl. Ionescu: – Domnul director este în birou?

....

D-na Niculescu: – Da, dar este ocupat acum.

....

TASK 22 Make up dialogues and notice the difference between **'ce'** (what) and **'cine'** ('who'), then translate.
(Alcătuiţi dialoguri făcând diferenţa dintre „ce" (what) şi „cine" ('who'), apoi traduceţi.)

Angela	*studentă*
Ştefan	*strungar*
Dan	*director*
Marian	*muncitor*
Maria	*elevă*
Gabriel	*inginer*

Model: – Cine este ea? ....
– (Ea) Este Angela. ....
– Ce este ea? ....
– (Ea) Este studentă. ....

....

....

....

....

TASK 23 Fill in the gaps with the missing letters, then translate the words into English in the space provided.
(Completaţi cuvintele de mai jos cu literele care lipsesc şi apoi traduceţi-le în spaţiul corespunzător.)

e.g. pro...esor ....; → prof esor **teacher;**

perm...teţi-mi	...............;	...irou	...............;
ocupa...i	...............;	dum...eavoastră	...............;
pe cu...ând	...............;	la re...edere	...............;
pre...edinte	...............;	cu...ânt	...............;
reve...iţi	...............;	c...ne	...............;
mă ...umesc	...............;	bi...liotecară	...............;
e...onomiste	...............;	i...bag	...............;
ni...iodată	...............;	an...ajat	...............;
ca...eră	...............;	a...esea	...............;
înto...deauna	...............;	ra...	...............;
...ai	...............;	...upărate	...............;
g...inion	...............;	c...emare	...............;
c...ilipir	...............;	g...ină	...............;
pa...ină	...............;	c...ne	...............;
co...oană	...............;	e...e	...............;
n...i	...............;	e...ev	....

TASK 24 Unscramble the following jumbled conversation.
(Indicaţi ordinea firească a următoarelor propoziţii.)

a. Domnule director, vi-l prezint pe domnul Matei Ionescu, economist la compania „Carpaţi”.
b. Eu mă numesc Carmen Georgescu şi sunt director comercial la compania „Metro”.
c. Mă numesc Matei Ionescu şi sunt economist la compania „Carpaţi”.
d. Permiteţi-mi să vă prezint domnului director al companiei „Metro”.
e. Îmi pare bine.
f. Permiteţi-mi să mă prezint!
g. Vi-l prezint pe domnul director Ion Apostolescu.
h. Îmi pare bine să vă cunosc!
i. Îmi pare bine să vă cunosc!

Letter	a.	b.	c.	d.	e.	f.	g.	h.	i.
Number									

TASK 25   Try the following crossword:
(*Rezolvaţi următorul careu:*)

A

1.
2.
3.
4.
5.
6.
7.
8.
9.
10.
11.
12.
13.

B

Across (*Orizontal*):   1. (a) female director
2. (a) turner
3. 'See you tomorrow!' (*two words*)
4. 'See you soon!' (*two words*)
5. (a) female secretary
6. busy (*masc.*)
7. (a) male shop-assistant
8. (a) male worker
9. 'Yes!'
10. above
11. among
12. (a) male engineer
13. (a) pupil *(fem.)*

Down – from A to B *(Vertical)*: '**You**', *the pronoun of politeness.*

Lesson Two / Lecţia doi

TASK 1 Listen to the CD and repeat.
(Ascultaţi CD-ul şi repetaţi.)

0 zero

1 unu	**11** un*spre***zece**	**21 douăzeci** *şi* unu	**40** *patru***zeci**
2 doi	**12** doi*spre***zece**	**22 douăzeci** *şi* doi	**50** *cinci***zeci**
3 trei	**13** trei*spre***zece**	**23 douăzeci** *şi* trei	**60** *şai***zeci**
4 patru	**14** pai*spre***zece**	**24 douăzeci** *şi* patru	**70** *şapte***zeci**
5 cinci	**15** cinci*spre***zece**	**25 douăzeci** *şi* cinci	**80** *opt***zeci**
6 şase	**16** şai*spre***zece**	**26 douăzeci** *şi* şase	**90** *nouă***zeci**
7 şapte	**17** şapte*spre***zece**	**27 douăzeci** *şi* şapte	**100 o sută**
8 opt	**18** opt*spre***zece**	**28 douăzeci** *şi* opt	**200** două sute
9 nouă	**19** nouă*spre***zece**	**29 douăzeci** *şi* nouă	**1.000 o mie**
10 zece	**20** *două***zeci**	**30** *trei***zeci**	**2.000** două mii

10.000 *zece* **mii**	**1.000.000** un milion
100.000 *o sută* **de mii**	**100.000.000** *o sută* **de milioane**

1.000.000.000 un **miliard**
10.000.000.000 *zece* **miliarde**

- In Romanian, comma (*virgulă*) is used in **decimal fractions**; for instance: **3.14** (in English – three *point* one four) becomes **3,14** in Romanian and it is read '**trei***virgulă* **paisprezece**'. In all the numbers over 1,000 **comma** is replaced by point (*punct*).

- Unlike the other cardinal numerals which are invariable, '**unu**' and '**doi**' agree with the determined noun in gender.

  e.g. un băiat *(a boy)* – o fată *(a girl)*;
  doi băieţi *(two boys)* – două fete *(two girls)*.

- Starting with '**douăzeci**' all numerals are followed by '**de**'.

  e.g. *Nouăsprezece* ingineri. / *Treizeci şi trei* de ingineri.

TASK 2 Listen to the CD and repeat.
(Ascultaţi CD-ul şi repetaţi.)

Masculin *(Masculine)*		**Feminin** *(Feminine)*	
un inginer	– a *male*-engineer	o ingineră	– a *female*-engineer
doi ingineri	– two *male*-engineers	două inginere	– two *female*-engineers
un director	– a *male*-director	o directoare	– a *female*-director
doi directori	– two *male*-directors	două directoare	– two *female*-directors

Neutru *(Neuter)*			
un birou	– an office	două birouri	– two offices
un scaun	– a chair	două scaune	– two chairs

TASK 3   Read and write the following telephone numbers:
(Citiţi şi scrieţi următoarele numere de telefon:)

1. 3012500/interior 2605 ....

2. (401)3304292   ....

3. 6846930 / 6584   ....

4. 7697401   ....

5. 7500960   ....

6. 5583291   ....

TASK 4   Write and read your phone numbers and the extension, in figures and then in letters/characters.
(Scrieţi şi citiţi numerele dumneavoastră de telefon şi interiorul, în cifre şi apoi în litere.)

e.g. 6302080 *(acasă)* **şase trei zero doi zero opt zero**
6841020 *interior* 515 (birou) **şase opt patru unu zero doi zero**
interior **cinci unu cinci**

....

....

....

....

TASK 5   Write the following numerals in letters, keeping in mind that the numeral **'doi'** and its compounds become **'două'** when determining a neuter or feminine noun.
(Scrieţi următoarele numerale în litere, având în vedere că numeralul „doi" şi compuşii săi care se acordă cu substantivele de genul feminin şi neutru se transformă în „două".)

12 litere	....	2 secretare	....
12 directori	....	22 de vânzători	....
42 de inginere	....	72 de elevi	....
52 de instalatori	....	32 de asistente	....
102 constructori	....	132 de contabile	....
82 de economiste	....	162 de eleve	....

Task 6 Study the nouns below and then fill in the blanks, according to the suggestions in brackets.
(Studiaţi substantivele de mai jos şi apoi completaţi spaţiile libere, conform sugestiilor din paranteză.)

Singular	Translation	Plural	Translation
un birou	*an office/office-desk*	două birouri	*two offices/office-desks*
un coş de hârtii	*a paper-basket*	două coşuri de hârtii	*two paper-baskets*
un dosar	*a file*	două dosare	*two files*
o carte	*a book*	două cărţi	*two books*
un calculator	*a computer/calculator*	două calculatoare	*two computers/calculators*
un scaun	*a chair*	două scaune	*two chairs*
un dicţionar	*a dictionary*	două dicţionare	*two dictionaries*
un telefon	*a telephone*	două telefoane	*two telephones*
un funcţionar	*a male-clerk*	doi funcţionari	*two male-clerks*
o funcţionară	*a female-clerk*	două funcţionare	*two female-clerks*
un fotoliu	*an arm-chair*	două fotolii	*two arm-chairs*
o uşă	*a door*	două uşi	*two doors*
un angajat	*an employee*	doi angajaţi	*two employees*

a. Într-un birou sunt (7) .... funcţionari.

b. Pe birou sunt (2) .... calculatoare.

c. Sub birou sunt (3) .... coşuri de hârtii.

d. Între birou şi uşă sunt (4) .... scaune.

e. Lângă birou sunt (3) .... fotolii.

f. Pe birou sunt (37) .... de dosare, (1) .... telefon şi (2) .... dicţionare.

Task 7 Replace the numerals in the sentences to the ones suggested in brackets. Use the expression **'se află'**.
(Înlocuiţi numeralele din propoziţie cu cele din paranteze. Utilizaţi expresia „se află".)

e.g. În birou sunt doi directori. (5) În birou se află cinci directori.

1. În birou este un sudor. (15) ....

2. În fabrică este un angajat. (2.300) ....

3. Pe masă este o carte. (7) ....

4. În departamentul de marketing este un economist. (11)

....

5. În departamentul financiar este un funcţionar. (18)

....

6. În cameră este un scaun. (6) ....

29

What time is it?
(Cât este ceasul?)

TASK 8 Listen to the CD and repeat.
(Ascultați CD-ul și repetați.)

Official time in Romania is based on the 24-hour clock.

Este ora unu. (*It's 1 a.m.*)
Este ora treisprezece. (*It's 1 p.m.*)
Este ora două. (*It's 2 a.m.*)
Este ora paisprezece. (*It's 2 p.m.*)
Este ora trei. (*It's 3 a.m.*)
Este ora cincisprezece. (*It's 3 p.m.*)
Este ora patru. (*It's 4 a.m.*)
Este ora șaisprezece. (*It's 4 p.m.*)
Este ora opt. (*It's 8 a.m.*)
Este ora douăzeci. (*It's 8 p.m.*)

TASK 9 Fill in the blanks using the prompts in brackets:
(Completați spațiile libere urmând indicațiile din paranteze:)

e.g. *Este ora .... (21:00). Bună ....!*	
Este ora douăzeci și unu.	**Bună seara!**

1. Este ora .... (13:00). Bună ....!
2. Este ora .... (11:00). Bună ....!
3. Este ora .... (19:00). Bună ....!
4. Este ora .... (16:00). Bună ....!
5. Este ora .... (7:00). Bună ....!
6. Este ora .... (12:00). Bună ....!
7. Este ora .... (17:00). Bună ....!
8. Este ora .... (20:00). Bună ....!
9. Este ora .... (9:00). Bună ....!
10. Este ora .... (15:00). Bună ....!
11. Este ora .... (10:00). Bună ....!
12. Este ora .... (18:00). Bună ....!
13. Este ora .... (14:00). Bună ....!
14. Este ora .... (21:00). Bună ....!

TASK **10** Listen to the CD and repeat.
(Ascultaţi CD-ul şi repetaţi.)

1	+	6	=	7	
unu	plus	şase *egal*		şapte	plus – *plus*
8	–	3	=	5	
opt	minus	trei *egal*		cinci	minus – *minus*
15	:	3	=	5	
cincisprezece	împărţit la	trei *egal*		cinci	împărţit la – *divided by*
8	x	2	=	16	
opt	înmulţit cu	doi *egal*		şaisprezece	înmulţit cu – *multiplied by*

TASK **11** Read and write the following:
(Citiţi şi scrieţi următoarele:)

a. 31 + 12 = 43 ....

b. 9 + 17 = 26 ....

c. 3 + 11 = 14 ....

d. 22 + 8 = 30 ....

e. 6 – 3 = 3 ....

f. 13 – 4 = 9 ....

g. 29 – 15 = 14 ....

h. 19 – 18 = 1 ....

i. 9 : 3 = 3 ....

î. 16 : 4 = 4 ....

j. 44 : 11 = 4 ....

k. 24 : 4 = 6 ....

l. 6 x 6 = 36 ....

m. 2 x 7 = 14 ....

n. 15 x 2 = 30 ....

o. 11 x 4 = 44 ....

p. 15 – 2 = 13 ....

r. 14 + 3 = 17 ....

s. 6 x 8 = 48 ....

ş. 20 : 2 = 10 ....

Task 12 Translate the following   dialogues:
(Traduceţi următoarele dialoguri:)

A: Who are you? ....

B: I am Tudor Şerban. ....

A: What time is it? ....

B: It's 7 P.M. ....

A: What is your occupation? ....

B: I'm an engineer. ....

A: Who are you? ....

B: I'm Jane. ....

Topics for Conversation
(Subiecte de conversaţie)

Talking about Age
(Vorbind despre vârstă)

Task 13 Listen to the CD and then repeat.
(Ascultaţi CD-ul şi apoi repetaţi.)

A: – Ce vârstă ai?

B: – Am 30 de ani. De fapt, am aproape 30 de ani. La anul împlinesc 31 de ani.

A: – Ce vârstă are soţia ta?

B: – Are peste 25 de ani. Are 27 de ani.

A: – Cum arată ?

B: – Este tânără şi frumoasă.

Vocabulary / Vocabular

(eu) am	– I have (the age is expressed by means of the verb **'a avea'**, the correspondent of **'to have'**)
(ea) are	– she has
aproape	– nearly
frumoasă	– beautiful
la anul	– next year
soţ	– husband
soţie	– wife
tânăr, -ă	– young
vârstă	– age

„Ce vârstă aveți?" (F.R.) / „Ce vârstă ai?" (I.R.) / – 'How old are you?'
„Câți ani ai?" (I.R.)
„La anul împlinesc 31 de ani". – 'I shall be 31 next year.'
„Cum arată ea ?" – 'What does she look like?'
„Cum arată el?" – 'What does he look like?'
„Cum arată ei?" – 'What do they look like ?'

Grammar Session (Gramatică)

Verbs in Romanian II
(Verbele în limba română II)

TASK 14 — Listen to the CD and repeat.
(Ascultați CD-ul și repetați.)

a avea	a lua	a sta	a vorbi	a rezolva	a pleca	a veni	a lucra	a învăța
to have	*to take*	*to stay*	*to speak*	*to solve*	*to leave*	*to come*	*to work*	*to study*
Eu am	iau	stau	vorbesc	rezolv	plec	vin	lucrez	învăț
Tu ai	iei	stai	vorbești	rezolvi	pleci	vii	lucrezi	înveți
El/Ea are	ia	stă	vorbește	rezolvă	pleacă	vine	lucrează	învață
Noi avem	luăm	stăm	vorbim	rezolvăm	plecăm	venim	lucrăm	învățăm
Voi aveți	luați	stați	vorbiți	rezolvați	plecați	veniți	lucrați	învățați
Ei/Ele au	iau	stau	vorbesc	rezolvă	pleacă	vin	lucrează	învață

TASK 15 — Read the conjugations above and fill in the blanks as the case stands, with the corresponding verbal forms or with hours.
(Citiți conjugările de mai sus și completați spațiile libere cu formele verbale corespunzătoare sau cu orele, după caz.)

1. A: – La ce oră iei cina de obicei?

   B: – De obicei .... cina la ora ....

2. A: – La ce oră pleci la serviciu de obicei?

   B: – De obicei .... la serviciu la ora ....

3. A: – La ce oră vorbești la telefon cu soția ta?

   B: – De obicei .... la telefon cu soția la ora ....

4. A: – La ce oră lucrezi la acest proiect?

   B: – La ora ....

5. A: – La ce oră vii la birou / serviciu?

   B: – De obicei .... la birou înainte de ora ....

   Rareori vin după ora ....

6. A: – La ce oră pleci de la serviciu?

   B: – De obicei .... de la serviciu la ora ....

7. A: – La ce oră vine domnul Ionescu la birou?

   B: – Întotdeauna .... la ora ....

8. A: – La ce oră luaţi (voi) prânzul?

   B: – .... prânzul la ora ....

9. A: – La ce oră luaţi cina?

   B: – Întotdeauna .... cina la ora ....

   A: – Când vii acasă?

   B: – De obicei .... acasă după ora ....

TASK 16 Give the appropriate forms to the verbs in brackets.
(Daţi verbelor din paranteză formele corespunzătoare.)

1. (Eu) .... (*a lucra*)

2. Maria .... o problemă. (*a rezolva*)

3. Cine ....? (*a pleca*)

4. (Tu) .... cina acum? (*a lua*)

5. (Noi) .... (*a vorbi*)

6. El .... acum. *(a lucra)*

7. Când .... (tu)? (*a pleca*)

8. Când .... (voi) acasă? (*a sta*)

9. Cine .... azi? (*a veni*)

10. (Voi) .... la telefon? (*a vorbi*)

11. (Eu) .... acum. (*a pleca*)

12. Ce .... (tu)? (*a face*)

13. (Noi) .... acum. (*a lucra*)

14. (Eu) .... acum. (*a sta*)

15. (Voi) .... acum? (*a pleca*)

16. Când .... el la birou? (*a veni*)

17. Andrei .... aici? (*a fi*)

18. Cine .... acolo? (*a fi*)

19. (Tu) .... ocupat ? (*a fi*)

20. Când .... voi la birou? (*a veni*)

TASK 17 Study the expressions bellow. Then transform the following sentences according to the prompts given in brackets:
(Studiaţi expresiile de mai jos. Apoi transformaţi următoarele propoziţii conform celor sugerate în paranteze:)

a sta de vorbă cu – to talk to		**a sta în picioare**	– to stand
a sta pe scaun – to sit		**a sta pe loc**	– to stop; to stay
a sta la taifas – to chat		**a sta pe roze**	– to be in the pink

„**Cum stai cu sănătatea?**" – 'How are you? / How is your health?'

a lua parte la	– to take part into	**a lua trenul**	– to go by train
a lua cina	– to have / take supper	**a lua cu împrumut**	– to borrow
a avea de lucru	– to have work to do	**a avea chef de**	– to be in the mood (for)
a avea în vedere	– to refer to	**a nu avea astâmpăr**	– to fidget
a nu avea ce mânca	– to starve	**a avea încredere în**	– to trust

a nu avea nici un amestec   – to have no axe to grind
a avea în componenţă   – to consist of; to be composed of
a avea acoperire   – to be covered; to be on the safe side

a vorbi despre   – to talk about   **a vorbi aiurea** – to speak nonsense
a vorbi deschis   – to speak one's mind   **a vorbi liber**   – to speak off-hand
a vorbi în vânt – to waste one's breath

a pleca la (+ destination) – to leave for   **a pleca de la** (+ departure place) – to leave

> **Model:**   Noi avem mult de lucru. *(Mihai)*   Mihai are mult de lucru.

1. Nu am chef de lucru. *(ei)*

   ....

2. Directorul vorbeşte despre planul de restructurare[1]. *(noi)*

   ....

3. Consiliul de administraţie[2] are în componenţă 8 membri. *(biroul)*

   ....

4. Cum stă Mihai cu sănătatea? *(voi)*

   ....

5. Despre ce vorbeşti? *(voi)*

   ....

6. El nu are nici un amestec. *(ele)*

   ....

7. Jarl vorbeşte întotdeauna deschis. *(Olaf şi Bjorn)*

   ....

8. La ora 16:00 luăm parte la o şedinţă. *(eu)*

   ....

9. Eu iau cina cu familia astă seară. *(noi)*

   ....

10. Tu iei trenul de Constanţa. *(el)*

    ....

11. Iau cu împrumut nişte bani. *(voi)*

    ....

12. El stă pe scaun acum. *(noi)*

    ....

13. Andrei nu are astâmpăr vineri după-amiaza. *(tu)*

    ....

14. Dan vorbeşte aiurea acum. *(Maria şi Petre)*

    ....

---

[1] *planul de restructurare = restructuring plan*
[2] *consiliul de administraţie = board of directors*

15. Tu nu stai pe roze. *(ei)*

....

16. Nu avem încredere în Angela. *(ea)*

....

17. Stați la taifas cu maiștrii. *(noi)*

....

18. Cred că vorbim în vânt acum. *(tu)*

....

19. Este ora 18:30. Plec acasă acum. *(ele)*

....

20. Ea pleacă de la birou la ora 16:00. *(el)*

....

TASK 18   Fill in the blanks with the corresponding personal pronouns.
(Completați spațiile libere cu pronumele personale corespunzătoare.)

...... ai	...... luați	...... stai	...... vorbim
...... avem	...... iei	...... stau	...... vorbește
...... are	...... iau	...... stau	...... vorbesc
...... aveți	...... ia	...... stă	...... vorbesc
...... au	...... luăm	...... stați	...... vorbiți
...... am	...... iau	...... stăm	...... vorbești
...... plecați	...... vin	...... lucrăm	...... rezolvă
...... pleacă	...... veniți	...... lucrează	...... rezolv
...... pleacă	...... vine	...... lucrează	...... rezolvă
...... pleci	 vii	...... lucrez	...... rezolvăm
...... plecăm	...... venim	...... lucrați	...... rezolvați
...... plec	...... vin	...... lucrezi	...... rezolvi

TASK 19   Fill in the blanks with the appropriate form of the verb in brackets.
(Completați spațiile libere cu forma corespunzătoare a verbului din paranteze.)

1. De obicei eu .... 8 ore pe zi. (a lucra)

2. Tu când .... la birou? (a veni)

3. Voi de ce nu .... această problemă? (a rezolva)

4. Cine .... masa la McDonald's? (a lua)

5. Voi când .... în delegație? (a pleca)

6. Ei în ce birou .... ? (a lucra)

7. Duminica aceasta voi .... acasă sau ....? (a sta; a pleca)

8. Voi când .... întâlnirea de afaceri? (a avea)

TASK 20   Listen to the CD and repeat.
           (Ascultaţi CD-ul şi repetaţi.)

6:45	ora şapte fără un sfert	– a quarter to seven
6:55	ora şapte fără cinci	– five minutes to seven
7:00	ora şapte (fix)	– seven o'clock (sharp)
7:10	ora şapte şi zece	– ten past seven
7:15	ora şapte şi un sfert	– a quarter past seven
7:30	ora şapte şi jumătate	– half past seven

Note. On the 24-hour clock, only numbers are used to express minutes:

   e.g. **6:45 a.m.**   – official time: 'şase patruzeci şi cinci'
                              – regular time: 'şapte fără un sfert dimineaţa'

         6:35 p.m.   – official time: 'optsprezece treizeci şi cinci'
                              – regular time: ' şapte fără douăzeci şi cinci seara'

On the regular clock, use 'dimineaţa' (between 0:00 and 12:00 a.m.), 'după–amiaza'
(between 12:00 and 6:00 p.m.), and 'seara' (between 6:00 and 12:00 p.m.).

Topics for Conversation
(Subiecte de conversaţie)

The Meals of the Day
(Mesele zilei)

A: – La ce oră iei micul dejun?
B: – De obicei, la ora şapte fără un sfert.
A: – Iei prânzul la serviciu sau acasă?
B: – Adesea iau prânzul la birou, pe la ora treisprezece treizeci.
A: – Dar cina?
B: – Depinde … Uneori la ora nouăsprezece, altădată mai târziu, când toată familia
       este acasă.
A: – Între micul dejun şi cină mai iei o gustare?
B: – Rareori.

Vocabulary / Vocabular

La ce oră ...?	– What time ... ?
Când ... ?	– When ... ?
la birou / la serviciu	– at the office
pe la ora ...	– at about ...
depinde ...	– it depends ...
mai târziu	– later (on)
acasă	– at home

uneori / câteodată	– sometimes
altădată	– some other time
micul dejun	– breakfast
prânz	– lunch / dinner
cina	– supper
gustare	– snack

Phrases/Expresii

„Iei prânzul... ?"	– 'Do you have lunch / dinner ...?'
	* in Romanian, 'to have dinner / lunch / breakfast / supper' is expressed by the verb 'a lua *(to take)* prânzul / micul dejun /cina'
„Dar cina?"	– 'How about supper?'

The Days of the Week
(Zilele săptămânii)

In Romania, the week officially starts on Monday, not on Sunday. The days of the week are not capitalized, unless they are at the beginning of a sentence.

TASK 21   Listen to the CD and repeat.
(Ascultaţi CD-ul şi repetaţi.)

The days of the week are:

luni	– Monday	**miercuri**	– Wednesday	**vineri**	– Friday
marţi	– Tuesday	**joi**	– Thursday	**sâmbătă**	– Saturday
				duminică	– Sunday

My Daily Programme / Programul meu zilnic

TASK 22   Listen to the CD and repeat.
(Ascultaţi CD-ul şi repetaţi.)

Mă numesc Valentin Ionescu. Valentin este numele de botez, iar Ionescu este numele de familie. Sunt român şi lucrez la compania „Carpaţi". Sunt economist. De obicei sunt foarte ocupat. Iată care este programul meu zilnic:

Monday **Luni**	Tuesday **Marţi**	Wednesday **Miercuri**	Thursday **Joi**	Friday **Vineri**	Saturday **Sâmbătă**	Sunday **Duminică**
*7:15 iau micul dejun cu familia * 7:45 plec de acasă cu maşina * 9:00 vorbesc cu directorii de fabrici	*12:00 rezolv probleme urgente cu şefii de secţii *14:00 vorbesc la telefon cu directorul general	*14:00 iau masa cu dl. Director Stamate * 18:45 lucrez la calculator cu Andrei	* 6:45 iau micul dejun singur * 7:10 plec în delegaţie la Cluj * 19:30 iau cina cu colegii	* 17:20 vin acasă de la birou * 20:45 iau cina cu familia	stau acasă	* 8:30 iau micul dejun cu familia * 12:30 plecăm în oraş, la film, la teatru sau în parc * 19:00 venim acasă

Task 23   Answer the following questions.
          (Răspundeţi la următoarele întrebări.)

Model: Ce face domnul Ionescu marţi la ora 14:00?
             Marţi la ora 14:00 domnul Ionescu vorbeşte la telefon cu directorul general.

1. Ce face domnul Valentin Ionescu vineri la ora 17:20?

....

2. Ce face miercuri la ora 14:00?

....

3. La ce oră ia cina joi?

....

4. Când pleacă în delegaţie? La ce oră?

....

5. Vorbeşte vineri cu directorii de fabrici? Dar când?

....

6. Când ia micul dejun cu familia?

....

7. Când ia micul dejun singur?

....

8. Stă acasă luni? Când stă acasă?

....

9. Când ia masa cu domnul director Stamate?

....

10. Ce face marţi la 12:00?

....

Task 24   Tick the 'true' and 'false' statements in the table below.
          (Bifaţi propoziţiile adevărate şi pe cele false în tabelul de mai jos.)

1. „Marţi la ora 14:30 iau masa cu domnul director Stamate."
2. „Joi la ora 6:45 iau micul dejun singur."
3. „Duminică stau acasă."
4. „Vineri vin acasă la ora 17:20."
5. „Marţi la ora 2:00 vorbesc la telefon cu directorul."
6. „Miercuri la ora 18:55 lucrez la calculator cu Andrei."

7. „Vineri la ora 21:45 iau cina cu colegii."
8. „Joi la ora 7:10 plec în delegație."
9. „Luni la ora 7:15 iau micul dejun cu familia."
10. „Marți la ora 12:00 rezolv probleme urgente."

Sentence (*Propoziția*)	1	2	3	4	5	6	7	8	9	10
True (*Adevărată*)										
False (*Falsă*)	✓									

TASK 25 Work with your partner. Ask him questions about his agenda for today and answer his questions.
(Lucrați cu partenerul dumneavoastră. Puneți-i întrebări în legătură cu programul său de astăzi și răspundeți la întrebările sale.)

Your questions/*Întrebările dumneavoastra*   His answers/*Răspunsurile lui*

e.g. Ce faci azi la ora 9:00?   **e.g.** Am ora de română.

– ....   – ....
– ....   – ....
– ....   – ....
– ....   – ....
– ....   – ....

TASK 26 Write down in letters the official and then the regular time.
(Scrieți în litere ora oficială și apoi cea exprimată în limbaj familiar.)

1. 7:35 p.m.   ....
2. 1:03 a.m.   ....
3. 8:55 p.m.   ....
4. 5:30 a.m.   ....
5. 11:45 p.m.   ....
6. 6:00 a.m.   ....
7. 4:15 p.m.   ....
8. 9:59 a.m.   ....
9. 3:02 a.m.   ....
10. 10:35 p.m.   ....

TASK 27 Listen to the CD and write the numbers[1].
(Ascultați CD-ul și scrieți numerele.)

........................;   ....;   ....;
........................;   ....;   ....;

---
[1] See the answers at the end of the book.

....................;   ....;   ....;
....................;   ....;   ....
....................;   ....;

TASK 28 Order the following lines from a dialogue between Mrs. Ide Yvarsen, Mr. Jan Yvarsen's wife, and the owner of a shop.
(Ordonaţi următoarele replici ale unui dialog dintre doamna Ide Yvarsen, soţia domnului Jan Yvarsen şi proprietarul unui magazin.)

a) Aici în birou sunt: un manager din Norvegia, un funcţionar din Canada, un stilist din Australia şi un director din Anglia. Domnul Sava este furnizorul nostru. El este român.

b) Sunt Ide Yvarsen. Sunt soţia lui Jan Yvarsen. Sunt din Norvegia.

c) Bună ziua.

d) Ce este aici?

e) Cine sunteţi dumneavoastră?

f) Mulţumesc.

g) Îmi pare bine. Eu sunt proprietarul acestui magazin.

h) Un birou. Intraţi, vă rog. Luaţi loc.

Letter	a.	b.	c.	d.	e.	f.	g.	h.
Order (1–8)			1					

TASK 29 Order the words from the following statements and decide which are the words to be written in capital letters.
(Ordonaţi cuvintele din următoarele propoziţii şi stabiliţi cuvintele care încep cu majuscule.)

New words:
muzică   – *music*
şcoală   – *school*
secretara şcolii – *(the) school's (female) secretary*
mamă   – *mother*
fiu   – *son*
mama elevului   – *(the) student's mother*

Model: 1. a) Permiteţi-mi să mă prezint!

1. a) mă / permiteţi-mi / prezint / să!
   b) sunt / mă / norvegia / ide / numesc / din / yvarsen / şi.
   c) de / profesoară / sunt / muzică.
2. a) bine / îmi / pare.
   b) tomescu / eu / mă / numesc / cornelia / şi / şcolii / sunt secretara.
   c) permiteţi-mi / prezint / director / să vă / domnului.
   d) mama elevului / ove / yvarsen / domnule director / v-o prezint pe doamna ide yvarsen.

3. cunosc / pare / să / îmi / bine / vă!

4. stănescu / domnul / vi-l prezint pe / director / valentin.

5. vă / pare / îmi / bine / să / cunosc!

TASK 30 Write in letters the numerals from the following conversation.
(Scrieți în litere numeralele din conversația următoare.)

A: – Ce vârstă ai?

B: – Am (30) .... de ani. De fapt, am aproape (30) .... de ani.
La anul împlinesc (31) .... de ani.

A: – Ce vârstă are soțul tău?

B: – Are peste (35) .... de ani. Are (37) .... de ani.

A: – Cum arată ?

B: – Este foarte drăguț.

TASK 31 Insert the sentences into the table using the 1-st person narrative, namely the direct speech. What does Mrs. Ide Yvarsen write in this agenda?
(Introduceți propozițiile în tabel, utilizând persoana I, singular, adică vorbirea directă. Ce scrie doamna Yvarsen în această agendă?)

Mă numesc Ide Yvarsen. Ide este numele de botez, iar Yvarsen este numele de familie. Sunt norvegiană, iar soțul meu lucrează la compania „Carpați". Sunt casnică. De obicei sunt foarte ocupată. Iată care este programul meu zilnic:

Monday **Luni**	Tuesday **Marți**	Wednesday **Miercuri**	Thursday **Joi**	Friday **Vineri**	Saturday **Sâmbătă**	Sunday **Duminică**
14:00 iau masa cu d-na Thomson						

1. Luni la ora 14:00 **ia** masa cu doamna Thompson.
2. Sâmbăta **stă** acasă.
3. Marți la ora 12:00 **rezolvă** probleme urgente.
4. Luni la ora 7:15 **ia** micul dejun cu familia.

5. Joi la ora 6:45 **ia** micul dejun singură.
6. Vineri la ora 17:20 **vine** acasă de la şcoală cu fiul ei.
7. Duminică la ora 8:30 **ia** micul dejun cu familia.
8. Joi la ora 7:10 **merge** la piaţă.
9. Marţi la ora 7:45 **pleacă** de acasă.
10. Duminică la ora 12:30 **pleacă** în oraş.
11. Miercuri la ora 14:00 **vorbeşte** la telefon cu prietenele.
12. Vineri la ora 20:45 **ia** cina cu familia.
13. Miercuri la ora 18:45 **lucrează** la calculator cu Andrei.
14. Luni la ora 9:00 **pleacă** la cumpărături.
15. Joi la ora 19:30 **ia** cina cu prietenii.
16. Duminică la ora 19:00 **vine** acasă.

TASK 32   Tick the '**true**' and '**false**' statements in the table below.
(Bifaţi propoziţiile adevărate şi pe cele false în tabelul de mai jos.)

1. „Marţi la 14:30 iau masa cu doamna Thompson."
2. „Joi la 6:45 iau micul dejun singură."
3. „Duminică stau acasă."
4. „Vineri vin acasă la 17:20."
5. „Marţi la ora 2:00 vorbesc la telefon cu prietenii mei."
6. „Miercuri la 18:55 pregătesc cina."
7. „Vineri la 21:45 iau cina cu colegii soţului meu."
8. „Joi la 7:10 plec la cumpărături."
9. „Luni la 7:15 plec de acasă."
10. „Marţi la ora 12:00 fac cumpărături."

Sentence (*Propoziţia*)	1	2	3	4	5	6	7	8	9	10
True (*Adevărată*)										
False (*Falsă*)	✓									

TASK 33   Choose the corresponding verbal form.
(Alegeţi forma verbală corespunzătoare.)

1. El (staţi / stăm / stă) .... acasă în concediu.
2. Ea (vorbim / vorbeşte / vorbiţi) .... la telefon acum. Este ocupată.
3. Noi (veniţi / vin / venim) .... acasă la ora 17:00.
4. Marţi ei (plec / pleacă / pleci) .... la munte. (Vin / Venim / Veniţi) ....
înapoi în Bucureşti sâmbăta aceasta.
5. Ei (fac / facem / faci) .... cumpărături acum. Sunt ocupaţi.
6. Tu (luaţi / luăm / iei) .... micul dejun acasă sau în oraş?

43

Grammar Session (Gramatică)

The Personal Pronoun in the Accusative Case I
(Pronumele personal în cazul acuzativ I)

In contrast with English, in Romanian this type of pronoun has almost the same forms as the pronoun in the Nominative Case. The differrences are:
- the forms for the 1-st and the 2-nd persons, singular;
- the prepositions that precede this pronoun – 'with'; 'about'; 'to'; 'for'; 'from'; 'by'; 'at' (see the table below).

Personal Pronoun in Nominative	Personal Pronoun in the Accusative Case			
	Prepositions	Pronoun		Example
		Romanian	English	
Eu	cu *(with; by)*;	mine	me	„*cu mine*" – '*with me*'
Tu	la *(to; at; on; with)*;	tine	you	„*la tine*" – '*to you*'
El / Ea	spre *(to)*;	el / ea	him / her	„*spre el*" – '*to him*'
Noi	pentru *(for)*;	noi	us	„*pentru noi*" –' *for us*'
Voi	de la *(from)*; despre *(about)*;	voi	you	„*de la voi*" - '*from you*'
Ei /Ele	de către *(by)*	ei / ele	them	„*despre ele*" – '*about them*'

Such pronouns have the function of Indirect Object. The concept questions specific to the Accusative Case are: „**cu cine?**" / 'with whom ?'; „**la cine?**" / 'to whom ?'; „**spre cine?**" / 'to whom ?'; „**pentru cine?**" / 'for whom ?'; „**de la cine?**" / 'from whom ?'; „**despre cine?**" / 'about whom ?'; „**de către cine?**" / 'by whom ?', etc.

TASK 34   Answer the following questions.
(Răspundeţi la următoarele întrebări.)

Model: Cu cine stai de vorbă? (Angela)
Stau de vorbă cu Angela.

1. Cu cine vorbeşti la telefon? (directorul de marketing)

   ....

2. Cu cine lucraţi la raport? (inginerii de la Informatică)

   ....

3. Cu ce merge Andrei la şcoală? (autobuzul)

   ....

4. Cu cine ia Mihai Ionescu masa de obicei? (Mihaela)

   ....

5. Unde merge autobuzul? (centru)

   ....

6. Pentru cine faci referatul? (director)

   ....

TASK 35 Replace the personal pronouns in Nominative in brackets with the corresponding forms of the pronouns in Accusative.
(Înlocuiţi pronumele personale la nominativ din paranteze cu formele de acuzativ.)

Model: Cadoul este pentru (tu).   *Cadoul este pentru tine.*

1. Andrei este cu (tu). ....
2. Noi suntem lângă (ele). ....
3. Voi rezolvaţi problema cu (ei). ....
4. Aproape de (voi) este un birou..
5. Profesoara de română nu este cu (noi). ....
6. Eu nu iau masa cu (tu) astăzi. ....

Learn/revise (Învăţaţi/repetaţi:)

birou; muncitor; contabil; profesor; acesta; cine; domnul; maistru; inginer; angajat; duminică; aceasta; casă; călimară; culoare; galben; luni; aceştia; aici; acestea; cer; cincisprezece; marţi; pagină; de obicei; voi; ce; miercuri; zece; adesea; unde; când; ocupat; preşedinte; soţie; joi; bibliotecară; profesoară; fizician; vineri; instalator; constructor; director financiar; vânzător; douăzeci şi trei; sâmbătă; este; companie; suntem; „Îmi pare bine să vă cunosc"; „Mă numesc Angela Stoica"; lângă; deasupra; pe; în; duminică; printre; niciodată; rareori.

TASK 36 Try the following crossword.
(Rezolvaţi următorul careu.)

Across (*Orizontal*): 1. breakfast (*two words*)   6. seven
2. Friday   7. (You) leave (*pl.*)
3. (He / She) works   8. Wednesday
4. the 'lucky' number   9. this (*masc.*)
5. snack

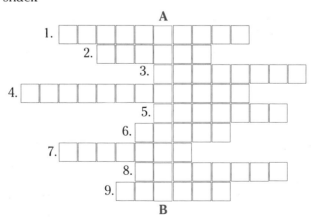

Down – *from* **A** *to* **B** (*Vertical*): business trip.

Lesson Three / Lecţia trei

Topics for Conversation
(Subiecte de conversaţie)

Asking One's Way
(Orientarea în oraş)

Task 1   Listen to the CD and then repeat.
(Ascultaţi CD-ul şi apoi repetaţi.)

A: – Scuzaţi-mă … Unde este Hotelul Intercontinental?

B: – Hotelul Intercontinental? Desigur! O luaţi pe prima stradă la dreapta şi apoi drept înainte. Este simplu pentru că este foarte aproape. La colţ este o staţie de taxiuri.

A: – Mulţumesc foarte mult!

B: – Cu plăcere!

Vocabulary / Vocabular

prima …	– the first *(fem.)*	**înainte**	– ahead
a doua …	– the second *(fem.)*	**stradă**	– street
a treia …	– the third *(fem.)*	**bulevard**	– avenue
la dreapta	– to the right	**după colţ**	– round the corner
la stânga	– to the left	**la colţ**	– on the corner
drept	– straight	**a traversa**	– to cross the street
foarte	– very	**apoi**	– then
aproape	– near	**simplu**	– simple
şi	– and	**pentru că**	– because

Phrases/Expresii

Scuzaţi-mă …	– Excuse me …
Vă rog (F.R.)	– Please
Te rog (I.R.)	– Please
Unde este …?	– Where is …?
Desigur!	– Of course!
Drept înainte	– Straight ahead
Mulţumesc foarte mult!	– Thank you very much!
Cu plăcere!	– You're welcome!
O luaţi (luaţi-o) pe prima stradă la dreapta	– Turn the first street to the right

Topics for Conversation
(Subiecte de conversație)

Where is ... ?
(Unde este ... ?)

Task **2**   Listen to the CD and repeat.
(Ascultați CD-ul și repetați.)

... cinematograful Scala?   – ... the Scala Cinema?
... Teatrul Național?   – ... the National Theatre?
... restaurantul „Carul cu Bere"?   – ... the 'Carul cu Bere' Restaurant?
... stația de metrou?   – ... the tube station?
... Bulevardul Unirii?   – ... Unirii Avenue?
... Gara de Nord?   – ... the North Railway Station?
... stația de taxiuri?   – ... the taxi rank?
... hotelul Intercontinental?   – ... the Intercontinental Hotel?
... magazinul universal Unirea?   – ... the Unirea Department Store?

Vocabulary / Vocabular

cinematograf	– cinema (hall)
teatru	– theatre (hall)
stația de metrou	– the tube station
bulevard	– avenue
gară	– railway station
stație de taxiuri	– taxi rank
colț	– corner
piață	– square
bloc	– block-of-flats
intersecție	– crossroad

Task **3**   Give the location for the above mentioned places / buildings using the prompts below.
(Localizați obiectivele sau clădirile menționate anterior utilizând cuvintele care urmează.)

lângă (near);   **imediat lângă** (next to);   **vizavi de** (opposite)

e.g.   The Scala Cinema
A: Unde este cinematograful Scala?
B: Cinematograful Scala este lângă cinematograful Patria.

Teatrul Național   A: ....
                         B: ....

Restaurantul Carul cu Bere	A: ....
	B: ....
Staţia de metrou	A: ....
	B: ....
Bulevardul Unirii	A: ....
	B: ....
Magazinul Unirea	A: ....
	B: ....
Gara de Nord	A: ....
	B: ....
Staţia de taxi	A: ....
	B: ....
Hotelul Intercontinental	A: ....
	B: ....

Grammar Session (Gramatică)

Verbs in Romanian III
(Verbele în limba română III)

In Romanian, the particle corresponding to the infinitive form is 'a'.

> **e.g.** 'a lua' – 'to take'

There are five main categories of verbs, in terms of the verbs' endings at the infinitive mood:

Verbs' endings	Examples
-a	a aştepta (to wait)
	a lucra (to work)
-ea	a putea (can)
	a vedea (to see)
-e	a face (to do)
	a merge (to go)
-i	a fugi (to run)
	a gândi (to think)
-î	a coborî (to get off/to come down)
	a hotărî (to decide)

The Present Indicative
(Indicativul prezent)

The Present Tenses / Exprimarea prezentului

In Romanian only one tense (Present – „**Prezent**") corresponds to four structures in English: Present Tense Simple, Present Tense Progressive, Present Perfect Simple and Present Perfect Progressive.

Present Tense Simple:	I often **work** on the computer.
	*Adesea **lucrez** la calculator.*
Present Tense Continuous:	I **am working** on the computer now.
	***Lucrez** la calculator acum.*
Present Perfect Simple:	I **have been** here for 5 minutes.
	***Sunt** aici de 5 minute.*
Present Perfect Continuous:	I **have been working** on the computer for two hours.
	***Lucrez** la calculator de două ore.*

TASK 4 — Listen to the CD and repeat.
(Ascultaţi CD-ul şi repetaţi.)

Read the table below and notice the stem endings which are specific to each infinitive group written in bold letters:

Pronume Pronoun	A aştepta (to wait) I (-a)	A vedea (to see) II (-ea)	A face (to do) III (-e)	A gândi (to think) IV (-i)	A hotărî (to decide) V (-î)
Eu	aştept	văd	fac	gândesc	hotărăsc
Tu	aştepţi	vezi	faci	gândeşti	hotărăşti
El / Ea	aşteaptă	vede	face	gândeşte	hotărăşte
Noi	aşteptăm	vedem	facem	gândim	hotărâm
Voi	aşteptaţi	vedeţi	faceţi	gândiţi	hotărâţi
Ei/Ele	aşteaptă	văd	fac	gândesc	hotărăsc

Some verbs undergo minor changes in the stem that are easy to overlook. In the table below such alterations may occur.

TASK 5 — Fill in the following table.
(Completaţi următorul tabel.)

Pronume Pronoun	a alerga (to run) I (-a)	a putea (can) II (-ea)	a merge (to go) III (-e)	a citi (to read) IV (-i)	a urî (to hate) V (-î)
Eu	alerg	pot	merg	citesc	urăsc
Tu		poţi			
El / Ea		poate			
Noi		putem			
Voi		puteţi			
Ei / Ele		pot			

Note: a) The verbs ending in **'-a' at the infinitive** have similar forms at the 3-rd person, singular and plural:

El / ea	așteaptă	He / she waits
Ei / Ele		They wait
El / ea	lucrează	He / she works
Ei / Ele		They work

b) The verbs ending in **'-i'**, **'-î'**, **'-e'** and **'-ea'** have similar forms at the 1-st person singular and the 3-rd person plural:

Eu	citesc	I read
Ei / Ele		They read
Eu	întâlnesc	I meet
Ei / Ele		They meet
Eu	fac	I do
Ei / Ele		They do
Eu	merg	I go
Ei / Ele		They go
Eu	pot	I can
Ei / Ele		They can
Eu	văd	I see
Ei / Ele		They see

TASK 6 Read the following verbs and derived nouns in order to fill in the blanks below with the corresponding expressions.
(Citiți următoarele verbe și substantive derivate pentru a completa în mod corespunzător spațiile libere de mai jos.)

a aștepta — **to wait for; to give time to**
    a aștepta cu nerăbdare — – to look forward to
    așteptare *(noun)* — – waiting
a vedea — **to see**
    a vedea (a avea grijă) de cineva – to look after someone
    vedenie *(noun)* — – vision; hallucination; phantom/ghost
a face — **to do; to commit; to yield; to cost**
    a face mâncare / a găti — – to cook
    a face prăjituri — – to bake
    a face un desen — – to draw
    a face afaceri — – to do business
    a face o aluzie — – to drop a hint
    a face aluzie la — – to allude to
    a face apel — – to appeal to
    a face baie — – to take a bath
    a face bilanțul contabil — – to draw up the balance sheet
a gândi — **to think; to consider**
    gândire *(noun)* — – thinking

a hotărî	**to decide**
hotărâre *(noun)*	– decision
a întâlni	**to meet**
întâlnire *(noun)*	– appointment, date, meeting
a alerga	**to run; to make haste; to rush**
alergare *(noun)*	– race; chase
a putea	**can; to be able to**
putere *(noun)*	– strength; power; force; authority
putere de cumpărare	– purchasing power
putere de stat	– state power
puteri depline	– full powers
a merge	**to go**
a merge pe jos	– to walk
a citi	**to read**
citire; lectură *(noun)*	– reading
a urî	**to hate; to loathe**
ură *(noun)*	– hatred; enmity

1. Noi .... (look forward) vacanţa de vară.

2. Mircea nu .... (to walk) la birou astăzi.

3. Cine .... (to cook) mâine?

4. Contabilul .... (to draw up the balance sheet) acum. Este foarte ocupat.

5. Voi .... (to have full powers of decision) acum.

6. Compania 'Carpaţi'..................................... (to do business only with) parteneri serioşi.

7. Cred că dumneavoastră .... (to allude to) întâlnirea de mâine.

8. Doamna Popescu .... (looks after) Mihăiţă.

TASK 7   Ask questions so that you get the following answers.
(Formulaţi întrebări pentru a primi următoarele răspunsuri.)

Use whenever possible: *(Utilizaţi ori de câte ori este posibil:)*

Când ...?	When ...?	De unde ...?	Where ... from?
Cu cine?	With whom?	Cum ...?	How ...?
De ce ...?	Why?	Cu ce ...?	What ... with / by?
Ce ...?	What ...?	Pe cine ...?	Whom ...?

Model: Aştept un telefon. *Ce faci? / Ce aştepţi?*

1. Aştept un telefon.

    ....

2. Voi hotărâţi programul de mâine.

    ....

3. Ştiu ce gândiţi.

....

4. Mâine la ora 16:00 vedem un film la cinematograf.

....

5. Trebuie să facem un plan.

....

6. Merge bine.

....

7. Aşteaptă un autobuz.

....

8. Nu, nu aştept pe nimeni.

....

9. Da, facem planuri de vacanţă.

....

10. Hotărâm mâine dimineaţă.

....

11. Trebuie să aşteptăm un răspuns.

....

12. Nu vedem pe nimeni.

....

13. De la teatru.

....

14. Lucrez cu prietenul meu Dan Ionescu.

....

15. La ora 15:00 iau prânzul cu Dan.

....

16. Sunt din Norvegia.

....

17. Mihai aleargă în fiecare dimineaţă.

....

18. Citesc ziarul 'Libertatea' în fiecare dimineaţă după micul dejun.

....

19. Merge la birou cu metroul.

....

20. Urăsc metroul.

....

21. Nu merg la teatru.

....

22. Nu. Nu citesc ziare seara.

....

Topics for Conversation
(Subiecte de conversație)

Countries and Peoples
(Țări și popoare)

TASK 8   Listen to the CD and repeat.
         (Ascultați CD-ul și repetați.)

Țara *(Country)*	Poporul *(People)*	Locuitorii *(Inhabitants)*	
		Masculin *(Masc.)* (male)	Feminin *(Fem.)* (female)
România *(Romania)*	**români** *(Romanians)*	**român** *(a Romanian)*	**româncă**
Norvegia *(Norway)*	**norvegieni** *(Norwegians)*	**norvegian** *(a Norwegian)*	**norvegiană**
Danemarca *(Denmark)*	**danezi** *(Danes)*	**danez** *(a Dane)*	**daneză**
Suedia *(Sweden)*	**suedezi** *(Swedes)*	**suedez** *(a Swede)*	**suedeză**
Finlanda *(Finland)*	**finlandezi** *(Finns)*	**finlandez** *(a Finn)*	**finlandeză**
Olanda *(The Netherlands)*	**olandezi** *(Dutch)*	**olandez** *(a Dutch)*	**olandeză**
Marea Britanie *(Great Britain)*	**britanici** *(British)*	**britanic** *(a British)*	**britanică**
Spania *(Spain)*	**spanioli** *(Spaniards)*	**spaniol** *(a Spaniard)*	**spaniolă**
Elveția *(Switzerland)*	**elvețieni** *(Swiss)*	**elvețian** *(a Swiss)*	**elvețiană**
Turcia *(Turkey)*	**turci** *(Turks)*	**turc** *(a Turk)*	**turcoaică**
Canada *(Canada)*	**canadieni** *(Canadians)*	**canadian** *(a Canadian)*	**canadiană**

TASK 9   Read the following text.
          (Citiţi textul următor.)

A: – Ce sunteţi dumneavoastră?
B: – Sunt norvegian.
A: – De unde sunteţi?
B: – Din Norvegia, desigur.
A: – Unde vă duceţi?
B: – Mă duc în România, pentru că acolo lucrez.[1]
A: – Cât timp staţi[2] acolo?
B: – Cred că stau trei ani.
A: – Unde este soţia dumneavoastră?
B: – Soţia mea este în Norvegia.
A: – Aveţi[3] copii?
B: – Da, avem patru copii: doi băieţi şi două fete. Primul băiat are 22 de ani, al doilea
      are 17 ani şi jumătate, iar fetele au amândouă 15 ani, pentru că sunt gemene.

TASK 10   Listen to the CD and then repeat.
           (Ascultaţi CD-ul şi apoi repetaţi.)

Vocabulary / Vocabular

băiat (fiu)	– son
băieţi (fii)	– sons
fată (fiică)	– daughter
fete (fiice)	– daughters
copii	– children
gemene *(fem.)*	– twins
gemeni *(masc.)*	– twins
amândouă *(fem.)*	– both
amândoi *(masc.)*	– both

Phrases/Expresii

De unde sunteţi?	– Where are you from?
Din Norvegia.	– (I'm) from Norway.
Unde vă duceţi?	– Where are you going (to)?
Mă duc în România.	– I'm going to / leaving for Romania.
Cât timp .... ?	– How long ...?
Unde este ... ?	– Where is ...?
Aveţi copii?	– Have you got any children?

TASK 11   Listen to the CD and repeat.
           (Ascultaţi CD-ul şi repetaţi.)

---

[1] See the table with the verbs' conjugations on page 33 and revise the conjugation of the verb 'a lucra'.
[2] Id. for the verb 'a sta'.
[3] Id. for the verb 'a avea'.

Topics for Conversation
(Subiecte de conversație)

My Family
(Familia mea)

mamă / mame	– mother/s
tată / tați	– father/s
părinți	– parents
soț / soți	– husband/s
soție / soții	– wife / wives
copil / copii	– child / children
fiu / fii ; băiat / băieți	– son/s
fiică / fiice; fată / fete	– daughter/s
frate / frați	– brother/s
soră / surori	– sister/s
bunic / bunici	– grandfather/s; grandparent/s
bunică / bunici	– grandmother/s
nepot / nepoți*	– grandson/s
nepoată / nepoate**	– grand-daughter/s
unchi / unchi	– uncle/s
mătușă / mătuși	– aunt/s
nepot / nepoți*	– nephew/s
nepoată / nepoate**	– niece/s
cumnat / cumnați	– brother/s-in-law
cumnată / cumnate	– sister/s-in-law
văr / veri	– male cousin/s
verișoară / verișoare	– female cousin/s
socru / socri	– father/s-in-law; parent/s-in-law
soacră / soacre	– mother/s-in-law
ginere / gineri	– son/s-in-law
noră / nurori	– daughter/s-in-law
casnică / casnice	– housewife / housewives
pensionar / pensionară	– pentioner/s
pensionat/ă	– retired
bătrân / bătrâni[1]	– old man / men; old people
bătrână / bătrâne	– old woman / women
în vârstă	– aged; old

TASK 12 Make up a short presentation of your family tree, mentioning the name, age, occupation and nationality of the persons included in it.

(Alcătuiți un mic arbore genealogic al familiei dumneavoastră, menționând numele, vârsta, ocupația și naționalitatea persoanelor cuprinse în el.)

---

*,** In Romanian it is used the same word 'nepot' (*masc.*) / 'nepoată' (*fem.*) for 'grandson' and 'nephew', respectively 'grand-daugther' and 'niece'.
[1] These forms are not very polite. In formal circumstances 'în vârstă' is preferred.

Model: Bunica mea are şaptezeci şi doi de ani. Numele ei este Elena. Este pensionată de mulţi ani. Acum este casnică. Este româncă.

Bunicul meu	Bunica mea	Bunicul meu	Bunica mea
....	....	....	....
....	....	....	....
....	....	....	....
....	....	....	....

Tatăl meu	Mama mea
....	....
....	....
....	....
....	....

Eu	Soţul meu / Soţia mea
....	....
....	....
....	....
....	....

Copiii mei

....

....

....

TASK 13 Complete the following sentences with the prompts given below. *(Completaţi propoziţiile folosind sugestiile următoare.)*

Model: Cred că ....
Cred că Anca lucrează în biroul acesta. (d)

1. Cred că ....

2. Cred că ....

3. Cred că ....

4. Cred că ....

5. Cred că ....

6. Cred că ....

a) domnul Ionescu. *(a fi)*

b) domnul Ionescu / doi copii. *(a avea)*

c) John / din Marea Britanie. *(a fi)*

d) Anca / în biroul acesta. *(a lucra)*

e) Mircea / ocupat acum. (a fi)

f) ei / români. *(a fi)*

TASK **14** Match the questions marked from A to U to the answers marked from 1 to 22, then compare the questions and answers to those in task 7.

(Combinaţi întrebările notate de la A la U cu răspunsurile notate de la 1 la 22, apoi comparaţi întrebările şi răspunsurile cu cele de la exerciţiul 7.)

Answers

1. Aştept un telefon.
2. Sunt din Norvegia.
3. Aşteaptă un autobuz.
4. Hotărâm mâine dimineaţă.
5. Urăsc metroul.
6. Mâine la 16:00 vedem un film la cinematograf.
7. Merge bine.
8. Lucrez cu colegul meu Dan Ionescu.
9. Nu. Nu citesc ziare seara.
10. Trebuie să facem un plan.
11. Voi hotărâţi programul de mâine.
12. Nu, nu aştept pe nimeni.
13. La ora 15:00 iau prânzul cu Dan.
14. Nu vedem pe nimeni.
15. Trebuie să aşteptăm un răspuns.
16. De la teatru.
17. Da, facem planuri de vacanţă.
18. Ştiu ce gândiţi.
19. Merge la birou cu metroul.
20. Citesc ziarul 'Libertatea' în fiecare dimineaţă după micul dejun.
21. Nu merg la teatru.
22. Mihai aleargă în fiecare dimineaţă.

Questions

A) Ce aşteaptă?
B) Ce trebuie să facem?
C) Aştepţi pe cineva?
D) De unde veniţi?
E) Ce aştepţi?
F) Cine hotărăşte programul de mâine?
G) Ce trebuie?
H) Faceţi planuri de vacanţă?
I) De unde sunteţi?
J) Ştiţi ce gândesc?
K) Cu cine lucraţi?
L) Cu ce merge la birou?
M) Când hotărâţi?
N) Citiţi ziare des?
O) Mergeţi la teatru?
P) Ce urăşti?
R) Mihai aleargă des?
S) Ce faceţi mâine la ora 16:00?
Ş) Vedeţi pe cineva?
T) Citiţi ziare seara?

Ţ) Cum merge?
U) Când iei prânzul cu Dan?

Answers	1	2	3	4	5	6	7	8	9	10	11
Questions											

Answers	12	13	14	15	16	17	18	19	20	21	22
Questions											

Grammar Session (Gramatică)

Interrogative Pronouns and Interrogative Adjectives II
(Pronumele interogative și adjectivele interogative II)

How Much? How Many? (for Countable & Uncountable Nouns)/ Cât?; Câtă?; Câți?; Câte?

'**How much**' (Cât? / Câtă?) precedes the uncountable nouns. Unlike English, it may have two forms, in terms of the noun's gender.

'**Cât**' is used with **masculine** or **neuter** uncountable nouns:

> **e.g.** Cât timp aveți?
> (**How much** time have you got?)

'**Câtă**' accompanies the **feminine** uncountable nouns:

> **e.g.** Câtă cafea aveți?
> (**How much** coffee have you got?)

'**How many**' (Câți? / Câte?) is always used with countable nouns.

'**Câți**' precedes **masculine** nouns at the **plural form**:

> **e.g.** Câți angajați sunt în Compania „Carpați"?
> (**How many** employees are there in 'Carpați' Company?)

'**Câte**' is used in the context of a **feminine** or a **neuter noun**, at the **plural form**:

> **e.g.** Câte cărți aveți?
> (**How many** books have you got?)

'**For how long**' (De cât timp?) suggests the duration of an action.

> **e.g.** De cât timp fumați?
> (**For how long** have you been smoking?)
>
> De cât timp sunteți în România?
> (**How long** have you been in Romania?)
>
> Sunt în România de 3 luni.
> (I have been in Romania **for three months**).
>
> De cât timp așteptați autobuzul?
> (**How long** have you been waiting for the bus?)
>
> Aștept autobuzul de 5 minute.
> (I have been waiting for the bus **for 5 minutes**.)

TASK 15 — Make up questions using '**cât**' / '**câtă**' / '**câți**' / '**câte**', with the nouns below.
(Alcătuiți întrebări utilizând „cât" / „câtă" / „câți" / „câte", cu substantivele următoare.)

zahăr *(sugar)*	bani *(money)*	mașini *(machines / cars)*	benzină *(petrol)*
fii *(sons)*	ani *(years)*	copii *(children)*	friends *(prieteni)*
făină *(flour)*	timp *(time)*	colegi *(mates)*	fiice *(daughters)*

Use the following verbs:
(Utilizaţi verbele următoare:)

a avea *(to have)*   a vrea *(to want)*   a cumpăra *(to buy)*   a vinde *(to sell)*

Model: *Cât zahăr vrei?*

1. ....   7. ....
2. ....   8. ....
3. ....   9. ....
4. ....   10. ....
5. ....   11. ....
6. ....   12. ....

TASK **16** Translate the following sentences:
(Traduceţi următoarele propoziţii:)

Use the adverbs: 'aici' *(here)*   'acolo' *(there / over there)*
'înăuntru' *(inside / in)*   'afară' *(outside / out)*

1. How many engineers are here, in the office?

....?

2. How many Frenchmen are there in Canada?

....?

3. How much sugar is here in the bowl?

....?

4. How much wine is in that bottle over there?

....?

5. How many students are outside?

....?

6. I don't know how many books are on the shelf over there.

....?

7. How many offices are there in 'Carpaţi' Company?

....?

8. How many children are in?

....?

TASK **17** Name the inhabitants of the following countries:
(Numiţi locuitorii următoarelor ţări:)

e.g. România *(fem.)*   **româncă**

1. Turcia *(fem.)*   ....
2. Olanda *(masc.)*   ....
3. Marea Britanie *(masc.)*   ....

4. Spania *(masc.)* ....

5. Elveţia *(fem.)* ....

6. Norvegia *(masc.)* ....

TASK 18 Answer the following questions according to the model:
(Răspundeţi la următoarele întrebări, conform modelului:)

Model: De unde eşti? – France *(Where are you from?)*
Sunt din Franţa. *(I am from France.)*

Din ce oraş eşti? – Oslo *(What town are you from?)*
Sunt din Oslo. *(I am from Oslo.)*

Din ce ţară eşti? – Norway *(What country are you from?)*
Sunt din Norvegia. *(I am from Norway.)*

De când eşti in România? – six months
(How long have you been in Romania?)
Sunt în România de şase luni.
(I've been in Romania for six months.)

Din ce judeţ sunteţi? – Braşov *(What county are you from?)*
Sunt din judeţul Braşov. *(I'm from Braşov county.)*

1. Din ce ţară este John? *(Canada)*

....

2. De când sunteţi în Bucureşti? *(one year)*

....

3. Din ce oraş este Alexandru? *(Alba Iulia)*

....

4. Din ce judeţ este Alexandru? *(Alba)*

....

5. De când sunteţi în Londra? *(for five days)*

....

6. Din ce ţară este Juan? *(Spain)*

....

7. De când lucraţi la Compania „Carpaţi"? *(one year)*

....

8. De unde este Jerry? *(Great Britain)*

....

TASK 19 Write about your plans for this Sunday.
(Scrieţi despre planurile dumneavoastră pentru duminică.)

....

....

....

....

....

....

Learn/revise (Învățați/repetați:)

bulevard; cinematograf; metrou; teatru; stradă; lângă; stația de taxi; gară; magazin; a aștepta; a gândi; autobuz; locuitori; popor; țară; norvegian; român; canadian; britanic; englez; spaniol; Cât timp? Unde ...?; De unde ...?; De ce ...?; Cu ce ...?; Cu cine...?; Ce...?; Când ...?; plan; program; telefon; greșeli; nimeni; răspuns; mâine; azi.

Task 20   Try the following crossword.
          (Rezolvați următorul careu.)

Across (*Orizontal*):   1. avenue
                        2. busy *(masc.)*
                        3. Englishman
                        4. railway station
                        5. answer
                        6. Norwegian *(masc.)*
                        7. holidays
                        8. theatre-hall
                        9. cinema-hall

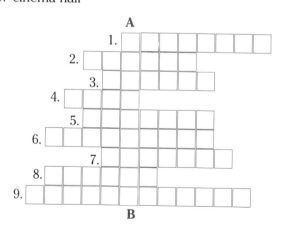

Down – *from* **A** *to* **B** *(Vertical)*: 'Good evening!' *(two words)*

61

Lesson Four / Lecţia patru

Topics for Conversation
(Subiecte de conversaţie)

Asking Questions
(Întrebări)

Task **1** Listen to the CD and then repeat.
(Ascultaţi CD-ul şi apoi repetaţi.)

– Cine este în birou?
– În birou este domnul Popescu.
– Este singur?
– Nu. Mai este cineva. Mai este şi domnul Ştefănescu.
– Ce este domnul Ştefănescu?
– Este arhitect.
– Ce fac?
– Sunt într-o şedinţă, dar acum domnul Popescu vorbeşte la telefon.
– Cu cine vorbeşte la telefon?
– Cu directorul de marketing.
– Unde este directorul de marketing?
– Nu ştiu exact. Într-un birou, dar nu ştiu în care.

Vocabulary / Vocabular

Ce este ...?	– What is ...?
Cu cine ...?	– (With) whom ...?
În care ...?	– (In) which ... ?
şedinţă	– meeting / appointment
Nu ştiu ...	– I don't know ...
mai este şi ...	– there also is ...
singur	– alone
arhitect	– architect
într-un birou	– in an office
dar ...	– but ...

Let's revise: (Să recapitulăm:)

Types of questions / Tipuri de întrebări

De ce ...?; Când ...?; La ce oră ...?; Cine ...?; Care ...?; Ce ...?; Este ...?; Ce ...?; La ce oră ...?; Care ...?; Cum ...?; Iei / Luaţi ...?; La ce oră ...?; Cu cine ...? Unde...?; Ce ...?; Cât ...?; În ce ...?; La ce oră ...?; Sunteţi / eşti ...?; De unde ...?; Cât timp ...?; De unde ...?; Cu cine ...?; De ce ...?; Ce ...?; Unde ...?; Ce ...?; Ai / Aveţi ...?; Ce ...?.

Translate the following questions into Romanian and provide the answer. The words in the box above may help you to start the question. *(Traduceţi următoarele întrebări şi apoi răspundeţi. Cuvintele din caseta anterioară vă pot ajuta să începeţi întrebarea.)*

Model: How are you?   – Ce mai faci?
                                 – Bine, mulţumesc.

1. How are you?

....

2. Is Andrei in the office?

....

3. What time is it?

....

4. What is your phone number?

....

5. Who are you?

....

6. What do you do for a living?

....

7. How old are you?

....

8. What does your friend look like?

....

9. What time do you usually have lunch?

....

10. What time do you usually leave the office?

....

11. What time do you usually reach the office?

....

12. What time do you usually leave for the office?

....

13. Why don't you want to solve this problem?

....

14. When do you leave on a business trip?

....

15. In what office do you work?

....

16. What is your office?

....

17. Do you have lunch with your colleagues? ....
....

18. What are you doing tomorrow at 14:30? ....
....

19. Why aren't we leaving now? ....
....

20. Where is Mr. Turner? ....
....

21. What are you reading now? ....
....

22. With whom are you speaking on the phone? ....
....

23. Where is he coming from? ....
....

24. What are you waiting for? ....
....

25. With whom are you working on computer? ....
....

26. Are you a Norwegian or a Romanian? ....
....

27. Have you got any children? ....
....

28. Where are you from? ....
....

29. For how long are you going to stay in Spain? ....
....

30. Where is the taxi rank? ....
....

 TASK 3 Make up sentences with the terms given in the brackets using 'mai' / 'also', according to the model.
(Alcătuiţi propoziţii cu termenii din paranteze utilizând „mai", conform modelului.)

Use: **mai + verb sing. + şi + noun singular form**
mai + verb pl. + şi + noun plural form

Model: Irina este în clasă. (profesoara de română)
Mai **este** şi profesoara de română.

Directorul este în secţie. (maiştrii)
Mai **sunt** şi maiştrii.

1. Sunt trei cărţi pe masă. (un telefon)

   ....

2. Am un băiat de 5 ani. (două fete de 10 şi 12 ani)

   ....

3. Aici sunt 8 norvegieni. (8 britanici)

   ....

4. În birou este domnul Marinescu. (domnul Ionescu)

   ....

5. Lângă Universitate este un cinematograf. (un teatru)

   ....

6. Am un frate de 25 de ani. (o soră de 22 de ani)

   ....

Grammar Session (Gramatică)

Prepositions II
(Prepoziţii II)

The preposition '**in**' (the Romanian form for 'in'), when used before a noun preceded by '**un**' or '**o**' turns into the form '**într-**' and then takes over '**un**' (for the masculine nouns) or '**o**' (for the feminine nouns).

Feminine	**în** cameră	*in the room*
	într-o cameră	*in a room*
Masculine	**în** birou	*in the office*
	într-un birou	*in an office*

Task 4   Listen to the CD and then repeat.
(Ascultaţi CD-ul şi apoi repetaţi.)

– Unde este domnul Ionescu?
– Este **într-un birou**.
– În care birou?
– Nu sunt sigur, dar cred că este la contabilitate.
– Mulţumesc. Sper că este acolo, pentru că am nevoie de el. Trebuie să semneze nişte documente.
– Da, dar dacă este **într-o şedinţă**, trebuie să pleci şi să revii mai târziu.

Let's remember! (The Indefinite Article and the Numeral)

'**un**'   – '**a**', '**an**' for masculine nouns, singular
'**o**'   – '**a**', '**an**' for feminine nouns, singular
'**nişte**'   – '**some**' for both feminine and masculine nouns, in the plural form

Numerals '**one**' and '**two**' have two forms, according to noun's gender:

One	'**o**' for feminine	**e.g.** '**o femeie**'	*(a woman)*
	'**un**' for masculine	**e.g.** '**un bărbat**'	*(a man)*
Two	'**două**' for feminine	**e.g.** '**două femei**'	*(two women)*
	'**doi**' for masculine	**e.g.** '**doi bărbaţi**'	*(two men)*

Some nouns are **'neutral'**, which means that they have forms characteristic of both the feminine and masculine genders; for instance, the nouns 'birou' and 'scaun' are **neuter**, as they have a masculine form at the singular and a feminine form at the plural:

Un birou (an office) Două birouri (two offices) Nişte birouri (some offices)
Un scaun (a chair) Două scaune (two chairs) Nişte scaune (some chairs)

 TASK 5 Study the following table and insert **'feminine'**, **'masculine'** or **'neuter'** in the space provided; the first one has already been done for you. *(Studiaţi următorul tabel şi introduceţi „feminin", „masculin" sau „neutru" în spaţiile libere; prima rubrică este completată ca model.)*

Gender	Singular	Plural	
Feminine	O cameră *(a room)*	Două camere *(two rooms)*	Nişte camere *(some rooms)*
....	O bucătărie *(a kitchen)*	Două bucătării *(two kitchens)*	Nişte bucătării *(some kitchens)*
....	O baie *(a bathroom)*	Două băi *(two bathrooms)*	Nişte băi *(some bathrooms)*
....	O sufragerie *(a dining-room)*	Două sufragerii *(two dining-rooms)*	Nişte sufragerii *(some dining-rooms)*
....	O cameră de zi *(a living-room)*	Două camere de zi *(two living-rooms)*	Nişte camere de zi *(some living-rooms)*
....	Un dormitor *(a bedroom)*	Două dormitoare *(two bedrooms)*	Nişte dormitoare *(some bedrooms)*
....	Un birou *(an office)*	Două birouri *(two offices)*	Nişte birouri *(some offices)*
....	Un apartament *(a flat)*	Două apartamente *(two flats)*	Nişte apartamente *(some flats)*
....	Un cartier *(a district)*	Două cartiere *(two districts)*	Nişte cartiere *(some districts)*
....	Un hol *(an entrance hall)*	Două holuri *(two entrance halls)*	Nişte holuri *(some entrance halls)*
....	Un bloc *(a block of flats)*	Două blocuri *(two blocks of flats)*	Nişte blocuri *(some blocks of flats)*
....	Un oraş *(a town)*	Două oraşe *(two towns)*	Nişte oraşe *(some towns)*
....	Un prieten *(a male-friend)*	Doi prieteni *(two male-friends)*	Nişte prieteni *(some male-friends)*
....	O şedinţă *(a meeting)*	Două şedinţe *(two meetings)*	Nişte şedinţe *(some meetings)*
....	O prietenă *(a female-friend)*	Două prietene *(two female-friends)*	Nişte prietene *(some female-friends)*
....	O fiică *(a daughter)*	Două fiice *(two daughters)*	Nişte fiice *(some daughters)*

 TASK 6 Listen to the CD and repeat: *(Ascultaţi CD-ul şi repetaţi :)*

Topics for Conversation
(Subiecte de conversație)

My House
(Casa mea)

Task 7 Listen to the CD and then repeat.
(Ascultați CD-ul și apoi repetați.)

– Unde locuiești?
– Locuiesc într-un apartament în centrul orașului.
– Câte camere ai?
– Am patru camere: un dormitor, o cameră de zi, o sufragerie și o cameră de oaspeți. Mai am o bucătărie spațioasă, o baie și un hol mare. Tu unde locuiești?
– Locuiesc într-o vilă în cartierul „Floreasca".
– Câte camere ai?
– Am cinci camere: două dormitoare, două camere de zi și o sufragerie. Mai am două bucătării, două băi și două holuri. Casa mea este mare pentru că locuiesc și cu părinții mei.

Vocabulary / Vocabular

apartament	– flat
cameră	– room
dormitor	– bedroom
cameră de zi	– living-room
sufragerie	– dining room
cameră de oaspeți	– spare room; a room for the guests
bucătărie	– kitchen
baie	– bathroom
hol	– entrance hall
cartierul	– the district
spațioasă	– large
mare	– big
în centrul	– in the centre (of)
oraș	– town ('**orașului**' – of the town, the genitive form)
„locuiesc"	– I live / dwell ('**a locui**', verb group IV, see the endings at the Grammar Session, Lesson Three
vilă	– villa

Task 8 Match the following columns to make up sentences.
(Combinați următoarele coloane pentru a alcătui propoziții.)

Model: Dumnealui merge la birou cu autobuzul.

Dumnealui	alerg	în fiecare dimineață în jurul blocului.
Eu	este	lângă Hotelul Intercontinental.
Noi	este	astăzi la aeroport la ora 11:45.
Voi	merge	ziare la birou în fiecare dimineață.
Anca	așteptăm	în țară sau în Marea Britanie?
Directorul	citiți	un telefon din Norvegia la ora 14:00.
Teatrul Național	merge	la birou cu autobuzul.

Task 9 Turn the above sentences into negative.
(Treceți propozițiile de mai sus la negativ.)

1. Dumnealui ....
2. Eu ....
3. Noi ....
4. Voi ....
5. Anca...
6. Directorul...
7. Teatrul Național ....

Vocabulary / Vocabular

a da[1] cu chirie	– to let
a lua[2] cu chirie	– to rent
acoperiș/uri	– roof/s
apă caldă curentă	– warm running water
apă rece curentă	– cold running water
aparat/e de radio	– radio set/s
apartament/e	– flat/s
aragaz/e	– cooker/s
ascensor; lift	– elevator; lift
aspirator / aspiratoare	– vacuum-cleaner/s
bazin/e de toaletă	– toilet-basin/s
bibliotecă / biblioteci	– book-case/s
birou/ri	– writing desk/s
bufet/uri	– sideboard/s
cadă / căzi de baie	– bath-tub/s

[1,2] See the conjugations below:

A da *(to give)*

Eu	dau	Noi	dăm
Tu	dai	Voi	dați
El / Ea	dă	Ei / Ele	dau

A lua *(to take)*

Eu	iau	Noi	luăm
Tu	iei	Voi	luați
El / Ea	ia	Ei / Ele	iau

calorifer/e	– radiator/s; heater/s
cămară	– pantry
camera are patru metri pe trei	– the room is four metres by three
canapea / canapele	– sofa/s
cartier/e	– district/s; quarter/s
casă /case	– house/s; home/s
casetofon / casetofoane	– cassette recorder/s
chirie / chirii	– rent/s
chiuvetă / chiuvete de baie	– wash-hand basin/s
chiuvetă / chiuvete de bucătărie	– sink/s
comodă / comode; scrin / scrinuri	– chest/s of drawers
confortabil/ă	– comfortable
coş/coşuri de hârtii	– waste-paper basket/s
covor / covoare	– carpet/s
culoar/e	– passage/s
deodorant/e	– body-spray/s
dulap/uri de bucătărie	– cupboard/s
dulap/uri de haine; şifonier/e	– wardrobe/s
duş/uri	– shower/s
etaj/e	– storey/s; floor/s
etajeră / etajere	– shelf / shelves
fereastră / ferestre	– window/s
fier de călcat	– pressing iron
fotoliu / fotolii	– arm-chair/s
frigider/e	– refrigerator/s
garsonieră / garsoniere	– bachelor flat/s
gri	– grey
gunoi	– garbage; rubbish
hol/uri; coridor/coridoare	– corridor/s
încălzire centrală	– central heating
intrare / intrări de serviciu	– back entrance/s
intrare principală	– main entrance
jucărie / jucării	– toy/s
la etajul trei[1]	– on the third floor
lampă / lămpi; veioză / veioze	– lamp/s
lumină electrică	– electric light
maşină / maşini de spălat	– washing machine/s
masă / mese	– table/s
măsuţă / măsuţe	– small table/s
mobilă	– furniture
noptieră / noptiere	– bedside table/s; night tables/s
oglindă / oglinzi	– mirror/s
palier/e	– landing/s
parfum/uri	– perfume/s
pat/uri	– bed/s
perdea / perdele	– curtain/s
pivniţă / pivniţe	– cellar/s
poartă / porţi	– gate/s
pod / poduri	– garret/s
podea	– floor

---

[1] In this case in Romanian it is used the cardinal numeral, not the ordinal one.

revistă / reviste	– review/s; magazine/s
robinet/e	– tap/s
scară / scări	– stair/s
spaţios / spaţioasă	– large
scaun/e	– chair/s
subsol	– basement
şemineu	– fireplace
taburet/e	– stool/s
televizor / televizoare	– TV-set/s
terasă / terase	– terrace/s
trusă / truse de machiaj	– make-up kit/s
uşă / uşi	– door/s
vază / vaze	– vase/s
vitrină / vitrine	– glass-case/s
viu colorat	– bright coloured

Task 10 Read the following text.
(Citiţi textul următor.)

Locuiesc[1] într-un bloc de patru etaje în cartierul Titan. Apartamentul meu este la etajul trei. Am două camere: o cameră de zi şi un dormitor. Acum sunt acasă. Stau în camera de zi şi ascult[2] muzică. Camera aceasta este spaţioasă şi confortabilă. În cameră sunt: o canapea, două fotolii, o bibliotecă, o vitrină, o măsuţă pentru cafea care se află între fotolii şi o altă măsuţă pe care stă televizorul. În bibliotecă, pe raftul de sus, este casetofonul. Casetele sunt lângă casetofon. La fereastră este o perdea albă foarte frumoasă, iar pe podea este un covor.

Task 11 Underline the odd word into the following succession/series.
(Subliniaţi cuvântul care nu se potriveşte în contextul dat.)

1. televizor / aparat de radio / cameră de zi / robinet / canapea
2. terasă / subsol / pod / scară / aspirator
3. canapea / noptieră / televizor / măsuţă / creion
4. perdea / uşă / chiuvetă / covor / bibliotecă
5. birou / frigider / dulap de bucătărie / masă de bucătărie / mixer de bucătărie
6. lumină electrică / apă rece curentă / apă caldă curentă / cadă de baie / acoperiş

Task 12 Match a line in column A with a line in column B.
(Potriviţi un rând din coloana A cu un rând din coloana B.)

Column A	Column B
a) Între fotolii se află	o ciocolată.
b) Lângă canapea este	o pereche de pantaloni.
c) Pe masă sunt	multe cărţi.
d) În frigider este	o bibliotecă.
e) Lângă camera de zi se află	o măsuţă.
f) Sub masă se află	un dormitor.
g) În şifonier este	un coş de hârtii.
h) În bibliotecă sunt	nişte reviste.

[1,2] Study the following conjugations:

A locui *(to live)*				A asculta *(to listen to)*			
Eu	locuiesc	Noi	locuim	Eu	ascult	Noi	ascultăm
Tu	locuieşti	Voi	locuiţi	Tu	asculţi	Voi	ascultaţi
El / Ea	locuieşte	Ei / Ele	locuiesc	El / Ea	ascultă	Ei / Ele	ascultă

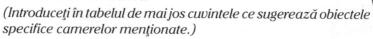

TASK 13 Fill in the table below with the words suggesting objects specific to the rooms mentioned.
(*Introduceţi în tabelul de mai jos cuvintele ce sugerează obiectele specifice camerelor menţionate.*)

Cameră de zi	Dormitor	Bucătărie	Baie

TASK 14 Fill in the blanks with the words in brackets, translated into Romanian.
(*Introduceţi în spaţiile libere cuvintele din paranteze, traduse în limba română.*)

Jan Yvarsen .... (lives) într-un .... (flat) cu trei camere în Piaţa Victoriei .... (on the sixth floor). Apartamentul .... (has) o cameră de zi şi .... (two bedrooms), unul pentru el şi soţia sa şi unul pentru .... (children). Ei .... (have) un băiat de .... (6 years old) şi .... (a girl) de 3 ani. Anne este .... (wife) lui. Ea .... (is 34 years old) şi este foarte drăguţă. Anne .... (is a housewife). Ei au .... (a home) curată şi confortabilă. În .... (living-room) se află .... (a book-case), ... (a glass-case), ... (a sofa) cu .... (two arm-chairs), ... (a small table) pentru .... (TV-set) şi o măsuţă pentru cafea. De obicei, pe măsuţă se află .... (newspapers), ... (magazines) şi .... (a vase) cu flori. Pe .... (floor) este .... (a carpet) gri, iar .... (at the window) se află .... (a curtain) albă şi foarte .... (clean). Pe peretele de .... (near the sofa) se află .... (two paintings). În dormitor se află .... (a wardrobe), ... (a bed), ... (two bedside tables), unde sunt .... (perfumes), ... (body sprays) şi .... (make-up kits). Pe fiecare noptieră se află .... (a lamp). Pe noptiera de lângă .... (the wardrobe) se află un ceas cu radio. În dormitorul în care stau .... (the children) se află două paturi, un şifonier, ... (two writing desks) şi .... (a small table) pe care sunt multe .... (toys). La fereastră se află o perdea .... (brightly coloured). În bucătărie se află o masă de patru persoane, ... (four chairs), ... (a cupboard) şi .... (a sink). La intrare este .... (a refrigerator). În baie se află .... (a toilet basin), ... (a wash-hand basin) şi .... (bath tub) cu duş.

Topics for Conversation
(Subiecte de conversație)

Notes and Coins
(Bancnote și monede)

 Task 15 Listen to the CD and repeat.
(Ascultați CD-ul și repetați.)

Dialogue A

– Aveți cumva o monedă de 100 de lei? Trebuie să dau un telefon și nu am mărunțiș.
– Îmi pare rău, nu am. Dar acest telefon este cu cartelă!
– Da, știu, dar nu am cartelă telefonică. Însă celălalt telefon este cu monede, din fericire.

 ## Vocabular / Vocabulary

o monedă *(fem.)*	– a coin
monede	– coins
două / trei / patru … monede	– two / three / four … coins
lei	– ROL (Romanian currency)[1]
mărunțiș	– small cash / change
cartelă (telefonică)	– (telephone) card
cumva	– by chance
celălalt *(masc., sing.)*	– the other (one)
din fericire	– fortunately

Dialogue B

– Care sunt bancnotele din România?
– În România sunt bancnote de 1.000 lei, de 5.000 lei, de 10.000 lei, de 50.000 lei și de 100.000 lei.
– Aveți toate aceste bancnote la dumneavoastră?
– Da. Din fericire astăzi este ziua de salariu și am toate aceste bancnote. Iată-le! Douăzeci de bancnote de 100.000 lei, șapte bancnote de 50.000 lei, patru bancnote de 10.000 lei, trei bancnote de 5.000 lei și două bancnote de 1.000 lei.
– Oh, aveți mulți bani la dumneavoastră!
– Nu prea mulți …

 ## Vocabular / Vocabulary

bancnotă *(sing., neart.)* / **bancnote** *(pl.)*	– bank note(s)
bancnote de 1.000 lei	– 1.000 lei bank notes
bancnota *(sing., art.)*	– the bank note
bancnotele *(pl., art.)*	– the bank notes

---

[1] The noun 'lei' also means 'lions' (singular form: **leu** – lion).

bani	– money
ziua de salariu	– the pay-day
cea mai recentă (*fem., sing.*)	– the most recent
la dumneavoastră	– on / with you
toate aceste bancnote	– all these bank notes
iată-le! (*fem., pl.*)	– Here they are!
mulţi (bani)	– much (money)[1]
prea	– too
mulţi (profesori)	– many (teachers)

TASK 16   Answer the following questions.
(Răspundeţi la următoarele întrebări.)

1. Cât costă o cartelă de metrou de două călătorii?

....

2. Dar una de 10 călătorii?

....

3. Dar un abonament lunar?

....
4. Cât costă ziarul „România Liberă"?

....
5. Cât costă un autoturism „Dacia 1300"? Este scump sau ieftin?

....

6. Cât costă un kilogram de struguri?

....

7. Cât costă o pereche de pantaloni?

....

8. Cât costă o excursie de cinci zile în Grecia?

....

Vocabular / Vocabulary

Cât costă … ?	– How much is … ?
abonament	– season ticket (for buses, trams, etc.) subscription price (for newspapers, etc.)
scump (*masc., sing.*)	– expensive
ieftin (*masc., sing.*)	– cheap
un kilogram (1 kg) de …	– a kilo of
struguri	– grapes
o pereche de	– a pair of
pantaloni	– trousers
o excursie	– a trip
o excursie de 5 zile	– a five-day trip

---

[1] In Romanian, the noun '**bani**' is a countable noun.

73

TASK 17 Imagine that you have in cash the sums written below; what and how many bank notes and coins would you have?
(Imaginaţi-vă că aveţi sumele menţionate mai jos; ce şi câte bancnote sau monede aţi avea?)

Model: 375.650 lei trei bancnote de 100.000 lei, o bancnotă de 50.000 lei, două bancnote de 10.000 lei, o monedă de 500 lei, o monedă de 100 lei şi o monedă de 50 lei.

a) 36.000 lei ....

b) 1.893.000 lei ....

c) 7.555.000 lei ....

d) 255.000.000 lei ....

e) 300.000.050 lei ....

f) 888.800 lei ....

Learn or revise (Învăţaţi sau repetaţi:)

singur; şedinţă; apartament; întâlnire de afaceri; sufragerie; cameră de zi; vilă; monedă; telefon; cartelă; abonament; mărunţiş; în jurul blocului; zi de salariu; bani; valută; bancnotă; din fericire; din nefericire; cameră de oaspeţi; bucătărie; casă; cameră; birou; baie; hol; oraş; suedez; elveţian; spaniol; polonez; muncă; sarcină; prieten; cartier; prietenă; blocuri; fiică; fiu; soţie; mulţi; arhitect; sudor; lăcătuş; strungar; strung.

TASK 18 Try the following crossword.
(Rezolvaţi următorul careu.)

Across *(Orizontal)*:
1. room
2. large *(fem.)*
3. dining-room
4. district
5. bedroom
6. bathroom
7. coins
8. bank notes
9. chair
10. kitchen

Down – from **A** to **B** *(Vertical)*: 'flat'

74

Lesson Five / Lecţia cinci

Topics for Conversation
(Subiecte de conversaţie)

Dining Out – I
(Luăm masa în oraş – I)

TASK **1**   Listen to the CD and then repeat.
         (Ascultaţi CD-ul şi apoi repetaţi.)

– Eşti gata? Hai să mergem!
– Da, dar trebuie să dau un telefon mai întâi.
– Grăbeşte-te, e târziu şi mi-e foame.
– Imediat… Hai să mergem, telefonul este ocupat!
– Unde ai vrea să luăm masa?
– Aş vrea să mergem la restaurantul Lido. Este un restaurant foarte bun. Îmi place mâncarea de acolo. Dar, mai întâi, aş bea ceva. Mi-e sete. Mai bine am lua un taxi.
– Cumpărăm în drum o sticlă de Coca-Cola. Iau şi eu o gustare pe drum.

Grammar Session (Gramatică)

The Conditional Mood
(Modul condiţional)

We use the Conditional Mood to express **a wish** or **a condition**. It is based on the use of **six auxiliaries** (one for each person) followed by the **short infinitive form** of the notional verb.

> **e.g.**   Aş merge la teatru.   *I should go to the theatre.*

TASK **2**   Study in the table below the conjugation of the verb **'a lua'** (to take).
         *(Studiaţi în tabelul de mai jos conjugarea verbului „**a lua**".)*

Subiect (*Subject*) Substantiv sau pronume (*Noun or pronoun*)		Auxiliar (*Auxiliary*)	Infinitivul verbului noţional (*The infinitive form of th notional verb*)
Eu	(I)	aş	
Tu	(You)	ai	
El / Ea	(He / She)	ar	*(should / would)*
Noi	(We)	am	**lua** (take)
Voi	(You)	aţi	
Ei / Ele	(They)	ar	

TASK 3 Translate the following Romanian verbs into English.
(Traduceţi următoarele verbe în limba engleză.)

Romanian Verb	English verb
A alerga	To run
A aştepta	....
A avea	....
A citi	....
A coborî	....
A face	....
A fi	....
A fugi	....
A gândi	....
A găsi	....
A hotărî	....
A lua	....
A lucra	....
A merge	....
A opri	....
A pleca	....
A putea	....
A rezolva	....
A sta	....
A urî	....
A vedea	....
A veni	....
A vorbi	....

TASK 4 Express wishes or options using the verbs in brackets.
(Exprimaţi dorinţe sau opţiuni utilizând verbele din paranteze.)

1. Eu (a citi) .... un ziar acum.
2. Noi (a merge) .... la teatru duminică dimineaţa.
3. Directorul (a vorbi) .... la telefon cu Andrei dacă (a avea) .... nevoie de el.
4. Mihai (a alerga) .... în fiecare dimineaţă dacă (a avea) .... timp.
5. Noi (a aştepta) .... în birou până vine directorul.
6. Eu (a opri) .... la Hotelul Intercontinental dacă (a găsi) .... un loc de parcare.
7. Ei (a rezolva) .... această problemă dacă (a avea) .... informaţiile necesare.
8. Eu nu (a merge) .... cu metroul dacă (a avea) .... maşină.

TASK 5 Express wishes, options or conditions regarding the present or the near future, using verbs given below.

(Exprimaţi dorinţe sau condiţii pentru prezent sau viitorul apropiat, utilizând verbele date mai jos.)

Verbul la infinitiv (The Infinitive Form of the Verb)	Traducerea în limba engleză (Translation into English)
a pleca	*to leave*
a vizita	*to visit*
a scrie	*to write*
a termina	*to finish*
a începe	*to start*
a comunica	*to communicate*
a traduce	*to translate*
a locui	*to live/ dwell*
a schimba	*to change*
a da	*to give*
a vrea	*to want*
a tăcea	*to be silent*
a face	*to do*
a pune	*to put*
a ajunge la	*to reach / get to / arrive at*
a bea	*to drink*
a mânca	*to eat*
a lua	*to take*
a costa	*to cost*
a utiliza, a folosi	*to use*
a spune	*to say*
a cumpăra	*to buy*
a vinde	*to sell*
a merge	*to go*
a deschide	*to open*
a închide	*to shut, to close*
a întreba	*to ask*
a răspunde	*to answer*
a discuta	*to discuss*
a urca	*to get into / to climb up / to get on*
a coborî	*to get out of / to climb down / get of*
a intra	*to enter*
a ieşi	*to get out*

The following terms might help you: (*Termenii următori v-ar fi de folos:*)

ambasada Norvegiei; o prăjitură; o Coca-Cola; cinema; munte; vacanţă; teatru; Gara de Nord; maşină; autobuz; bani; lei; dolari; casă; acasă; cu trenul; cu autobuzul; pe jos; prieten(i); coleg(i); serviciu; birou; aeroport; staţie de taxi; întâlnire de afaceri; şedinţă.

Model: **Aş mânca** o prăjitură.

1. ....
2. ....
3. ....
4. ....
5. ....
6. ....
7. ....
8. ....
9. ....
10. ....
11. ....
12. ....
13. ....
14. ....

Task 6 Fill in the blanks with the appropriate words and then provide the right answers.
(Introduceţi în spaţiile libere cuvintele corespunzătoare şi daţi răspunsul potrivit.)

Model: *Ce faceţi acum?*

1. .... daţi telefon acum?
   ....
2. .... este şedinţa?
   ....
3. .... vedeţi în fotografie?
   ....
4. .... luaţi cina?
   ....
5. .... vreţi să plecaţi la Poiana Braşov?
   ....
6. .... faceţi acum?
   ....
7. .... mergeţi în week-end?
   ....
8. .... aşteaptă colegii tăi?
   ....
9. .... hotărăşte ora şedinţei?
   ....
10. ....te gândeşti?
    ....

Countable Nouns
(Substantive numărabile)

Many uncountable nouns in English are countable in Romanian. Here are some examples. Study the table below and fill in the noun's gender in the column provided:

Gender	Singular	Plural
....	**Informație** (piece of information) *„o informație interesantă"* 'an interesting piece of information'	**Informații** (information) *„două informații interesante"* 'two interesting pieces of information'
....	**Sfat** (piece of advice) *„un sfat"* 'a piece of advice'	**Sfaturi** (advice) *„două sfaturi"* 'two pieces of advice'
....	**Bagaj** (piece of luggage) *„un bagaj"* 'a piece of luggage'	**Bagaje** (luggage) *„două bagaje"* 'two pieces/items of luggage'
....	**Știre** (piece of news) *„o știre"* 'a piece /an item of news'	**Știri** (news) *„două știri"* 'two pieces of news'
....	**Ban** (money; penny) *„un ban"[1]* 'a penny'	**Bani** (money) *„mulți bani"* 'much money'
....	**Ghinion** (ill / bad luck) *„un ghinion"* 'a piece of ill-luck'	**Ghinioane** (ill-luck) *„două ghinioane"* 'two pieces of ill-luck'

Quantifiers
(Cuantificatori)

un pachet de (*pl.*: **pachete**)	– a **packet** of; a **parcel** of
pachet de acțiuni	– stock
pachet de țigări	– packet / package of cigarettes
a face pachet	– to parcel up
pachet de cărți	– pack of cards
împachetat / ă	– packed
o cutie de (*pl.*: **cutii**)	– a **box** of
cutie de chibrituri	– box of matches
cutie de conserve	– tin / can
cutie de scrisori	– letter box
cutie de viteze	– gear box
scos ca din cutie	– bright as a button; spick and span

---

[1] 'ban' is an old monetary unit; it was in use before 'leu'. Nowadays it is used in some phrases or proverbs.
   e.g. 'Nu am un ban' / 'I haven't got a penny'.

o pereche de (*pl.*: **perechi**)	– a **pair** of
pereche de ochelari	– pair of glasses
pereche de pantofi	– pair of shoes
pereche	– couple
perechi-perechi	– by twos
fără pereche	– matchless; extraordinary
un kilogram de (*pl.*: **kilograme**)	– a **kilo** of
un kilogram de mere	– a kilo of apples
200 de grame de zahăr	– 200 grams of sugar
un buchet de (*pl.*: **buchete**)	– a **bunch** of
un buchet de flori	– a bunch of flowers
două buchete de flori	– two bunches of flowers
un ciorchine de struguri (*pl.*: **ciorchini**)	– a **bunch** of grapes
un baton de ciocolată	– a **bar** of chocolate
două batoane de ciocolată (două ciocolate)	– two bars of chocolate

TASK 7   Translate the following sentences and answer the questions.
(Traduceţi următoarele propoziţii şi apoi răspundeţi.)

1. How much does a pack of Marlboro cost?

....?

2. How much is a bus ticket in Bucharest?

....?

3. How much is a pack of aspirins?

....?

4. How much is this pair of shoes?

....?

5. How much is a bunch of roses ?

....?

6. How much is the taxi fare?

....?

TASK 8   Ask a passer-by for directions. You need to know where you can find the following:
(Rugaţi un trecător să vă îndrume. Vreţi să aflaţi unde puteţi găsi următoarele:)

1. o farmacie *(a drugstore)*

....?

2. un restaurant *(a restaurant)*

....?

3. un bulevard *(a boulevard)*

....?

4. un spital *(a hospital)*

   ....?

5. o agenţie de turism *(a travel agency)*

   ....?

6. o sală de teatru *(a theatre hall)*

   ....?

Vocabulary Practice / Termeni uzuali

In Romanian, the words expressing a sequence of actions regarding present, past or future activities are:

Apoi ...	– then ... / next ...
După aceea ...	– after that ...
Imediat ce ... / **de îndată ce ...**	– as soon as ...

Tʌsκ 9   Read the text, then fill in the blanks with the appropriate words. *(Citiţi următorul text şi introduceţi în spaţiile libere cuvintele corespunzătoare.)*

Astăzi la ora 8:30 am oră la dentist, *(then)* .... fac cumpărături. La ora 12:00 iau masa cu d-na Ionescu şi *(after that)* .... merg la coafor. La ora 14:30 vorbesc la telefon cu soţul meu, *(then)* .... fac lecţiile cu fiul meu. *(As soon as)* .... soţul meu ajunge acasă, mergem la aeroport să-l luăm pe Andrei, care vine cu avionul de ora 17:45.

Topics for Conversation
(Subiecte de conversaţie)

Means of Transport
(Mijloace de transport)

Tʌsκ 10   Read the following dialogue: *(Citiţi următorul dialog:)*

– Andrei, spune-mi, te rog, cum ajung la Hotelul Intercontinental?
– Păi ... poţi să iei autobuzul sau troleibuzul.
– Ce autobuz trebuie să iau?
– Autobuzul 315. De fapt, oricare autobuz de aici ajunge la Hotelul Intercontinental.
– Care este cea mai apropiată staţie de autobuz?
– Cred că este staţia Piaţa Rosetti.
– Câte staţii trebuie să merg cu autobuzul?
– Numai două staţii.

– Unde trebuie să cobor?
– La stația Piața Universității.
– Pot să iau metroul până la Hotelul Intercontinental?
– Da, sigur, cobori tot la stația Piața Universității.
– Este departe de Hotelul Intercontinental?
– Nu, este foarte aproape. Dar de ce nu iei un taxi? Am şi eu acelaşi drum. Iată, vine unul! Taxi!
– Bună ziua. Vrem să mergem la Hotelul Intercontinental.
– Bună ziua. Urcați, vă rog.

………………………………

– Lasă-ne la colțul străzii, te rog. Cât ne costă?
– 55.000 de lei. Mulțumesc. Bună ziua.
– Bună ziua.

Task 11 Listen to the dialogue on the CD.
(Ascultați dialogul de pe CD.)

Vocabular / Vocabulary

Cât mă/ne costă?	– How much do I / we have to pay?
Câte …?	– How many …?
Unde este …?	– Where is …?
Cu ce călătoriți / mergeți?	– What do you travel by?
Care este cea mai apropiată …	– What is the nearest ….?
Acesta este drumul către …	– This is the way to …
Piața Rosetti	– Rosetti Square
cu autobuzul	– by bus
stație de autobuz	– bus stop
cu troleibuzul	– by trolleybus
cu maşina	– by car
cu autocarul	– by coach
cu bicicleta	– by bike
cu trenul	– by train
gară	– railway station
cu tramvaiul	– by tram
cu avionul	– by plane
aeroport	– airport
cu metroul	– by tube
stație de metrou	– tube station
cu vaporul	– by ship
port	– port/harbour
cu barca	– by boat
pe jos	– on foot
Lasă-ne la …	– Drop us at …
la colțul străzii	– at the corner of the street
Spune-mi …!	– Tell me …!
camion	– truck
Iată!	– Look!

Păi …	– Well …
de fapt	– in fact; actually
până la	– as far as
departe de	– (far) away from
aproape	– near (by)
oricare	– any
acelaşi (*masc., sing.*)	– the same
a ajunge la	– to arrive at; to reach
a pleca (la)	– to leave (for)
a coborî din (tren etc.)	– to get off (the train etc.)
a urca în (tren etc.)	– to get on (the train etc.)
a putea	– can
a vrea	– to want

TASK **12** Fill in the blanks with the words given in brackets.
(Introduceţi în spaţiile libere cuvintele din paranteză.)

1. De obicei merg la birou .... (by car)

2. Îţi place să călătoreşti .... ? (by tube)

3. Colegii mei merg la munte .... (by coach)

4. Nicu nu merge niciodată la teatru .... (by bus)

5. Călătoresc la Paris .... (by plane)

6. Poţi să călătoreşti din România în Turcia .... (by ship)

TASK **13** Fill in the blanks with the means of transport suggested by the images below, then make up a conditional sentence.
(Completaţi spaţiile libere cu mijloacele de transport sugerate de imaginile de mai jos, apoi alcătuiţi o propoziţie condiţională.)

e.g. **Camion.** Aş transporta marfa cu camionul.
(I would ship the goods by truck.)

....

....

....

....

TASK 14 Try the following crossword.
(Rezolvaţi următorul careu.)

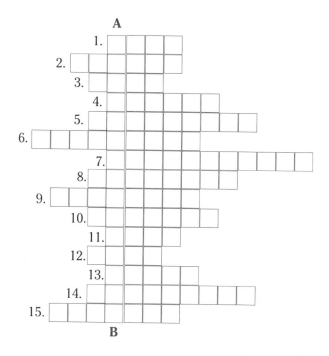

Across *(Orizontal)*:
1. advice *(sing.)*
2. tube
3. railway station
4. cigarette
5. bike
6. trolley-bus
7. the way to *(two words)*
8. airport
9. by car *(two words)*
10. coach
11. train
12. harbour
13. boat
14. by ship *(two words)*
15. auditors

Down – *from A to B (Vertical)*: bus stop *(three words)*

Lesson Six / Lecția șase

Topics for Conversation
(Subiecte de conversație)

Dining Out – II
(Luăm masa în oraș – II)

Task 1   Read the text.
(Citiți textul.)

Clientul	– Este ocupată masa aceasta?
Ospătarul	– Da, dar poftiți pe aici, vă rog. Este o masă liberă chiar lângă bar.
Clientul	– E în regulă. Ce putem să mâncăm la prânz? Puteți să aduceți meniul?
Ospătarul	– Desigur. Poftiți. Ce doriți să mâncați?
Clientul	– Mai întâi măsline, brânză, rasol de pește și chifteluțe.
Ospătarul	– Și după aceea?
Clientul	– Să vedem … Da! O dată supă de roșii și de trei ori supă cu tăiței, apoi de patru ori cotlet de berbec și ca desert clătite cu dulceață și tort de ciocolată.
Ospătarul	– Ce băuturi doriți?
Clientul	– Cred că mai întâi vin. Ce vinuri aveți?
Ospătarul	– Putem să vă oferim vin de Murfatlar, de Cotnari și de Jidvei.Vă recomand să comandați vin sec de Jidvei. Este un vin renumit din Transilvania.
Clientul	– Bine, luăm vin de Jidvei. Două sticle, vă rog.
Ospătarul	– Copiii ce vor să bea?
Clientul	– Niște răcoritoare. O sticlă de Sprite și apă minerală, vă rog.
Ospătarul	– Poftă bună!

One hour later … / O oră mai târziu …

Clientul	– Cât avem de plată?
Ospătarul	– Note separate sau total?
Clientul	– Totalul, vă rog.
Ospătarul	– Nota dumneavoastră, domnule.

Task 2   Listen to the CD and repeat.
(Ascultați CD-ul și repetați.)

Vocabulary / Vocabular

clientul	– the client
ospătarul	– the waiter
măsline	– olives
brânză	– cheese

rasol de peşte	– boiled fish
chifteluţe	– minced-meat balls
o dată supă de roşii	– tomato soup for one
supă de roşii	– tomato soup
de trei ori supă cu tăiţei	– noodle soup for three
supă cu tăiţei	– noodle soup
de patru ori cotlet de berbec	– mutton chop for four
cotlet de berbec	– mutton chop
desert	– dessert
clătite cu dulceaţă	– pancakes
tort de ciocolată	– chocolate (fancy) cake
băuturi	– drinks
vin / vinuri	– wine(s)
sec	– dry
renumit (*masc., sing.*)	– famous
o sticlă	– a bottle
două sticle	– two bottles
(băuturi) răcoritoare	– soft drinks
apă minerală	– mineral water
mai târziu	– later

Phrases/Expresii

Masa aceasta este ocupată?	– Is this table engaged?
Poftiţi pe aici, vă rog.	– This way, please.
Ce putem să mâncăm la prânz?	– What can we have for dinner?
Puteţi să aduceţi meniul?	– Can I have the bill of fare/menu, please?
E în regulă.	– It's all right.
Poftiţi.	– Here you are.
Ce doriţi să mâncaţi?	– What will you have to eat?
Să vedem ...	– Let me see ...
Mai întâi	– First ...
Şi după aceea?	– What to follow?
Vă recomand să comandaţi ...	– I recommend you to have ...
Poftă bună!	– I hope you will enjoy your dinner!/Good appetite!
Cât avem de plată?	– How much is it?
Note separate sau total?	– Separate bills or a common one?
Totalul, vă rog!	– Common, please!
Nota dumneavoastră, domnule.	– Your bill, sir!

Grammar Session (Gramatică)

The Subjunctive Mood
(Modul conjunctiv)

The Subjunctive is a mood, not a tense. Unlike the Indicative Mood, which presents facts or certain events, the Subjunctive expresses the subject's attitude towards a circumstance, a fact or an event. The subjunctive is a psychological mood, which deals with facts in an affective way. It expresses **emotions, feelings, judgements**, and it states that the subject / speaker considers an action certain, uncertain, possible, impossible, doubtful, desirable, etc. It is a subjective mood, as the subject's feelings or judgements may turn out to be untrue.

This mood **is introduced by** certain verbs, mainly verbs of attitude and modal verbs, such as: **a dori** (to wish), **a vrea** (to want), **a trebui** (must), **a putea** (can), **a intenţiona** (to intend), **a displăcea** (to dislike / hate), etc. It is formed by means of the conjunction 'să' (to) and the indicative form of the verb, according to each person:

Verbul introductiv Introducing verb		Conjuncţie Conjunction	Verbul la indicativ Indicative form of the verb
(Eu)	trebuie		rezolv
(Tu)	trebuie		rezolvi
(El / ea)	trebuie	să	**rezolve**[1]
(Noi)	trebuie		rezolvăm
(Voi)	trebuie		rezolvaţi
(Ei)	trebuie		**rezolve**
(Eu)	pot		discut
(Tu)	poţi		discuţi
(El / ea)	poate	să	**discute**
(Noi)	putem		discutăm
(Voi)	puteţi		discutaţi
(Ei)	pot		**discute**
(Eu)	vreau		ştiu
(Tu)	vrei		ştii
(El / ea)	vrea	să	**ştie**
(Noi)	vrem		ştim
(Voi)	vreţi		ştiţi
(Ei)	vor		**ştie**

Note.   This mood is often used in an Imperative construction:

e.g.   Să pleci!
Go away! / I want you to go away / to leave.

Să spui adevărul când discuţi cu mine!
Tell the truth when you talk to me!

(Tu) Să taci când vorbesc eu!
Shut up when I speak!

Now, let's have a look at the endings which are specific to each category of verbs:

---

[1] Note that the forms of the 3-rd person singular and plural are identical. At the same time, they are different from the present indicative forms of the verb (compare: el/ea rezolv**ă** – el/ea să rezolv**e**).

		I	V
		-a a intra/to enter a aştepta/to wait	**-î** a coborî/ to get off
Să	I, *sg.*	**–; u** aştept; intru; cobor	
	II, *sg.*	**-i** aştepţi; intri; cobori	
	III, *sg.*	**-e** aştepte; intre; coboare	
	I, *pl.*	**-ăm** aşteptăm; intrăm	**-âm** coborâm
	II, *pl.*	**-aţi** aşteptaţi; intraţi	**-âţi** coborâţi
	III, *pl.*	**-e** aştepte; intre; coboare	

		IV	III	II
		-i a fugi/ to run	**-e** a merge/ to go	**-ea** a putea/to be able to
Să	I, *sg.*	**–** fug; merg; pot		
	II, *sg.*	**-i** fugi; mergi; poţi		
	III, *sg.*	**-ă** fugă; meargă; poată		
	I, *pl.*	**-im** fugim	**-em** mergem	**-em** putem
	II, *pl.*	**-iţi** fugiţi	**-eţi** mergeţi	**-eţi** puteţi
	III, *pl.*	**-ă** fugă; meargă; poată		

TASK 3 Make up 10 sentences using the conjugations in the previous tables; add the necessary nouns.

(Alcătuiţi 10 propoziţii utilizând conjugările din tabelele anterioare; adăugaţi substantivele necesare.)

e.g. Noi trebuie să rezolvăm o problemă.

1. ....
2. ....
3. ....
4. ....
5. ....
6. ....
7. ....
8. ....
9. ....
10. ....

TASK 4 Fill in the blanks with the appropriate expression of those given below.
(Completaţi spaţiile libere cu expresiile potrivite dintre cele date.)

o masă; supă de ţelină; sticle; meniul; alune; supă de legume; Este ocupată masa aceasta?; sec; Nota dumneavoastră, domnule; vin; plăcintă cu brânză; să mâncăm; apă minerală; caşcaval, chiftelue şi pârjoale; Note separate sau total?

Clientul – .... ?
Ospătarul – Da, dar poftiţi pe aici, vă rog. Este .... chiar lângă bar.

Clientul	– E în regulă. Ce putem .... la prânz? Puteţi să aduceţi .... ?
Ospătarul	– Desigur. Poftiţi. Ce doriţi să mâncaţi?
Clientul	– Mai întâi ....
Ospătarul	– Şi după aceea?
Clientul	– Să vedem ...! Da! O dată .... şi de trei ori .... şi apoi de patru ori cotlet de berbec şi ca desert .... şi ....
Ospătarul	– Ce băuturi doriţi?
Clientul	– Mai întâi vrem să luăm .... Ce vinuri aveţi?
Ospătarul	– Putem să vă oferim vin de Murfatlar, de Cotnari şi de Jidvei. Vă recomand vin .... de Jidvei. Este un vin renumit din Transilvania.
Clientul	– Bine, luăm vin de Jidvei. Două ...., vă rog.
Ospătarul	– Copiii ce vor să bea?
Clientul	– Cred că vor să bea ....
Ospătarul	– Poftă bună!

O oră mai târziu ...

Clientul	– Cât avem de plată?
Ospătarul	– .... ?
Clientul	– Totalul, vă rog.
Ospătarul	– ....

Vocabulary / Vocabular

caşcaval	– pressed cheese	alune	– peanuts
pârjoale	– meat croquettes	plăcintă cu brânză	– cheese pie
supă de legume	– vegetable soup	supă de ţelină	– celery soup

Task 5   Answer the following questions using the vocabulary above.
(Răspundeţi la următoarele întrebări utilizând vocabularul de mai sus.)

Model: Cât avem de plată?
250.000 lei.

1. Copiii ce vor să bea?

....

2. Ce băuturi doriţi?

....

3. Ce doriţi să mâncaţi?

....

4. Şi după aceea?

....

5. Ce ne recomandaţi ca desert?

....

6. Note separate sau total?

....

The Qualifying Adjective. The Degrees of Comparison
(Adjectivul calificativ. Gradele de comparație)

In Romanian, this type of adjective follows the noun it qualifies and agrees in gender and number with it.

> **e.g.**   Aceasta este o carte interesantă/ *This is an **interesting** book.*

However, note the rule that in the exclamative sentencences and in literary works the adjective may precede the noun.

> **e.g.**   Ce frumoasă zi! / *What a **glorious** day!*

a) The Four-Form Adjectives / Adjectivele cu patru forme

Singular		Plural	
Masculine / Neuter	**Feminine**	**Masculine**	**Feminine/ Neuter**
-cons., -u	**-ă**	**-i**	**-e**
bun (*good*)	bună	buni	bune
albastru (*blue*)	albastră	albaştri	albastre
frumos (*beautiful*)	frumoasă	frumoşi	frumoase
negru (*black*)	neagră	negri	negre
înalt (*high, tall*)	înaltă	înalţi	înalte
mult (*much*)	multă	mulţi	multe
secret (*secret*)	secretă	secreţi	secrete
interesant (*interesting*)	interesantă	interesanţi	interesante

The stems of some adjectives do not change (i.e. 'bun'). However, some stems do change without following a certain rule (i.e. albastru, frumos, negru etc.).

b) The Three-Form Adjectives / Adjectivele cu trei forme

I. Some adjectives have identical forms, which allow us to divide them into two categories. These are identified as follows:

> masculine, plural = feminine, plural = neuter, plural
> feminine, singular = feminine, plural

1) The adjective's form at masculine plural is identical with the one at feminine plural and neuter plural.

The following adjectives belong to this category:
* adjectives at masculine or neuter gender, ending in '**-c**' or '**-g**'.

> **e.g.**   '**mic**' *(little / small)*; '**adânc**' *(deep)*; '**lung**' *(long)*; '**drag**' *(dear)*

	Singular	*Plural*
masculine	un copil **mic** *(a **little** child)*	doi copii **mici** *(two **little** children)*
neuter	un creion **mic** *(a **small** pencil)*	două creioane **mici** *(two **small** pencils)*
feminine	o bucătărie **mică** *(a **small** kitchen)*	două bucătării **mici** *(two **small** kitchens)*

- adjectives at masculine and neuter – singular, ending in '-iu' and the adjective 'roşu'

> **e.g.** 'cenuşiu' *(grey)*; **maroniu** *(brown)*

	Singular	*Plural*
masculine	un nor **cenuşiu** *(a **grey** cloud)*	doi nori **cenuşii** *(two **grey** clouds)*
feminine	o eşarfă **cenuşie** *(a **grey** scarf)*	două eşarfe **cenuşii** *(two **grey** scarves)*
neuter	un palton **cenuşiu** *(a **grey** coat)*	două paltoane **cenuşii** *(two **grey** coats)*

- masculine or neuter adjectives at the singular with the ending '-esc' and the feminine ones with the ending '-ească ' take over the ending '-eşti' at the plural, in all the three genders:

> **e.g.** 'bărbătesc' *(male, man's…)*

	Singular	*Plural*
masculine	un pantof român**esc** *(a Romanian shoe)*	doi pantofi român**eşti** *(two Romanian shoes)*
neuter	un drapel român**esc** *(a Romanian flag)*	două drapele român**eşti** *(two Romanian flags)*
feminine	o medalie român**ească** *(a Romanian medal)*	două medalii român**eşti** *(two Romanian medals)*

2) The adjective's form at feminine singular is identical the one at feminine plural.
The adjectives specific to this category are those ending in '-tor' at masculine gender.

> **e.g.** 'uimitor' *(amazing)*; 'silitor' *(hard-working)* ; 'folositor' *(useful)*

	Singular	*Plural*
masculine	un actor **uimitor** *(an **amazing** actor)*	doi actori **uimitori** *(two **amazing** actors)*
neuter	un lucru **uimitor** *(an **amazing** thing)*	două lucruri **uimitoare** *(two **amazing** things)*
feminine	o carte **uimitoare** *(an **amazing** book)*	două cărţi **uimitoare** *(two **amazing** books)*

II. The adjectives ending in '-c' and '-g' at masculine, singular, add the vowel '-i' to the ending in order to form their plural. The final pronunciation becomes: [dʒ] for the ending '-gi' and [tʃ] for the ones ending in '-ci'.

> **e.g.** 'lung' – lungi ; 'adânc' – adânci

c) The Two-Form Adjectives / Adjectivele cu două forme

The adjectives of this category have the following endings:

masculine, neuter, feminine (singular) ⟶ ending 'e'
masculine, neuter, feminine (plural) ⟶ ending 'i'

> **e.g.**   **subţire/subţiri** (thin); **rece/reci** (cold); **veche/vechi** (old); **iute/iuţi** (hot/spicy)

	Singular	*Plural*
masculine	un cartof dulc**e**	doi cartofi dulc**i**
	(a sweet potato)	*(two sweet potatoes)*
neuter	un măr dulc**e**	două mere dulc**i**
	(a sweet apple)	*(two sweet apples)*
feminine	o cafea dulc**e**	două cafele dulc**i**
	(a sweet coffee)	*(two sweet coffees)*

The Degrees of Comparison / Gradele de comparaţie

The Comparative of Superiority (Comparativul de superioritate) In English this comparative is formed in accordance with the number of syllables the adjective is made up of. In Romanian a single rule applies, irrespective of the adjective's number of syllables:

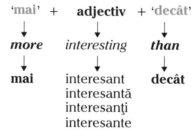

'mai' + **adjectiv** + 'decât'

more   *interesting*   *than*

mai   interesant   decât
       interesantă
       interesanţi
       interesante

Cartea este **mai interesantă decât** filmul. / *The book is **more interesting than** the film.*

better   **mai bun / bună / buni / bune**

Acest produs este **mai bun** decât acela. / *This product is **better** than that one.*

taller / higher   **mai înalt / înaltă / înalţi / înalte**

Tom este **mai înalt** decât Ion. / *Tom is **taller** than John.*

The Comparative of Equality (Comparativul de egalitate) is formed by:

'tot atât de' + adjectiv + 'ca şi'

or:

'la fel de' + adjectiv + 'ca şi',

as   *interesting*   *as*
tot atât de   interesant   **ca şi**

as good as   **tot atât de** bun **ca şi**
as tall / high as **tot atât de** înalt **ca şi**

The Comparative of Inferiority (Comparativul de inferioritate) has the same form for all adjectives:

$$\text{mai puțin} + \text{adjectiv} + \text{decât}$$
$$\downarrow \qquad\qquad \downarrow \qquad\qquad \downarrow$$
$$\textit{less} + \textit{interesting} + \textbf{\textit{than}}$$
$$\downarrow \qquad\qquad \downarrow \qquad\qquad \downarrow$$
$$\textbf{mai puțin} \qquad \text{interesant} \qquad \textbf{decât}$$

The Superlative (Superlativul) is also formed irrespective of the adjective's number of syllables:

Singular		Plural	
Masculine / Neuter	Feminine	Masculine	Feminine / Neuter
cel mai + adjectiv '**cel mai interesant**' *(the most interesting)* *cel mai puțin* + adjectiv '**cel mai puțin dotat**' *(the least gifted)*	*cel mai* + adjectiv '**cea mai interesantă**' *cea mai puțin* + adjectiv '**cea mai puțin dotată**'	*cei mai* + adjectiv '**cei mai interesanți**' *cei mai puțin* + adjectiv '**cei mai puțin dotați**'	*cele mai* + adjectiv '**cele mai interesante**' *cele mai puțin*+ adjectiv '**cele mai puțin dotate**'

Aceasta este cea mai interesantă revistă. / This is the most interesting review.

Task 6   Make up a menu using the vocabulary below. *(Alcătuiți un meniu utilizând vocabularul de mai jos.)*

a) Azi, la prânz, vreau să mănânc: ca aperitiv ....

.... ;

apoi .... ;

ca desert aș dori să mănânc ....

Aș vrea să beau ....

Mulțumesc!

b) Mâine iau masa cu soția în oraș și vrem să mâncăm: ca aperitiv ....

.... ;

apoi .... ;

ca desert am dori să mâncăm .... ;

am vrea să bem.. .

c) Copiii ar vrea să mănânce: mai întâi ....

.... ;

apoi .... ;

ca desert ar vrea ....

și ar vrea să bea ....

93

Aperitive
(Hors d'oeuvres/Starter)

- brânză — cheese
- caşcaval — pressed cheese
- şvaiţer — Swiss cheese
- icre negre — caviar
- chifteluţe — minced-meat balls
- măsline — olives
- peşte cu maioneză — boiled fish with mayonnaise
- pârjoale din carne de pasăre — chicken croquettes
- piftie — meat jelly
- salam — salami
- şuncă — ham
- ou fiert — boiled egg
- ouă jumări — scrambled eggs
- ochiuri — fried eggs
- ochiuri româneşti — poached eggs
- ou fiert moale — soft-boiled egg
- ou fiert tare — hard-boiled egg
- omletă — omlette
- omletă cu şuncă — ham and eggs

Supe
(Soups)

- borş — bortsch
- ciorbă — sour soup
- ciorbă de cartofi — potato soup
- ciorbă de perişoare — soup with meat balls
- ciorbă de peşte — fish soup
- supă de carne — broth / gravy soup
- supă cu fidea — vermicelli soup
- supă de găină — chicken soup / broth
- supă cu găluşti — dumpling soup
- supă de legume — vegetable soup
- supă de roşii — tomato soup
- supă de mazăre — pea soup
- supă cu tăiţei — noodle soup
- supă de ţelină — celery soup

Mâncăruri de carne şi legume
(Meat and vegetable dishes)

- biftec — beefsteak
- carne rasol — boiled meat
- creier pane — dish of breaded brains
- curcan — turkey
- ficat — liver
- gâscă — goose
- limbă — tongue
- ciulama cu ciuperci — mushrooms cooked in white sauce
- ciulama de pui — chicken in white sauce
- peşte — fish
- piept / garf de porc — brisket
- pilaf — pilaff
- raţă — duck
- sfeclă roşie — beetroot
- soté de morcovi — tossed carrots
- soté de rinichi — saute kidneys
- şniţel — schnitzel
- şniţel de viţel — scallop of veal

Peşte şi fripturi
(Fish and roast meat)

- batog afumat — smoked haddock
- crabi — crabs
- homar — lobster
- homar cu orez — lobster with rice
- peşte la grătar — grilled fish
- peşte prăjit — fried fish
- peşte rasol — boiled fish
- raci — crawfish
- ton — tunny fish
- stridii — oysters
- păstrăv — trout
- somon — salmon
- antricot — steak

Salate – garnituri
(Salads – garnish)

- salată boeuf — cold meat salad
- salată de andive — endive salad
- salată de conopidă — cauliflower salad
- salată verde (cu roşii) — lettuce (and tomato) salad
- salată orientală — oriental salad
- salată de vinete — egg-plant salad
- ardei gras — green pepper
- ardei iute — hot pepper
- bulion de roşii — tomato sauce
- cartofi fierţi — boiled potatoes
- cartofi pai — chopped potatoes
- cartofi piuré — mashed potatoes
- cartofi prăjiţi — fried potatoes

Desert şi băuturi
(Dessert and drinks)

- budincă — pudding
- cafea neagră — black coff
- clătite cu brânză — cheese pancakes
- clătite cu dulceaţă — jam pancakes
- compot — stewed fruit
- biscuiţi — biscuits
- brioşa — muffin
- dulceaţă — jam
- gogoşi — dough-nuts
- îngheţată — ice-cream
- pandişpan — sponge cake
- pateu/plăcintă — pie
- pişcot — sweet biscuit

• cârnaţi	*sausages*	• castraveţi muraţi	*pickled*	• prăjitură	*cake*
• cotlet			*cucumbers*	• tort	*(fancy) cake*
– de berbec	*mutton chop*	• fasole verde	*green beans*	• băuturi	*strong / alcoholic*
– de miel	*lamb cutlet*	• ghiveci	*hotchpotch*	alcoolice	*drinks*
– de viţel	*veal cutlet*	• gogoşari	*red peppers*	• răcoritoare	*soft drinks*
– de porc	*pork cutlet*	• legume	*vegetables*	• bere blondă	*(pale) ale*
• friptură		• mazăre verde	*green peas*	• bere neagră	*stout*
– de gâscă	*roast goose*	• murături	*pickles*	• bere	*ginger ale / beer*
– de pui	*roast chicken*	• orez	*rice*	nealcoolică	
– de porc	*roast pork*	• sos de carne	*gravy*	• vin	*wine*
– de vacă	*roast beef*	• sosuri şi	*dressings and*		
– de viţel	*roast veal*	condimente	*spices*	• tacâm	*cover, table*
		• spanac	*spinach*		*linen*
• bucată	*piece*	• suc de roşii	*tomato juice*	• cuţit	*knife*
• bucăţică	*bit*	• varză acr	*sauerkraut*	• furculiţă	*fork*
• bucătar	*cook*	• varză de	*Brussels sprouts*	• lingură	*spoon*
• cârciumă	*pub, tavern*	Bruxelles		• linguriţă	*teaspoon*
• han	*inn*	• varză roşie	*red cabbage*	• farfurie întinsă	*plate*
• hangiu	*innkeeper*			• farfurie	*soup plate*
• faţă de masă	*table cloth*			adâncă	
• chelner	*waiter*			• farfurioară	*dessert plate,*
• chelneriţă	*waitress*				*saucer*
				• listă de băuturi	*wine-list*

Task 7 **Refuse the following courses and give the reasons for doing it.**
(Refuzaţi următoarele feluri de mâncare, menţionând motivele pentru care nu vă plac.)

Use: 'Nu îmi place ...' (+ *nouns in the singular*)
'Nu îmi plac ...' (+ *nouns in the plural*)

Model: Chelnerul – De ce nu luaţi supa de roşii?
Clientul: – Pentru că **nu îmi plac** roşiile.

Chelnerul: – De ce nu luaţi ardei iute?
Clientul: – Pentru că **nu îmi place**, este prea iute.

1. „De ce nu luaţi clătite cu dulceaţă?"

....

2. „De ce nu luaţi friptură de porc?"

....

3. „De ce nu luaţi supă de legume?"

....

4. „De ce nu luaţi tort de ciocolată?"

....

5. „De ce nu luaţi salată de boeuf"?

....

6. „De ce nu luaţi ardei iute?"

....

Topics for Conversation
(Subiecte de conversație)

Speaking about food
(Cum este mâncarea)

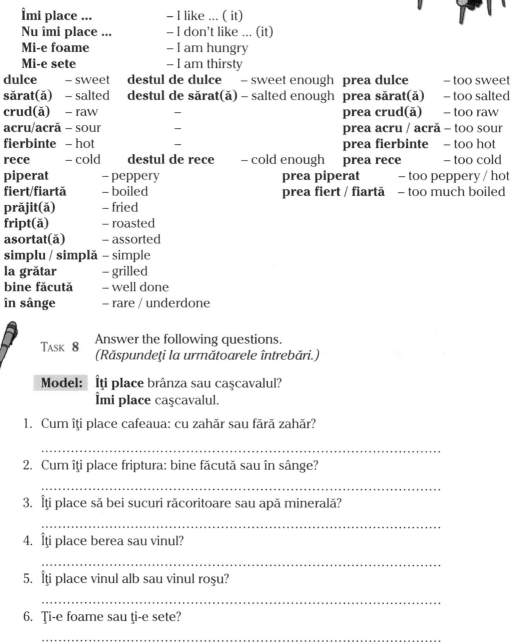

Îmi place ...		– I like ... (it)				
Nu îmi place ...		– I don't like ... (it)				
Mi-e foame		– I am hungry				
Mi-e sete		– I am thirsty				

dulce	– sweet	**destul de dulce**	– sweet enough	**prea dulce**	– too sweet
sărat(ă)	– salted	**destul de sărat(ă)**	– salted enough	**prea sărat(ă)**	– too salted
crud(ă)	– raw	–		**prea crud(ă)**	– too raw
acru/acră	– sour	–		**prea acru / acră**	– too sour
fierbinte	– hot	–		**prea fierbinte**	– too hot
rece	– cold	**destul de rece**	– cold enough	**prea rece**	– too cold
piperat	– peppery			**prea piperat**	– too peppery / hot
fiert/fiartă	– boiled			**prea fiert / fiartă**	– too much boiled
prăjit(ă)	– fried				
fript(ă)	– roasted				
asortat(ă)	– assorted				
simplu / simplă	– simple				
la grătar	– grilled				
bine făcută	– well done				
în sânge	– rare / underdone				

TASK **8**   Answer the following questions.
(Răspundeți la următoarele întrebări.)

Model: **Îți place** brânza sau cașcavalul?
         Îmi place cașcavalul.

1. Cum îți place cafeaua: cu zahăr sau fără zahăr?

....

2. Cum îți place friptura: bine făcută sau în sânge?

....

3. Îți place să bei sucuri răcoritoare sau apă minerală?

....

4. Îți place berea sau vinul?

....

5. Îți place vinul alb sau vinul roșu?

....

6. Ți-e foame sau ți-e sete?

....

TASK 9   Give the comparative of inferiority of the following adjectives.
(Menţionaţi care sunt comparativele de inferioritate ale următoarelor adjective.)

1. rece *(cold)* ....
2. mic *(little / small)* ....
3. rapid *(quick / rapid)* ....
4. înaltă *(high / tall)* ....
5. nefericiţi *(unhappy)* ....
6. exigent *(demanding)* ....

TASK 10   Give the comparative of superiority of the following adjectives.
(Menţionaţi care sunt comparativele de superioritate ale următoarelor adjective.)

1. leneş *(lazy / idle)* ....
2. mare *(big / large)* --- ....
3. priceput *(skilled)* ....
4. rea *(bad)* ....
5. urât *(ugly)* ....
6. plictisitori *(boring)* ....

TASK 11   Give the comparative of equality of the following adjectives.
(Menţionaţi care sunt comparativele de egalitate ale următoarelor adjective.)

1. mulţi *(many)* ....
2. important *(important)* ....
3. ieftin *(cheap)* ....
4. scump *(expensive)* ....
5. tânără *(young)* ....
6. neîndemânatici *(clumsy)* ....

TASK 12   Fill in the blanks.
(Completaţi spaţiile libere.)

1. Aceasta este .... ofertă. *(the best)*
2. Cine este .... ? Fiul sau fiica dumneavoastră? *(taller)*
3. Ce îngheţată îţi place .... ? *(the most)*
4. Cine este .... ? Tatăl sau mama ta? *(older)*
5. Care este ziua .... ? *(the longest)*
6. Care este ziua .... ? *(the shortest)*

TASK 13   Build up sentences using the Subjunctive Mood. The elements in the table below will help you.

(Alcătuiţi propoziţii utilizând modul conjunctiv. Elementele oferite în tabelul de mai jos vă vor fi de folos.)

Subiect (Subject)	Conjunctiv (Subjunctive)	Substantiv (Noun)	Adjectiv (Adjective)
Tu	a bea	un vin	roşu
Secretara	a avea	un computer	nou
Noi	a merge	la un restaurant	luxos
Soţia mea	a citi	o carte	bună
Eu	a lucra	la o companie	renumită
Clienţii	a mânca	o salată	delicioasă
Ospătarul	a avea	nişte clienţi	bogaţi
Directorul	a ţine	un discurs	scurt
Mihai	a (nu) urca	într-un autobuz	aglomerat
Fiul meu	a bea	o coca-cola	rece

Model: Tu vrei să bei un vin roşu.

1. ....
2. ....
3. ....
4. ....
5. ....
6. ....
7. ....
8. ....
9. ....
10. ....

TASK 14   Answer the questions using the following pattern.
(Răspundeţi la următoarele întrebări, conform modelului.)

Model: Ce vin îţi place **cel mai mult?**(What wine do you like best?)
Cel mai multîmi place vinul alb.

1. Ce peşte îţi place cel mai mult?

....

2. Ce aperitiv îţi place cel mai mult?

....

3. Ce supă îţi place cel mai mult?

....

4. Ce desert îţi place cel mai mult?

....

5. Ce clătite îţi plac cel mai mult?

....

6. Ce bere îţi place cel mai mult?

....

Task 15 Make up sentences combining the words from the columns below, using the Subjunctive Mood and the given adjectives.

(Alcătuiţi propoziţii combinând cuvintele din coloanele de mai jos, utilizând conjunctivul şi adjectivele propuse.)

Subiect (Subject)	Conjunctiv (Subjunctive)	Substantiv (Noun)	Adjective (Adjective)
Tu	a citi	nişte clienţi	rece
Secretara	a lucra	un vin	nou
Noi	a merge	la un restaurant	bogaţi
Soţia mea	a bea	o carte	aglomerat
Eu	a bea	o salată	renumită
Clienţii	a mânca	un computer	delicioasă
Ospătarul	a ţine	la o companie	luxos
Directorul	a avea	o coca-cola	scurt
Mihai	a (nu) urca	într-un autobuz	bună
Fiul meu	a avea	un discurs	roşu

1. ....
2. ....
3. ....
4. ....
5. ....
6. ....
7. ....
8. ....
9. ....
10. ....

Task 16 Tick the corresponding form of the adjective.
(Bifaţi forma corespunzătoare a adjectivului.)

roşii	copt / coaptă / copţi / coapte
castraveţi	murat / murată / muraţi / murate
ouă	fiert / fiartă / fierţi / fierte
fructe	acru / acră / acri / acre
mâncare	proaspăt / proaspătă / proaspeţi / proaspete
femei	tânăr / tânără / tineri / tinere
copil	fericit / fericită / fericiţi / fericite
îngheţate	dulce / dulci
pepene	mic / mici

 **Task 17** Combine the adjectives and the corresponding nouns, in terms of the meaning, number and gender.

(Combinaţi adjectivele cu substantivele corespunzătoare, în funcţie de sens, număr şi gen.)

(cold)	reci	pereţi	*(walls)*
(large)	spaţios	dormitor	*(bed-room)*
(big)	mare	cămăşi	*(shirts)*
(warm)	caldă	femeie	*(woman)*
(clean)	curate	popor	*(people)*
(white)	albi	camere	*(rooms)*
(color)	colorată	carte	*(book)*
(good)	bune	alune	*(pea-nuts)*
(hospitable)	ospitalier	pahar	*(glass)*
(long)	lung	păr	(hair)
(beautiful)	frumoasă	apă	(water)

Let's revise ... / Să recapitulăm ...

crud(ă); peşte cu maioneză; acru / acră; farfurie adâncă; fierbinte; rece; româneşti; piperat; fiert / fiartă; prăjit(ă); fript(ă); asortat(ă); simplu / simplă; la grătar; în sânge; ou crud; bulion de roşii; cartofi fierţi; linguriţă; cartofi pai; salam; omletă cu şuncă; cartofi piure; farfurioară; cartofi prăjiţi; castraveţi muraţi; fasole verde; ghiveci; gogoşari; legume; ton; stridii; păstrăv; somon; antricot; cârnaţi; cotlet de berbec; cotlet de viţel; friptură de gâscă; friptură de pui; friptură de porc; tacâm; cuţit; furculiţă; lingură; farfurie întinsă; brânză; caşcaval; şvaiţer; icre negre; chifteluţe; măsline; pârjoale din carne de pasăre; piftie; şuncă; ou fiert; ouă jumări; ochiuri; ou fiert moale; ou fiert tare; omletă.

 Task 18 Try the following crossword.
(Rezolvaţi următorul careu.)

Across *(Orizontal):*
1. lettuce *(two words)*
2. turkey
3. chicken
4. peas
5. endive
6. cheese pancakes *(three words)*
7. green beans *(two words)*
8. pie
9. ice-cream
10. boiled egg *(two words)*
11. lobster
12. fish

Down – *from A to B (Vertical):* vegetable soup *(three words)*

Lesson Seven / Lecția șapte

Topics for Conversation
(Subiecte de conversație)

A Phone Call
(O convorbire telefonică)

Task 1 Read the following text and listen to the CD.
(Citiți următorul text și ascultați CD-ul.)

A: Alo? Bună ziua. Aș vrea să vorbesc cu domnul Stănescu, vă rog.
B: Cine este la telefon?
A: Alexandru Ionescu la telefon.
B: Un moment, vă rog. Domnule Stănescu, vă caută cineva la telefon.
C: Alo?
A: Bună ziua, domnule Stănescu. Ionescu la telefon. Puteți să mă primiți astăzi?
Am o problemă urgentă de discutat cu dumneavoastră.
C: Nu știu … Nu cred, dar așteptați un moment, vă rog. Vreau să văd ce program
am astăzi … Da … Cred că aș avea puțin timp pe la ora 13:30. Da, exact! La
ora 13:30. Dar nu mai târziu, fiindcă am o întâlnire de afaceri la ora 14:00. Vă
aștept. Sper că este ceva urgent!
A: Este foarte urgent, vă asigur! Mulțumesc, voi fi acolo la ora 13:30. La revedere.
C: La revedere.

Vocabulary / Vocabular

telefon	telephone
telefon mobil	mobile telephone
interior	extension
abonat	telephone subscriber
abonament telefonic	telephone subscription
taxa de abonament	subscription charge
convorbiri / taxe adiționale	addition al calls / charge
centrală telefonică	switchboard/telephone exchange
cabină telefonică	call box; telephone booth/box
convorbire telefonică	call
convorbire locală	local call
convorbire interurbană	long distance call
convorbire cu taxă inversă	transferred charge
prefix	code number
ton	tone

Informaţii	Inquiries
Carte de telefon	Telephone Directory
Deranjamente	Maintenance Department
Servicii telefonice	Call Services
receptor	receiver
furcă	cradle; hook
fir	line
centralistă	operator
factură telefonică	phone bill

Phrases / Expresii

a face legătura	to put through
a ridica receptorul	to pick up the receiver
a ţine receptorul ridicat	to leave the receiver off the hook
a pune receptorul în furcă	to hang up the receiver
a lăsa[1] un mesaj	to leave / convey a message
a da un telefon	to make a phone call; to ring up; to call (up)
a suna	to ring up/ call
a suna mai târziu	to ring back
a greşi numărul	to get the wrong number
a forma numărul	to dial
Firul este ocupat.	The line is busy.
Firul este liber.	The line is free.
Cine este la telefon?	Who is that speaking?
Alexandru Ionescu la telefon.	This is Alexandru Ionescu speaking.
Telefonul este defect / deranjat.	The phone is out of order.

Grammar session (Gramatică)

The Definite Article
(Articolul hotărât)

Unlike the English nouns, Romanian nouns have a gender mark: they are masculine, feminine or neuter. Male animals and people are masculine, while female ones are feminine. We should also consider the 'neuter' nouns, which are a 'mixture' of the two. They are some objects or concepts and the choice of the gender is arbitrary; generally, in the singular form they take the masculine article, while in the plural form they take the feminine article..

---

[1] Irregular verb. Study the conjugation below:

Singular	Plural
Eu **las**	Noi **lăsăm**
Tu **laşi**	Voi **lăsaţi**
El / ea **lasă**	Ei **lasă**

The **Definite Article** is used to make references to **specific** objects, likes, dislikes, preferences, abstract ideas, concepts, geographical names (mountains, towns, continents, countries, rivers, lakes), companies' names, names of institutions, cinemas, theatres, streets, names of seasons, languages, titles, family relationships, etc.

Forms. Study the table below containing the forms of the Definite Article, in the Nominative Case :

Number	Masculine	Neuter	Feminine
Singular	-(u)l ; -le directorul; peretele; raportul		-(u)a ziua; seara
Plural	-ul, -le, -i directorii; pereții	-le rapoartele; zilele; serile	

The singular form / Forma de singular

a) The articles ' -(u)l' and ' -le' are attached to the **masculine** and **neuter** nouns.
The nouns ending in a **consonant** and '-i' take '-(u)l'; however, you should remember that 'u' is only a connecting vowel;

un raport *(a report* – indefinite article) – raportul *(the report)*
un director *(a director)* – directorul *(the director)*
un scaun *(a chair)* – scaunul *(the chair)*
un tramvai *(a tramway)* – tramvaiul *(the tramway)*

The article '-l' is attached to the nouns ending in '-u':
un panou *(a panel)* – panoul *(the panel)*
un tablou *(a painting)* – tabloul *(the painting)*
un birou *(an office)* – biroul *(the office)*
un cadou *(a present)* – cadoul *(the present)*
un cadru *(a frame)* – cadrul *(the frame)*

The article '-le' is added to the nouns ending in '-e':
un perete *(a wall)* – peretele *(the wall)*
un frate *(a brother)* – fratele *(the brother)*

b) The article '-(u)a' is added to the **feminine** nouns ('u' is only a connecting vowel):
The ending '-ua' is used with nouns ending in a stressed vowel:
o canapea *(a sofa)* – canapeaua *(the sofa)*
o zi *(a day)* – ziua *(the day)*
o lalea *(a tulip)* – laleaua *(the tulip)*
o saltea *(a matress)* – salteaua *(the matress)*

The ending '-a' is specific to the nouns ending in 'e' or 'ă':
o floare *(a flower)* – floarea *(the flower)*
o secretară *(a secretary)* – secretara *(the secretara)*
o baie *(a bath)* – baia [*the bath(-room)*]
o mamă *(a mother)* – mama *(the mother)*

The plural form / Forma de plural

a) The masculine nouns take the ending '-i', which means that they end in 'double i' as these nouns already had one 'i' at the indefinite form:
niște directori *(some directors)* – directorii *(the directors)*

niște soți *(some husbands)* – soții *(the husbands)*
niște bărbați *(some men)* – bărbații *(the men)*
niște tați *(some fathers)* – tații *(the fathers)*
niște fotbaliști *(some football players)* – fotbaliștii *(the football players)*

b) The neuter and feminine nouns end in '**-le**':

niște tablouri *(some paintings)* – tablourile *(the paintings)*
niște birouri *(some offices)* – birourile *(the offices)*
niște cadouri *(some presents)* – cadourile *(the presents)*
niște flori *(some flowers)* – florile *(the flowers)*
niște secretare *(some secretaries)* – secretarele *(the secretaries)*
niște zile *(some days)* – zilele *(the days)*
niște camere *(some rooms)* – camerele *(the rooms)*

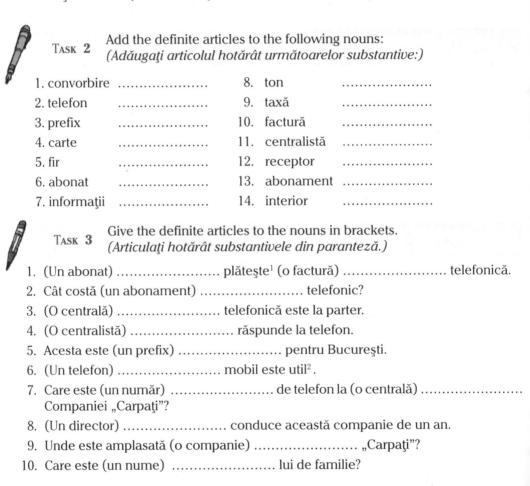

TASK 2   Add the definite articles to the following nouns:
(Adăugați articolul hotărât următoarelor substantive:)

1. convorbire .... 8. ton ....
2. telefon .... 9. taxă ....
3. prefix .... 10. factură ....
4. carte .... 11. centralistă ....
5. fir .... 12. receptor ....
6. abonat .... 13. abonament ....
7. informații .... 14. interior ....

TASK 3   Give the definite articles to the nouns in brackets.
(Articulați hotărât substantivele din paranteză.)

1. (Un abonat) .... plătește[1] (o factură) .... telefonică.
2. Cât costă (un abonament) .... telefonic?
3. (O centrală) .... telefonică este la parter.
4. (O centralistă) .... răspunde la telefon.
5. Acesta este (un prefix) .... pentru București.
6. (Un telefon) .... mobil este util[2].
7. Care este (un număr) .... de telefon la (o centrală) ....
   Companiei „Carpați"?
8. (Un director) .... conduce această companie de un an.
9. Unde este amplasată (o companie) .... „Carpați"?
10. Care este (un nume) .... lui de familie?

---

[1] a plăti – to pay:

Singular	Plural
Eu **plătesc**	Noi **plătim**
Tu **plătești**	Voi **plătiți**
El/ea **plătește**	Ei **plătesc**

[2] util – useful

Task 4 Turn the following sentences into the plural:
(Treceţi următoarele propoziţii la plural:)

Model: Cartea este pe birou.   **Cărţile sunt pe birou.**

1. O secretară vorbeşte la telefon.   ....
2. Un bărbat vorbeşte cu fiul meu.   ....
3. În vază este o lalea.   ....
4. Lângă dulap este cadoul meu.   ....
5. Tabloul este pe perete.   ....
6. În staţie este un tramvai.   ....
7. Un pachet de ţigări este în buzunar.   ....
8. O ciocolată este în sacoşă.   ....
9. Ciorchinele de struguri este pe farfurie.   ....
10. O pereche de ochelari este pe masă.   ....

Grammar Session (Gramatică)

Expressing Future Time
(Exprimarea viitorului)

Future Tense Simple / Viitorul simplu

It is the most familiar way of expressing future in Romanian. It is made up of an auxiliary corresponding to each person and the infinitive form of the notional verb.
The adverbs of time associated to this structure are the following:

mâine	– tomorrow
poimâine	– the day after tomorrow
(în) curând	– soon
foarte curând	– very soon
cât de curând	– as soon as possible
data viitoare	– next time
săptămâna viitoare	– next week (**săptămânile viitoare** – next weeks / the following weeks[1])
luna viitoare	– next month (**lunile viitoare** – next / the following months[2])
anul viitor	– next year (**anii viitori** – next / the following years[3])
la anul	– next year / the following year
secolul viitor	– next century / the following century
sâmbăta viitoare	– next Saturday / the following Saturday
week-end-ul viitor	– next week-end / the following week-end

[1,2,3] In Romanian, these adverbs do not change when used in the Indirect Speech. Compare: Îl văd **săptămâna viitoare**. Mi-a spus că-l vede **săptămâna viitoare**.

Task 5 Study the following table and the examples below.
(Studiaţi următorul tabel şi exemplele de mai jos.)

Future Tense Simple / Viitorul simplu

Pronoun	Auxiliary	
Eu	voi	
Tu	vei	
El / Ea	va	+ *The Short Infinitive*
Noi	vom	*of the Notional Verb*
Voi	veţi	
Ei / Ele	vor	

Task 6 Fill in the following sentences with the appropriate auxiliary and translate them into English. Use the table below.
(Completaţi spaţiile libere cu auxiliarul corespunzător şi apoi traduceţi în limba engleză. Utilizaţi tabelul de mai jos.)

Romanian Infinitive	English Infinitive	Romanian Infinitive	English Infinitive
a afla	*to find out / learn*	a mânca	*to eat*
a alerga	*to run*	a merge	*to go*
a amâna	*to postpone*	a mulţumi	*to thank*
a aştepta	*to wait*	a munci	*to work*
a avea	*to have*	a petrece	*to spend*
a citi	*to read*	a pleca	*to leave*
a coborî	*to get off*	a povesti	*to narrate / to tell*
a conduce	*to drive / lead / rule*	a putea	*to be able to*
a cumpăra	*to buy*	a răspunde	*to answer*
a da	*to give*	a repara	*to repair*
a discuta	*to discuss*	a revendica	*to claim*
a dormi	*to sleep*	a rezolva	*to solve*
a explica	*to explain*	a scrie	*to write*
a face	*to do / to make*	a solicita	*to require / demand*
a fi	*to b*	a sta	*to stay*
a fugi	*to run*	a studia	*to study*
a gândi	*to think*	a urî	*to hate*
a glumi	*to joke*	a vedea	*to see*
a hotărî	*to decide*	a veni	*to come*
a întreba / a cere	*to ask*	a verifica	*to check up*
a lua	*to take*	a vizita	*to visit / call on smb*
a lucra	*to work*	a vorbi	*to talk / speak*

1. El .... avea o şedinţă mâine la ora 15:30.

2. Soţia mea nu .... vizita Muzeul de Istorie în această după-amiază.

3. Andrei .... repara calculatorul cât de curând.

4. Noi nu .... merge la munte în week-end-ul viitor.

5. Cred că (eu) .... cumpăra bilete la Sinaia sau la Poiana Braşov.

6. Dacă (el) .... avea timp, ... citi ziarul în după-amiaza aceasta.

7. Unde .... petrece (voi) vacanţa de iarnă? În România sau în Norvegia?

8. Mâine (eu) .... cumpăra un pachet de zahăr şi un kilogram de cartofi.

9. Când .... studia limba română soţia dumneavoastră?

10. Dacă ei .... amâna iar şedinţa, noi nu .... mai veni.

11. Când .... coborî (voi) din autobuz?

12. Dl. Georgescu nu .... lucra la acest proiect de investiţii.

13. Ce .... face (el) duminica aceasta?

14. Eu .... studia această problemă săptămâna viitoare.

15. Unde .... petrece (noi) concediul anul viitor?

16. Ce .... cumpăra (voi) de la acest magazin?

17. Când .... repara (el) televizorul?

18. Când .... pleca trenul?

19. Când .... vizita (tu) Muzeul de Istorie?

20. Când .... merge (voi) la teatru?

21. Cine .... conduce maşina?

22. Cine .... explica această problemă?

23. Când .... putea soţia ta să conducă maşina?

24. Noi .... mulţumi pentru ajutor părinţilor noştri.

25. Cine .... fi la aeroport?

TASK 7   Fill in the blanks with the corresponding personal pronouns.
          (Completaţi spaţiile libere cu pronumele personale corespunzătoare.)

Model: El *va munci duminică toată ziua*.

1. .... va munci duminică toată ziua.

2. .... vom vedea un film mâine după-amiază.

3. Când va rezolva .... problema?

4. .... voi merge la Sinaia în week-end-ul viitor.

5. .... veţi învăţa timpul viitor în curând.

6. Nu cred că .... vom sta toată ziua la aeroport.

7. .... vei vedea care este adevărul.

8. .... voi veni la timp la birou.

TASK 8 Turn the following verbs into future tense and add the appropriate adverbs of time, or change the given ones according to the meaning. *(Treceţi verbele de la prezent la timpul viitor şi adăugaţi / transformaţi adverbele de timp corespunzătoare.)*

Model: Aştept un telefon acum.   **Voi aştepta un telefon mâine.**

1. Aştept un telefon acum.

....

2. Voi hotărâţi programul.

....

3. Ştiu ce gândiţi acum.

....

4. La 16:00 mergem la cinematograf.

....

5. Facem un plan acum.

....

6. Totul merge bine.

....

7. Aşteaptă autobuzul.

....

8. Nu, nu aştept pe nimeni acum.

....

9. Da, astăzi facem planuri de vacanţă.

....

10. Hotărâm plecarea acum.

....

11. Citesc ziarul în fiecare dimineaţă, înainte de micul dejun.

....

12. Nu vedem pe nimeni pe stradă.

....

13. Vin de la teatru.

....

14. Lucrez cu Dan Ionescu la proiectul de investiţii.

....

15. De obicei iau prânzul la ora 15:00.

....

16. Merg în Norvegia luna asta.

....

17. Mihai aleargă în fiecare dimineaţă.

....

18. Citesc ziarul „Libertatea" în fiecare după amiază.

....

19. Luna aceasta merge la birou cu metroul.

....

20. Directorul nu merge cu metroul.

....

21. Nu merg la teatru acum.

....

22. Citeşti ziarul seara?

....

TASK 9   Write about your plans for the week-end. Build up sentences using
          verbs and nouns given below.
          *(Scrieţi despre planurile voastre de week-end. Alcătuiţi propoziţii
          utilizând verbele şi substantivele de mai jos.)*

Verbs:
a pleca; a petrece; a sta; a vizita; a citi; a juca[1]; a dormi; a vedea; a conduce; a
vorbi; a munci; a cumpăra; a studia.

Nouns:
munte; maşină / tren / avion / autocar; week-end; hotel / cabană[2]; muzeu; carte
/ ziar; tenis / fotbal / cărţi / biliard[3]; film.

....
....
....
....
....
....
....
....
....

---

[1] a juca – to play
[2] cabană – chalet
[3] tenis – tennis; fotbal – football; cărţi – cards; biliard – billiards

Task 10 Turn the following sentences into the negative form.
(Treceţi următoarele propoziţii la forma negativă.)

1. (Noi) Vom discuta această problemă la următoarea şedinţă.

   ....

2. Directorul va avea o întâlnire de afaceri mâine la ora 10:00.

   ....

3. Voi fi ocupat săptămâna viitoare.

   ....

4. Vom pleca din Bucureşti dacă va ploua.

   ....

5. Voi cumpăra un telefon nou dacă voi avea bani.

   ....

6. Trenul va ajunge în Gara de Nord la ora 17:44.

   ....

7. Vom face proiectul de investiţii până la data de 15 noiembrie.

   ....

8. Vom munci mâine toată ziua. Este sâmbătă.

   ....

9. Vei lua micul dejun în oraş cu partenerii de afaceri.

   ....

10. Ea îşi va amâna plecarea în străinătate, dacă va fi ocupată.

    ....

Task 11 Dictation. Listen to the CD and write[1]:
(Dictare. Ascultaţi CD-ul şi scrieţi:)

....

....

....

....

....

....

....

....

---

[1] See the written version in the key.

prefix	...........................;	fir	...........................;
centralistă	...........................;	factură telefonică	...........................;
abonament telefonic	...........................;	deoarece	...........................;
Informaţii	...........................;	receptor	...........................;
convorbire telefonică	...........................;	abonat telefonic	...........................;
abonament telefonic	...........................;	tabloul	...........................;
un scaun	...........................;	o floare	...........................;
fotbalişti	...........................;	camerele	....

Tᴀsᴋ 12 Try the following crossword:
(*Rezolvaţi următorul careu:*)

Across (*Orizontal*):
1. chair
2. code number
3. female operator
4. the day after tomorrow
5. Maintenance Department
6. future
7. paintings
8. the flower
9. the women

A

1. ▯▯▯▯▯
2. ▯▯▯▯▯
3. ▯▯▯▯▯▯▯▯▯▯▯
4. ▯▯▯▯▯▯▯
5. ▯▯▯▯▯▯▯▯▯▯▯
6. ▯▯▯▯▯
7. ▯▯▯▯▯▯▯
8. ▯▯▯▯▯▯
9. ▯▯▯▯▯▯

B

Down – *from* **A** *to* **B** (*Vertical*): (the) next week (*two words*)

Lesson Eight / Lecția opt

Topics for Conversation
(Subiecte de conversație)

My Office
(Biroul meu)

Task 1   Listen to the CD and then repeat.
(Ascultați CD-ul și apoi repetați.)

Secretara: Astăzi trebuie să întocmim o listă cu materialele consumabile. Ce materiale trebuie să comand pentru dvs.?

Directorul: Cred că am nevoie de un capsator, un perforator, dosare din plastic și ...

Secretara: De câte dosare aveți nevoie?

Directorul: Cred că douăzeci sunt suficiente.

Secretara: Da, vă ascult ...

Directorul: Apoi, bineînțeles, o cutie de capse, o cutie de agrafe de birou, hârtie pentru imprimantă și pentru copiator. Ah, să nu uit, aș vrea desigur și câteva creioane, pixuri colorate, precum și un set de markere pentru tablă.

Secretara: Altceva ...?

Directorul: Să mă gândesc ... Da, cred că ar mai trebui și un filtru pentru cafetieră și niște cești de cafea pentru partenerii mei de afaceri. Cam atât.

Secretara: Deci, voi comanda: un capsator, un perforator, douăzeci de dosare din plastic ... Și să nu uit! Voi mai comanda capse, agrafe, hârtie pentru imprimantă și copiator... Am înțeles. Voi trimite comanda la biroul financiar. Mâine vor cumpăra toate materialele.

Vocabular / Vocabulary

a avea nevoie	to need
a citi	to read
a întocmi	to draw up / draft
a scrie[1]	to write; to draw up; to draft
agendă / agende	agenda; pocket book/s
agrafă / agrafe de birou	paper clip/s
batistă / batiste	handkerchief/s
biblioraft / bibliorafturi	ring-book/s
bibliotecă / biblioteci	bookcase /s
birou / birouri	(office) desk /s
cafetieră / cafetiere	coffee maker/s

---

[1] Verb group III. See the conjugation below:

| *Singular* | Eu **scriu** | Tu **scrii** | El / Ea **scrie** |
| *Plural* | Noi **scriem** | Voi **scrieți** | Ei / Ele **scriu** |

calculator / calculatoare	computer/s
calendar/e	calendar/s
calorifer/e	radiator/s; heater/s
capsă / capse	staple/s
capsator / capsatoare	stapler/s
carte / cărţi	book/s
cartotecă / cartoteci	file cabinet/s
ceaşcă / ceşti	cup/s
cerere / cereri de achiziţionare	purchase requisition/s
cheie / chei	key/s
compas/uri	(a pair / pairs of) compasses
coş / coşuri de hârtii	waste paper basket/s
copiator / copiatoare	copy machine/s
corespondenţă	mail
creion / creioane	pencil/s
desen/e	drawing/s
dischetă / dischete	floppy disk/s
dosar / dosare	file/s
echer/e	square/s
filtru / filtre de cafea	coffee filter/s
foarfece / foarfece	(a pair / pairs of) scissors
fotoliu / fotolii	armchair /s
grafic/e	graph/s
gumă / gume	rubber/s
coală / coli de hârtie	sheet/s of paper
imprimantă / imprimante	printer /s
lacăt/e	padlock/s
lampă / lămpi	lamp
listă / liste	list/s
mapă / mape	portfolio/s
maşină / maşini de scris	typewriter/s
masă / mese	table/s
măsuţă / măsuţe	small / coffee table/s
materiale consumabile	consumables
necesar de materiale	items / materials needed
perforator / perforatoare	puncher/s
pix / pixuri	ballpen/s
planşetă / planşete	drawing board/s
plic/uri	envelope/s
proiector / proiectoare	projector/s
raft / rafturi	shelf / shelves
rafturi de birou	desk-shelves
raport / rapoarte	report/s
sală / săli de conferinţe	conference room/s
scaun / scaune	chair/s
scrisoare / scrisori	letter/s
seif / seif-uri	safe/s
sertar/e	drawer/s
servietă / serviete diplomat	briefcase/s
stilou / stilouri	fountain-pen/s
şerveţel / şerveţele de birou	office paper tissue/s
tablă / table	whiteboard/s
uşă / uşi	door/s
ventilator / ventilatoare	fan/s

Phrases / Expresii

Altceva ... ?	Anything else ...?
Aş avea nevoie ...	I need ...
Cred[1] că ...	I think that ...
Gata!	Ready!
parteneri de afaceri	business partners
... precum şi ...	as well (as) / too
Să mă gândesc ...	Let me think ...
Să nu uit[2] ...	I shouldn't forget ...
Sunt suficiente (*fem., pl.*)	They will do
Sunt suficienţi (*masc., pl.*)	They will do
Este suficientă (*fem., pl.*)	They will do
Este suficient (*masc., pl.*)	They will do

TASK 2   Fill in the following table with the corresponding forms of the verbs. *(Introduceţi în tabelul următor formele corespunzătoare ale verbelor.)*

Pronume (Pronoun)	A avea nevoie (Need)	A întocmi (to draft)	A comanda (to order)	A cumpăra (to buy)
Eu	am nevoie	întocmesc	comand	cumpăr
Tu				
El / Ea				
Noi				
Voi				
Ei / Ele				

TASK 3   Fill in the blanks with the nouns in brackets, using the indefinite article when needed. *(Completaţi spaţiile libere cu substantivele din paranteze, utilizând articolul nehotărât când este necesar.)*

Model: Eu am nevoie de .... *(a printer)*
Eu am nevoie de **o imprimantă**.

1. Secretara are nevoie de ....*(some staples)*

2. Am nevoie de .... pentru o corespondenţă. *(an envelope)*

3. Avem nevoie de .... pentru copiator. *(some paper)*

4. Cred că nu ai nevoie de .... pentru cafetieră. Sunt suficiente. *(filters)*

5. Au nevoie de .... pentru sala de conferinţe. *(some chairs)*

---

[1] Verb Group III. Its stem is slightly modified, as follows:
Singular   Eu **cred**   Tu **crezi**   El / Ea **crede**
Plural   Noi **credem**   Voi **credeţi**   Ei / Ele **cred**
[2] Verb Group I. Its stem is slightly modified, as follows:
Singular   Eu **uit**   Tu **uiţi**   El / Ea **uită**
Plural   Noi **uităm**   Voi **uitaţi**   Ei / Ele **uită**

6. Aveţi nevoie de .... pentru dosare. *(desk shelves)*

7. Am nevoie de .... pentru biblorafturile mele. *(a bookcase)*

8. Directorul are nevoie de .... pentru birou. *(a fan)*

9. Andrei are nevoie de .... pentru maşina de scris. *(a small table)*

10. Cred că sunt suficiente trei .... pentru calculator. *(floppy-disks)*

11. Ai nevoie de .... pentru referat? *(pencils)*

12. Nu, cred că am nevoie de .... *(some ballpens)*

13. Are nevoie de .... pentru consumabile. *(some money)*

14. Ai nevoie de .... pentru referate? *(paper clips)*

15. (Ele) au nevoie de .... pentru lacăte? *(keys)*

16. Am nevoie de .... pentru tablă. *(some markers)*

17. Avem nevoie de .... pentru desene. *(drawing boards)*

18. Vrei să întocmeşti ....? *(a purchase requisition)*

19. Ce altceva aţi vrea pentru ....? *(office)*

20. Câte .... aveţi? *(radiators)*

21. Cred că trei .... sunt suficiente pentru Departamentul de Investiţii. *(staplers)*

22. De câte cutii de .... au ei nevoie? *(staples)*

23. Aveţi cafea pentru ....? *(cofee-maker)*

24. Este suficientă .... pentru imprimantă? *(paper)*

TASK 4 Turn the following sentences into the plural.
(Treceţi următoarele propoziţii la plural.)

Model: Pe măsuţa de lângă birou este **o coală de hârtie**.
Pe măsuţa de pe birou sunt **nişte coli de hârtie / 100 de coli de hârtie / multe coli de hârtie.**

1. În sertarul de la birou **este o cutie de agrafe de birou**. *(3)*

....

2. Pe masă **este o carte**. *(many books)*

....

3. Lângă birou **se află un copiator**. *(2)*

....

4. În cutie **se află o capsă**. *(500)*

....

5. În bar **se află o ceaşcă de cafea**. *(6)*

....

6. Pe perete **se află o hartă.**(3)

....

7. În mapă **se află un dosar de plastic şi un caiet.** *(10 / 2)*

....

8. Lângă birou **se află un coş de hârtii.** *(2)*

....

9. În companie **se află o bibliotecă.** *(3)*

....

10. În cutie **este o dischetă.** *(10)*

....

TASK **5**   Change the following sentences using the structures explained in the model.

(Transformaţi următoarele propoziţii utilizând structurile din model.)

'Şi de' = 'also' / 'too'

> **Model:**   Am nevoie de o imprimantă.
> *(I need a printer.)*
>
> Am nevoie şi de un copiator.
> *(I need a copy-machine, too. / I also need a copy-machine.)*

'nici de ... nici de' = 'neither ... nor'

> **Model:**   N-am nevoie[1] nici de imprimantă nici de copiator.
> *(I need **neither** a printer **nor** a copy-machine.)*

Remember that double negation is often used in Romanian!

> **Model:**   N-am nevoie de nici unul.
> *(I need **neither of them**.)*

'fie de ..., fie de' = 'either ... or'

> **Model:**   Am nevoie fie de un calculator, fie de o maşină de scris.
> *(I need **either** a computer **or** a typewriter.)*

1. Casper n-are nevoie .... *(neither)* de interpret .... *(nor)* de carte de limba română. Vorbeşte limba română foarte bine.
2. Directorul are nevoie .... *(either)* de markere, ... *(either)* de creioane.
3. Am nevoie de nişte cafea. Am nevoie .... *(also)* nişte zahăr.
4. N-am nevoie .... *(neither)* capsator .... *(nor)* capse.
5. Ai nevoie de grafice sau de liste? N-am nevoie .... *(neither)* grafice .... *(nor)* liste. Am informaţiile în calculator.

---

[1] The verb at the infinitive form is 'a avea nevoie' (to need). At the negative, the contracted form is often used in informal circumstances. Here is the conjugation:

Eu	nu am nevoie	**n-am nevoie**	Noi	nu avem nevoie	**n-avem nevoie**
Tu	nu ai nevoie	**n-ai nevoie**	Voi	nu aveţi nevoie	**n-aveţi nevoie**
El / Ea	nu are nevoie	**n-are nevoie**	Ei / Ele	nu au nevoie	**n-au nevoie**

The Demonstratives
(Pronumele și adjectivul demonstrativ)

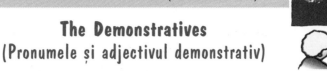

The basic difference between a pronoun and an adjective is that the former stands for a noun that either has been mentioned in the above context or somebody points to it, and the latter is always placed next to one or more nouns.

In this grammar session are presented the demonstrative adjective and pronoun in **the Nominative Case** (answering the concept question 'who?') and in **the Accusative Case** (answering the concept questions 'whom?', 'what?', 'where?', 'where ... from?', etc.)

The Demonstrative Adjective
(Adjectivul demonstrativ)

The demonstrative adjectives can be placed *in front of the noun they determine* or *immediately after it*. In the former circumstance the noun has the ending which is specific to the indefinite form while in the latter one the noun has the definite article.

In terms of their location, the demonstratives themselves have two forms, easily identifiable in the table below:

	Singular				Plural			
	Masculine / Neuter		Feminine		Masculine		Feminine / Neuter	
	in front of the noun	after the noun	in front of the noun	after the noun	in front of the noun	after the noun	in front of the noun	after the noun
Aici (Here)	**acest** fiu (this son)	fiul **acesta** (this son)	**această** fiică (this daughter)	fiica **aceasta** (this daughter)	**acești** fii (these sons)	fiii **aceștia** (these sons)	**aceste** fiice (these daughters)	fiicele **acestea** (these daughters)
Acolo (There)	**acel** fiu (that son)	fiul **acela** (that son)	**acea** fiică (that daughter)	fiica **aceea** (that daughter)	**acei** fii (those sons)	fiii **aceia** (those sons)	**acele** fiice (those daughters)	fiicele **acelea** (those daughters)

Note. When the demonstrative adjective is placed in front of the noun, neither of them takes the article.

> **e.g.** Această imprimantă este mai bună decât acea imprimantă.
> Aceste capse sunt bune pentru acel capsator.

When the noun precedes the demonstrative adjective, both of them take the article.

> **e.g.** Imprimantele acestea sunt mai bune decât imprimantele acelea.
> Capsele acestea sunt bune pentru capsatorul acela.

The Demonstrative Pronoun
(Pronumele demonstrativ)

TASK 6   Study the table below and notice the difference between the demonstrative pronouns and the demonstrative adjectives, respectively. *(Studiaţi tabelul de mai jos şi observaţi diferenţa dintre pronumele şi adjectivele demonstrative respective.)*

	Singular		*Plural*	
	Masculine / Neuter	Feminine	Masculine	Feminine / Neuter
Aici *(Here)*	**acesta** *this*	**aceasta** *this*	**aceştia** *these*	**acestea** *these*
Acolo *(There)*	**acela** *that*	**acee** *that*	**aceia** *those*	**acelea** *those*

TASK 7   Fill in the blanks with the corresponding demonstrative pronouns. *(Completaţi spaţiile libere cu pronumele demonstrative corespunzătoare.)*

1. .... este o femeie. Ea este aici.
2. .... sunt bărbaţi. Ei sunt acolo.
3. .... este o carte. Ea este acolo.
4. .... sunt nişte caiete. Ele sunt pe biroul acela.
5. .... este un caiet şi .... este o carte.
6. .... este o maşină. Ea este acolo.
7. .... sunt idei bune.
8. .... sunt profesori sau studenţi?
9. .... este ceaşca ta sau aceea?
10. .... nu este o masă; este un birou. Aceasta este o masă.

TASK 8   Listen to the CD and check up your answers to the above exercise. *(Ascultaţi CD-ul şi verificaţi-vă răspunsurile date la exerciţiul de mai sus.)*

Vocabular / Vocabulary

Culori / Colours

Colours usually agree with the noun in number and gender:

e.g.   Maşina mea este albastră.
My car is blue.

Caietul este albastru.
The copy-book is blue.

Pantalonii sunt albaştri.
The trousers are blue.

However, when expressing different shades / nuances, 'închis' *(dark)* and 'deschis' *(light)*, only the singular masculine form is used, irrespective of the noun's gender and number.

e.g. Maşina mea este albastru deschis.
My car is light blue.

Caietul este albastru deschis.
The copy-book is light blue.

Pantalonii sunt albastru închis.
The trousers are dark blue.

	Singular		Plural	
Colour	**Masculine / Neuter**	**Feminine**	**Masculine**	**Feminine / Neuter**
white	alb	albă	albi	albe
blue	albastru	albastră	albaştri	albastre
brown	maro	maro	maro	maro
yellow	galben	galbenă	galbeni	galbene
green	verde	verde	verzi	verzi
grey	gri	gri	gri	gri
black	negru	neagră	negri	negre
violet	violet	violet	violet	violet
mauve	mov	mov	mov	mov
pink	roz	roz	roz	roz
orange	portocaliu	portocalie	portocalii	portocalii
red	roşu	roşie	roşii	roşii

Task 9   Name the following objects and mention what colours they may have. *(Numiţi obiectele următoare şi precizaţi culoarea / culorile pe care le pot avea.)*

Model: Acestea sunt nişte creioane. Ele sunt: galbene, roşii, maro, albastre, violet sau verzi.

 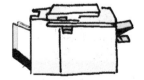 

1. ....

2. ....

3. ....

4. ....
....

5. ....
....

6. ....
....

7. ....
....

8. ....
....

9. ....
....

10. ....
....

11. ....
....

12. ....
....

13. ....
....

14. ....
....

15. ....
....

16. ....

17. ....

18. ....

....

....

....

19. ....

20. ....

21. ....

....

....

....

22. ....

23. ....

24. ....

....

....

....

25. ....

26. ....

27. ....

....

....

....

28. ....   29. ....   30. ....

....

TASK 10 Describe what can be seen in this picture, referring to colours, background, number of people, objects, etc. Use the demonstratives.
(Descrieţi ce se vede în această imagine, făcând referire la culori, mediu, numărul persoanelor, obiecte etc.)

....

....

....

....

....

TASK 11 Turn the following sentences into the plural, according to the given example.
(Treceţi propoziţiile care urmează la plural, conform exemplului dat.)

Model: Acesta este un creion.   **Acestea sunt creioane.**

1. Aceasta este o imprimantă.   ....
2. Aceasta nu este o problemă.   ....
3. Aceea este o bibliotecă.   ....
4. Acesta este un pix sau un stilou?   ....
5. Aceasta este o poveste interesantă.   ....
6. Uşa aceea este închisă sau deschisă?   ....
7. Acela nu este un dosar.   ....
8. Aceasta nu este o idee bună.   ....
9. Acesta nu este biroul meu?   ....
10. Acesta este ventilatorul tău?   ....
11. Aceasta este bucătăria?   ....

12. Care este dormitorul ? ....
13. Unde este camera de oaspeţi? ....
14. Care este numărul de telefon? ....
15. Ai o carte de telefon? ....
16. Unde este agenda ? ....
17. Prietenul acesta locuieşte în Bucureşti sau în provincie? ....
18. Factura este în sertar. ....
19. Profesoara are cartea aceasta? ....
20. Unde este cheia ? ....

Tᴀsᴋ 12 Describe the room where you are. Use the demonstrative pronouns and mention the colours of the objects.
(Descrieţi camera în care vă aflaţi. Utilizaţi pronumele demonstrative şi menţionaţi culorile obiectelor.)

Model: Aceasta este o canapea.
Este aici.
Este roşie.

....
....
....
....
....

The Possessive Adjective
(Adjectivul posesiv)

It is always accompanied by a noun. It agrees in number, case and gender to the noun it accompanies. The Possessive Adjective replaces only one noun: the name of the owner.

Person	No.	*Singular*		*Plural*	
		Mᴀsᴄᴜʟɪɴᴇ / Nᴇᴜᴛᴇʀ	Fᴇᴍɪɴɪɴᴇ	Mᴀsᴄᴜʟɪɴᴇ	Fᴇᴍɪɴɪɴᴇ / Nᴇᴜᴛᴇʀ
I	sg.	meu	mea	mei	mele
		prietenul meu	prietena mea	prietenii mei	prietenele mele
		my		**my**	
		my friend / girl friend		my friends / girl friends	
	pl.	nostru	noastră	noştri	noastre
		prietenul nostru	prietena noastră	prietenii noştri	prietenele noastre
		our		**our**	
		our friend / girl friend		our friends / girl friends	
II	sg.	tău	ta	tăi	tale
		prietenul tău	prietena ta	prietenii tăi	prietenele tale
		your		**your**	
		your friend / girl friend		your friends / girl friends	

123

	pl.	vostru	voastră	voştri	voastre
		prietenul vostru	prietena voastră	prietenii voştri	prietenele voastre
		your		**your**	
		your friend / girl friend		your friends / girl friends	
III	**sg.**	său	sa	săi	sale
		prietenul său	prietena sa	prietenii săi	prietenele sale
		his / her		**his / her**	
		his / her friend / (girl)friend		his / her friends/ girl friends	
	pl.	lor	lor	lor	lor
		prietenul lor	prietena lor	prietenii lor	prietenele lor
		their		**their**	
		their friend / girl friend		their friends / girl friends	

Note: When a noun in the 3-rd person singular or plural standing for the owner is involved, the definite articles which agree with the noun in number and in gender, become endings for that noun.

e.g. **Directorul are un caiet.**

This sentence suggests the idea of possesion by means of the verb '**a avea**' (to have). Its structure is the following:

Subject   +   Predicate   +   Direct Object[1]
   ↓   ↓   ↓

Directorul   are   un caiet[2]

When expressing the possession by means of a personal pronoun or noun, two structures are possible to occur.

a)   Predicate *(to be)*   +   Subject   +   Personal Pronoun
         ↓   ↓   ↓

      Este   caietul[3]   lui

b)   Predicate *(to be)*   +   Subject   + Noun in the Genitive case
         ↓   ↓   ↓

      Este   caietul[3]   directorului

Spelling rules:

The form 'directorului' is made up of the noun denoting the owner containing the definite article '**lui**', specific to the corresponding case, number and gender.

If the owner is of feminine gender and it ends in the vowel '**-a**', this vowel is replaced with '**e**' and the definite article '**-i**' is added at the end of the noun.

e.g.   Maria are o carte.   Este cartea **ei**.   Este cartea Mari**ei**.

Masculine proper names never accept the possesive adjectives as suffixes. They are located in front of the noun denoting the possesor:

e.g.   Victor are o carte.   Este cartea lui.   ~~Este cartea Victorlui~~.
                                                but: Este cartea lui Victor.

---

[1] Direct object is always in the accusative case, answering the concept question 'What?' or 'Whom?'
[2] The indefinite article is used in this case/context.
[3] In this case the noun has always the definite article.

Task 13 Answer the following questions.
(Răspundeţi la următoarele întrebări.)

1. Ce face Andrei?
....
....

2. Ce face Radu, prietenul lui Andrei?
....
....

3. Ce face acum Mircea, fratele lui Andrei?
....
....

4. Ce fac Andreea şi Dan acum?
....

5. Ce face Adrian acum?
....
....

6. Ce face Maria acum?
....
....

Task 14 Describe the objects in your office using the possessives and the following prepositions.
(Descrieţi obiectele din biroul dumneavoastră utilizând pronumele şi adjectivele posesive, precum şi următoarele prepoziţii.)

cu	– with	la stânga	– to the left
în faţa	– in front of	la	– at
în spatele	– behind	lângă	– near, next to, beside
în	– in	pe	– on
între	– between	pentru	– for
la dreapta	– to the right	sub	– under, underneath

....
....
....
....
....
....

Task 15 Fill in the blanks with the corresponding possessive adjectives.
(Completaţi spaţiile libere cu adjectivele posesive corespunzătoare.)

Model: Aceasta este **o carte**. *(eu)*
Este cartea **mea**.

1. Acesta este **un birou**. (Mihai)
Este ....

2. Aceasta este **o agendă**. (Eu)
Este ....

3. Acestea sunt **nişte capse**. (Matei)
Sunt ....

4. Aceştia sunt **nişte bani**. (Noi)
Sunt ....

5. Acestea sunt **nişte scrisori**. (Voi)
Sunt ....

6. Acestea sunt **nişte cărţi**. (prieteni)
Sunt ....

7. Acestea sunt **nişte creioane**. (ei)
Sunt ....

8. Aceasta este **o dischetă**. (eu)
Este ....

Task 16 Listen to the CD and fill in the blanks with the missing words[1].
(Ascultaţi CD-ul şi introduceţi în spaţiile libere cuvintele care lipsesc.)

„Sunt om de afaceri şi .... spaţios şi de multe materiale consumabile. Am două sau trei .... în fiecare zi şi trebuie să întocmesc multe .... pentru patronul ....
Am multe obiecte în biroul meu. Pe masa de lucru sunt: un calculator, ..., o agendă, un capsator, un perforator, o cutie de capse, ..., două pixuri, un stilou .... şi un caiet. Lângă calculator este .... Am şi un telefon mobil. .... acest telefon mobil pentru a comunica foarte rapid cu .... Pe măsuţa de lângă birou se află un copiator Cannon. Este un copiator foarte bun. Acest .... poate face 200 de copii pe minut. Este un copiator performant, nu-i aşa?"

---

[1] Look for the completed text at the end of the book.

TASK 17 Make up a purchase requisition.
(Întocmiţi un necesar de materiale.)

Nr. crt. (No. of items)	Cantitate (Amount)	Unitate de măsură (Unit of measure)	Descriere de materiale şi alte servicii (Description of the goods and other services)	Preţ (Price)

Semnătură iniţiator   Data   Nume
(Signature)   *(Date)*   *(Name)*

TASK 18 Try the following crossword:
(Rezolvaţi următorul careu:)

Across (*Orizontal*):

1. tissues
2. agenda
3. printer
4. coffee-maker
5. floppy-disk
6. conference room (*three words*)
7. computer
8. projector
9. copy machine
10. letter
11. file
12. drawer

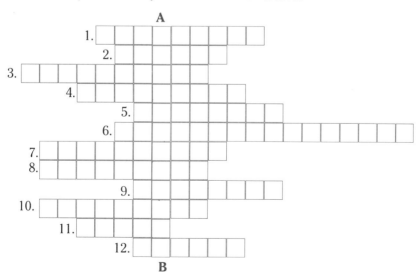

Down – *from* **A** *to* **B** *(Vertical)*: fans

Lesson Nine / Lecția nouă

Topics for Conversation
(Subiecte de conversație)

Shops
(Magazine)

Task 1 — Listen to the CD and then repeat.
(Ascultați CD-ul și apoi repetați.)

Ana:	Ce mai faci?
Maria:	Bine, mulțumesc. Merg la piață. Joi dimineața fac întotdeauna cumpărături. Fac cumpărături pentru toată săptămâna.
Ana:	Ce vrei să cumperi?
Maria:	Păi... Trebuie să cumpăr legume, fructe, pâine, lactate și carne.
Ana:	Așa de multe?
Maria:	Da, sigur. În acest week-end vom da o petrecere și vom avea mulți invitați. Sărbătorim ziua de naștere a soțului meu. Împlinește 34 de ani.
Ana:	Ah, înseamnă că trebuie să începi pregătirile chiar de astăzi! Azi e vineri.
Maria:	Da, și vreau să îi invit pe toți colegii soțului meu. Cred că vom avea cam 30 de invitați. Sper că veți veni și voi. Ne-ar plăcea să aduceți și copiii.
Ana:	Mulțumesc de invitație. Vom veni cu plăcere. Te pot ajuta cu ceva?
Maria:	Ah, nu. Mulțumesc, dar îmi place să pregătesc totul singură. Acum trebuie să merg la băcănie, la raionul de articole de menaj, la raionul de băuturi și la raionul de dulciuri. Sper că voi avea timp să ajung și la coafor.
Ana:	Bine, Maria. Atunci pe sâmbătă. Vom veni negreșit!

Vocabular / Vocabulary

Trebuie să mă duc la ...	I must go to the ...
piață	market
farmacie	chemist's/pharmacy
brutărie (pâine)	baker's
băcănie	grocer's
magazinul alimentar	food store
raionul de băuturi	wine counter
raionul de carne	meats counter
raionul de dulciuri	confectionery counter
raionul de lactate	dairy counter
iaurt	yoghurt

lapte acru (bătut)	sour milk
lapte praf	powder milk
smântână	sour cream
raionul de legume şi fructe[1]	vegetables and fruit counter
raionul de mezeluri	ham-and-beef counter
raionul de pescărie	fish counter
magazinul universal	department store
raionul de artizanat	handicraft department
bijutier	jeweller's
brăţară/brăţări	bracelet/s
colier/coliere	necklace/s
lanţ/lanţuri	chain/s
medalion/medalioane	medallion/s
inel/inele	ring/s
verighetă/verighete	wedding ring/s
cercel/cercei	ear-ring/s
broşă/broşe	brooch/es
(de) argint	silver
(de) aur	gold
(de) rubin	ruby
ametist	amethyst
placat (cu)	plated
raionul de cadouri	gifts counter
raionul de confecţii bărbaţi	men's ready-made clothes department
raionul de confecţii femei	women's ready-made clothes department
raionul de confecţii copii	children's ready-made clothes department
raionul de galanterie	hosiery department
raionul de marochinărie	leather goods department
raionul de încălţăminte	footwear department
chioşcul de ziare	news stall
raionul de stofe	drapery department
raionul de articole de menaj	household goods department
raionul de mercerie	haberdashery department
papetărie	stationer's
raionul de parfumerie	perfumery department
raionul de articole de sport	sports articles department
tutungerie	tobacconist's
florărie	florist's
agenţia loto	lottery agency
ceasornicărie	watchmaker's
cizmărie	shoemaker's
croitorie	tailor's
croitorie de damă	dressmaker's
fotograf	photographer's
frizerie	barber's
coafor	hairdresser's
salonul de cosmetică	beauty parlour
optician/optică	optician's
spălătorie/„Nufărul"/curăţătorie	laundry / dry-cleaner's

[1] Study the vocabulary at the page 130.

TASK 2 Translate the words in brackets.
(Traduceţi cuvintele din paranteză.)

1. Lângă staţia de metrou Titan se află .... *(a department store)*
2. Lângă gară se află .... *(a pharmacy)*
3. Vizavi de gară este .... *(a hairdresser's)*
4. Aproape de .... *(taxi rank)* se află un restaurant.
5. Lângă .... *(shop)* se află .... *(an exchange office)*.
6. Vizavi de .... *(household goods department)* se află
.... *(haberdashery department)*
7. Lângă .... *(men's ready-made clothes department)* este
.... *(drapery department)*.
8. Vizavi de .... *(gifts counter)* se află ....
(handicraft department)
9. Imediat lângă .... *(wine counter)* este ....
(meat counter)
10. La etajul trei se află .... *(sports articles department)*

Vegetables / Legume

ardei gras	green pepper
ardei iute	hot pepper
cartof/i	potato/es
castravete / castraveţi	cucumber/s
ceapă / cepe	onion/s
conopidă / conopide	cauliflower/s
dovleac / dovleci	pumpkin/s
dovlecel / dovlecei	vegetable marrow/s
fasole boabe	(haricot) beans
fasole verde	French beans
hrean	horse radish
leuştean	lovage
mărar	dill
mazăre	peas
morcov/i	carrot/s
pătrunjel	parsley
porumb	maize
praz	leek
ridiche / ridichi	radish/es
spanac	spinach
sparanghel	asparagus
ţelină	celery
usturoi	garlic
vânătă / vinete	eggplant/s
varză / verze	cabbage/s

varză murată	sauerkraut
cereale	cereals
grâu	wheat
făină	flour
porumb	corn
fulgi de porumb	corn-flakes
orez	rice
secară	rye

Fruits / Fructe

alune	hazel-nuts
ananas	pineapple
arahide	peanuts
banană / banane	banana/s
caisă / caise	apricot/s
căpşună / căpşuni	strawberry / strawberries
cireaşă / cireşe	cherry / cherries
curmală/e	date/s
fragi	wild strawberries
gutuie / gutui	quince/s
lămâie / lămâi	lemon/s
măr / mere	apple/s
mură/e	blackberry / blackberries
nucă / nuci	nut/s
pară / pere	pear/s
pepene galben / pepeni galbeni	melon
pepene verde	water melon/s
piersică / piersici	peach/es
strugure / struguri	grape/s
vişină / vişine	sour cherry / sour cherries
zmeură	raspberries

TASK 3   Translate the following nouns and mention the colour/s, according to the model.
(Traduceţi următoarele substantive şi precizaţi culorile, conform modelului.)

Model: lemons   **lămâile sunt** galbene

1. peanuts   ....
2. apricots   ....
3. green pepper   ....
4. lovage   ....
5. carrots   ....
6. peaches   ....
7. parsley   ....

8. water melon ....

9. pears ....

10. grapes ....

11. cherries ....

12. leek ....

13. eggplants ....

14. peas ....

Grammar Session (Gramatică)

The Indefinite Pronoun and Adjective:
'Many'; 'Much'; 'A few'; 'Few'; 'Some'; 'A little'; 'Little'
(Pronumele şi adjectivul pronominal nehotărât:
„mulţi / multe", „puţini / puţine"; „câţiva / câteva")

a) Countable nouns / Substantive numărabile

'Many'[1] – which is used only with countable nouns in the plural – has in Romanian the following forms:

      'mulţi' – *masculine*   **'multe'** – *feminine, neuter*

e.g.   **Adjective**

În sala de şedinţe se află **mulţi ingineri**.   Sunt **multe saloane** în palat?
(There are many engineers in the conference-room.)   *(Are there many halls in the palace?)*

                                Pronoun

Sunt **mulţi** în sala de şedinţe.   Da, sunt **multe**.
(There are many of them in the conference-room).   *(Yes, there are many.)*

'Few'[2] – is also used only with countable nouns:

      'puţini' – *masculine*   **'puţine'** – *feminine, neuter*

e.g.   **Adjective**

Sunt **puţini morcovi** în sacoşă.   Sunt **puţine mere** în frigider.
(There are few carrots in the bag.)   *(There are few apples in the fridge.)*

                                Pronoun

Sunt **puţini** în sacoşă.   Sunt **puţine** în frigider.
(There are few of them in the bag.)   *(There are few of them in the fridge.)*

'A few' has a different form in Romanian, and its meaning is slightly changed, like in English, always suggesting **an increased number** compared to the form 'few' (it has a

---

[1] Too many = prea mulţi / multe.
[2] Too few = prea puţini / puţine ('not enough', of course, is preferred in English).

positive connotation). Its translation is 'câţiva' – *masculine*, or 'câteva' *feminine and neuter.*

e.g.	**Adjective**	

Sunt câţiva **oameni** pe stradă.
(There are a few people on the street.)

Sunt câteva **fructe** pe masă.
(There are a few fruits on the table.)

Pronoun

Câţiva sunt în staţie.
(There are a few of them in the station.)

Câteva sunt în frigider.
(There are a few of them in the fridge.)

'Some'[1]

câtva, ceva – *masc., neuter, sg.*
câţiva – *masc., pl.*

câtăva, ceva – *fem., sg.*
câteva – *fem., neuter, pl.*

e.g.	**Adjective**	

Sunt câţiva **băieţi** în curtea şcolii.
(There are some boys in the schoolyard.)

Sunt câteva **fete** în bibliotecă.
(There are some girls in the library.)

Pronoun

Sunt câţiva în curtea şcolii.
(There are some of them in the schoolyard.)

Sunt câteva în bibliotecă.
(There are some of them in the library.)

b) Uncountable nouns / Substantive nenumărabile

'Much'[2] – which is used mainly with quantities and abstract nouns – has in Romanian the following forms:

'mult' – *masculine*　　　　'multă' – *feminine*

e.g.	**Adjective**	

Este mult **vin** în pahar.
(There is much wine in the glass.)

Este multă **apă minerală** în sticlă.
(There is much sparkling water in the bottle.)

Pronoun

Este mult în pahar.
(There is much of it in the glass.)

Este multă în sticlă.
(There is much of it in the bottle.)

'Little'[3] – has a negative connotation (the quantity it refers to is not enough).

'puţin' – *masculine*　　　　'puţină' – *feminine*

e.g.	**Adjective**	

Este puţin **zahăr** în cafea.
(There is little sugar in the coffee).

Este puţină **cacao** în lapte.
(There is little cocoa in the milk).

Pronoun

Este puţin în cafea.
(There is little of it in the coffee).

Este cacao în lapte? /Da, este puţină.
(Is there any cocoa in the milk? / Yes, there is a litlle.).

'A little' suggests a bigger quantity than 'little' (it has a positive connotation). The translation into Romanian, for both feminine and masculine is 'ceva'.

---

[1] It is also used with uncountable nouns. The translation is 'nişte'.
[2] Too much = prea mult/ă.
[3] Too little = prea puţin/ă.

e.g.	**Adjective**

e.g.   **Adjective**

Am ceva **coniac** în casă.
(I have a little/some brandy at home.)

Am ceva **făină** pentru cozonac.
(I have a little/some flour for the cake.)

Pronoun

Am ceva în casă.
(I have a little of it at home.)

(Do you have any flour?)
Am ceva pentru cozonac.
(I have a little for the cake.)

TASK 4   Give the opposite forms of the Indefinite Pronouns or Adjectives.
(Daţi sensul opus următoarelor pronume sau adjective nehotărâte.)

Model: Sunt **puţini** struguri în sacoşă.
              Sunt **mulţi** struguri în sacoşă. Sunt **prea mulţi.**

1. Sunt puţini cartofi în farfurie.

   ....

2. Sunt multe legume în ciorbă.

   ....

3. Este puţin grâu în sac.

   ....

4. Este puţină apă în cadă.

   ....

5. Este multă coca-cola în frigider.

   ....

6. Este puţin pătrunjel în supă.

   ....

7. Este puţină dulceaţă în borcanul acesta.

   ....

8. Sunt multe borcane cu dulceaţă de zmeură în dulap.

   ....

9. Este multă mâncare în cratiţă.

   ....

10. Sunt puţini fulgi de porumb în pungă.

    ....

11. Este multă ţelină în salată.

    ....

12. Este prea multă sare în friptură.

    ....

13. Sunt multe căpşuni în prăjitură.

    ....

14. (Ei) Au puține fructe pe tarabe.

   ....

15. Este puțină mâncare în frigider.

   ....

16. Am ceva bani la mine. Pot să cumpăr un sacou.

   ....

17. Este prea puțin vin pentru petrecere.

   ....

18. Sunt ceva greșeli în această listă.

   ....

Grammar Session (Gramatică)

The Personal Pronoun in the Dative Case
(Pronumele personal în cazul dativ)

The personal pronoun in the Dative case is an indirect object and answers the concept question '**To whom?**' ('**Cui?**'). The pronoun in Dative has a simple form and an emphatic one. While the former is the most used, the latter may be omitted in the most cases.

This pronoun is mainly requested by the verbs '**a trebui**' *(to need)* and '**a plăcea / displăcea**' *(to like / dislike)*. In this circumstance, the verb '**a plăcea**' has the form '**place**' when followed by a noun in singular form and '**plac**' with a noun in plural.

e.g. (**Mie**) **Îmi place** limba română. / *I like Romanian.*
(**Ție**) **Îți plac** dulciurile. / *You like sweets.*
(**Nouă**) **Ne trebuie** niște bani. / *We need some money.*
Cât timp **vă trebuie** (**vouă**) acești bani? / *(For) How long do you need this money?*

Study the table below:

Person	Number					
	Singular			Plural		
	Emphatic	Simple	Translation	Emphatic	Simple	Translation
I	mie	(î)mi	(to) me	nouă	ne	(to) us
II	ție	(î)ți	(to) you	vouă	vă	(to) you
III	lui/ei	(î)i	(to us)	lor	le	(to) them

Short forms are used after '**care**', '**ce**', '**să**' or '**nu**', especially in informal conversations; they should be avoided in formal written communications or in papers.

e.g. Vreau **să îmi** **împrumuţi** o carte. / Vreau **să-mi** **împrumuţi** o carte.
I want you to lend **me** *a book.*
Aceasta este cartea **care îmi** **place**. / Aceasta este cartea **care-mi** place.
This is the book **I** *like.*
Nu iţi **spun** o minciună. / **Nu-ţi** **spun** o minciună.
I am not telling **you** *a lie.*
Vreau **să îţi** **spun** ceva. / Vreau **să-ţi** **spun** ceva.
I want to tell **you** *something.*

TASK **5**   Replace the personal pronoun in Nominative by the one in Dative.
(Înlocuiţi pronumele în nominativ cu forma corespunzătoare a pronumelui în dativ.)

Model: (Noi) .... place tortul de ciocolată.
Ne place tortul de ciocolată.

1. (Eu)   .... trebuie o imprimantă nouă.
2. Andrei   .... dă (ei) sfaturi bune.
3. (Tu)   .... datorez mii de scuze.
4. (Voi)   .... plac castraveţii.
5. Nu (eu)   .... place vinul dulce.
6. Cui   .... plac bijuteriile din argint?
7. (Tu)   .... plac vinetele cu ceapă?
8. (El)   .... plac pepenii verzi sau pepenii galbeni?
9. (Noi)   .... plac clătitele cu dulceaţă de zmeură?
10. Nu- (tu)   .... place salata de fructe?
11. Ce- (tu)   .... trebuie? Hârtie de imprimantă sau de scris?
12. (Tu)   .... plac căpşunile cu zahăr?
13. Nu (noi)   .... place laptele cu cereale şi banane.
14. (Eu)   .... trebuie 2 kg de mere. Vreau să fac o plăcintă.
15. (Tu)   .... place să pui leuştean în supă?
16. (Ea)   .... place carnea de vită fiartă cu hrean.
17. (Ei)   .... place salata de ţelină.
18. (Voi)   .... place ceaiul cu lămâie?
19. (Eu)   .... place ciorba cu ardei iute.
20. (Ea)   .... trebuie un calculator nou şi performant.

TASK **6**   Translate into Romanian; all the phrases in brackets should take the definite article.
(Traduceţi în limba română; expresiile din paranteză trebuie articulate hotărât.)

Model: Îmi place (peanuts chocolate) .... , dar nu-mi place (vanilla chocolate) ....
Îmi place ciocolata cu alune, dar nu-mi place ciocolata cu vanilie.

1. Vă plac *(fried potatoes)* ...., dar nu vă place *(mashed potatoes)* ....

2. Îi place *(vermouth with lemon)* ...., dar nu îi place *(vermouth with sparkling water)* ....

3. Îți place *(cauliflower with butter)* ...., dar nu-ți place *(cauliflower with cheese)* ....

4. Ne place *(cherry ice-cream)* ...., dar nu ne place *(strawberry ice-cream)* ....

5. Îmi plac *(gold rings)* ...., dar nu-mi plac *(silver rings)* ....

6. Le place *(vegetable salad with lovage)* ...., dar nu le place *(vegetable salad with parsley)* ....

7. El *(tells me)* .... că nu îi plac bananele.

8. Îmi pare bine că îți plac *(pancakes)* ....

9. Nu cred că le place *(celery)* ....

10. Cui îi plac *(endives)* ....?

Task 7 Fill in the blanks with the personal pronoun in dative and the demonstrative adjective.
(Completați spațiile libere utilizând pronumele personal în dativ și adjectivul demonstrativ.)

Model: Aceste cireșe sunt **roșii**.
Îmi plac cireșele coapte.

Use the following words from the table below. *(Utilizați cuvintele din tabelul de mai jos.)*

o salată de fructe; o varză; o bucată de carne; două inele; un disc; o pâine; un pahar cu vin; o farfurie cu o furculiță, un cuțit și o lingură; o ciupercă; capse; o felie de lămâie; un cadou; o pereche de sandale; mazăre; un măr; o halbă de bere; un coș cu flori; un bec; un gogoșar; un sandviș; un aparat de fotografiat; un pahar cu suc; o mură; un chec; o cutie de medicamente; un sandviș; legume și fructe; un lacăt cu o cheie; o cratiță; o felie de portocală; o jumătate de ou fiert tare; două cireșe; un ciorchine de strugure; o înghețată; un pui; un ardei; o carte; un ananas; o gutuie; o tavă cu o farfurie, niște tacâmuri și un măr; o ceașcă de cafea; o floare.

....
....

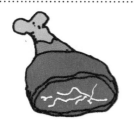

 TASK 8 Tick the true statements, according to the text at the beginning of this chapter.

(Bifați propozițiile adevărate, conform textului de la începutul capitolului.)

1. What is the first thing Maria tells Ana?
   a) On Thursdays she goes shopping.
   b) This Thursday she is going shopping.
   c) She goes shopping in the afternoon.
   d) She buys food for the next weeks' needs.

2. Mary wants to buy
   a) fruits, vegetables, fish, milk and some bread.
   b) fruits, vegetables, meat, milk and some bread.
   c) fruits, vegetables, fish, diary products and some bread.
   d) fruits, vegetables, meat, diary products and some bread.

3. They are going to celebrate
   a) their wedding aniversary.
   b) her husband's birthday.
   c) their son's birthday.
   d) her birthday.
4. Maria and Ana meet on
   a) Monday.   b) Tuesday.   c) Thursday.   d) Saturday.
5. Maria asks Ana for some help in making the party's preparations.
   a) true;   b) false.
6. Maria asks Ana to come to the party with her husband.
   a) true;   b) false.
7. Ana accepts the invitation.
   a) true;   b) false.
8. Maria was going to
   a) the baker's, to the confectionery, to the household goods department and to the wine department.
   b) the grocer's, to the florist's, to the household goods department and to the wine department.
   c) the grocer's, to the confectionery, to the household goods department and to the greengrocer's.
   d) the grocer's, to the confectionery, to the household goods department and to the wine department.

TASK 9   Read the following text and write the numerals in letters.
          (Citiţi textul următor şi scrieţi numeralele în litere.)

– Cât costă 1 (.............................) kilogram de cartofi?

– 2400 (.............................) de lei.

– Vreau 2 (.............................) kilograme, vă rog.

– Poftiţi! Altceva?

– Roşiile sunt proaspete?

– Sigur că da. Câte doriţi?

– 2 (........................) kilograme, vă rog. Aş vrea şi nişte verdeaţă: 1 (..........................) legătură de pătrunjel şi 1 (.............................) de mărar.

– Poftiţi, vă rog. Totul face 28200 (..........................) lei. Aveţi 200 (........................) de lei mărunt? Poftiţi 2000 (.....................) de lei rest, vă rog.

– Mulţumesc.

– Cu plăcere.

TASK 10   Listen to the CD and check up your answers to the above exercise.
           (Ascultaţi CD-ul şi verificaţi-vă răspunsurile date la exerciţiul de mai sus.)

TASK 11 Fill in the blanks with the missing letter.
(Completaţi spaţiul liber cu litera care lipseşte.)

st...uguri	articole de me...aj	br...tărie
raionul de dul...iuri	la...te praf	var...ă murată
raionul de con...ecţii femei	ful...i de porumb	chio...cul de ziare
ci...mărie	fo...ograf	op...ică
cono...idă	...rean	mor...ovi
us...uroi	...azăre	cea...ă

TASK 12 Try the following table:
(Rezolvaţi următorul careu:)

Across *(Orizontal)*:

1. (a) necklace
2. watchmaker's
3. lottery agency *(two words)*
4. tailor's
5. tobacconist's
6. maize / corn
7. pumpkin
8. green pepper *(two words)*
9. peaches
10. apples
11. apricots
12. grapes
13. rice
14. rye
15. radishes
16. celery
17. egg-plants
18. lemon
19. cabbage
20. garlic
21. haricot beans *(one word)*

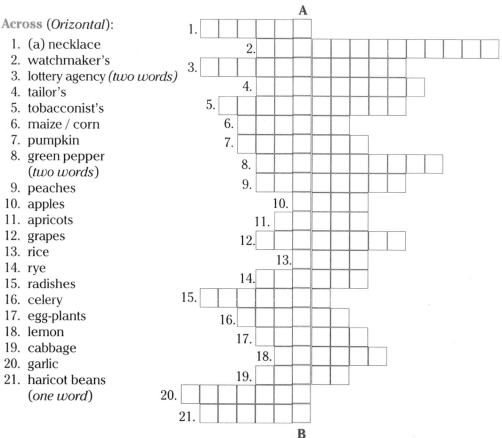

Down – *from* **A** *to* **B** *(Vertical)*: 'the leather-goods department' *(three words)*

Lesson Ten / Lecţia zece

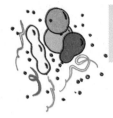

Topics for conversation
(Subiecte de conversaţie)

Seasons and Celebrations
(Anotimpuri şi sărbători)

Task 1 Listen to the dialogue on the CD.
(Ascultaţi dialogul de pe CD.)

Vasile: Luna aceasta avem multe sărbători.
Bogdan: Ce sărbătoriţi?
Vasile: Păi, să vedem... Pe data de întâi decembrie este ziua naţională a României. Avem o zi liberă, deci o vom petrece în familie.
Bogdan: Unde are loc ceremonia oficială anul acesta?
Vasile: De obicei ceremonia oficială are loc la Alba Iulia, oraşul Unirii. Apoi, pe data de cinci decembrie, sărbătorim ziua de naştere a soţiei mele. Pe şase decembrie este Moş Nicolae. Copiii sunt foarte fericiţi fiindcă primesc multe daruri. Cred că moşul va fi foarte bogat anul acesta.
Bogdan: Da, luna decembrie aduce multe daruri copiilor. Vor primi cadouri şi de la Moş Crăciun.
Vasile: Da, desigur. Şi după Crăciun mai avem o altă sărbătoare. Pe 28 decembrie este aniversarea căsătoriei noastre.
Bogdan: De câţi ani sunteţi căsătoriţi?
Vasile: Anul acesta sărbătorim 10 ani de la căsătoria noastră.
Bogdan: Mulţi înainte!
Vasile: Mulţumesc. Sărbătorile nu se vor încheia cu Revelionul. Pentru că mă cheamă Vasile, vom da o altă petrecere de Sfântul Vasile, pe data de întâi ianuarie.
Bogdan: Într-adevăr, aveţi multe petreceri în decembrie şi ianuarie.
Vasile: Da, dar oricum, luna decembrie este specială pentru toată lumea. Crăciunul este cea mai mare sărbătoare a creştinilor.

Vocabular / Vocabulary

aniversarea căsătoriei noastre	– our wedding anniversary
bogat	– rich
Ce sărbătoriţi?	– What do you celebrate?
Crăciun	– Christmas
creştin	– Christian
daruri, cadouri	– presents
De câţi ani sunteţi căsătoriţi?	– (For) How long have you been married?

este o zi liberă	– it's a holiday / it's a day-off
fericiţi	– happy
luna aceasta	– this month
Moş Crăciun	– Santa Claus
Moş Nicolae	– Saint Nicholas
Păi, să vedem...	– Well, let me / us see ....
pe întâi decembrie	– on the 1-st of December
pentru toată lumea	– for everybody
petrecere	– party
primesc	– I get / they get
Revelionul	– New Year's Eve
sărbătoriri	– celebrations
se vor încheia	– will end
specială	– special
Sfântul Ion	– Saint John
Sfântul Vasile	– Saint Basil
ziua de naştere	– the birthday
ziua naţională	– the national day
Unde are loc ceremonia oficială?	– Where does the official ceremony take place?

The Months of the Year / Lunile anului

Ianuarie	January	**Iulie**	July
Februarie	February	**August**	August
Martie	March	**Septembrie**	September
Aprilie	April	**Octombrie**	October
Mai	May	**Noiembrie**	November
Iunie	June	**Decembrie**	December

TASK 2   Fill in the space provided with the months corresponding to each season.

Completaţi spaţiile libere cu lunile corespunzătoare fiecărui anotimp.)

Spring	Summer	Autumn	Winter
Primăvară	**Vară**	**Toamnă**	**Iarnă**
....	....	....	....
....	....	....	....
....	....	....	....
....	....	....	....

TASK 3 Listen to the good wishes and greetings written bellow and repeat them.
(Ascultaţi şi repetaţi urările şi felicitările de mai jos.)

Good Wishes and Congratulations / Urări de bine şi felicitări

La mulţi ani!	Many happy returns (of the day)!
Să trăieşti / trăiţi!	Long may you live!
Beau în sănătatea ta/dumneavoastră!	I'm drinking to your health!
Felicitări cu ocazia logodnei!	Congratulations on your engagement!
Mă bucur din inimă pentru tine!	I am very happy for you!
Petrecere frumoasă!	Have a good time!
Vacanţă plăcută!	Happy holidays!
Salutări celor de acasă!	Send my best to your family!
Vă doresc un Paşte fericit!	I wish you a Happy Easter!
Toate urările de bine pentru noul an!	All good wishes for the New Year!
Îţi/Vă doresc multe succese în carieră!	I wish you every success in your career!

Cele mai bune urări de ziua ta / dumneavoastră de naştere!
Best wishes on your birthday!

Cele mai bune urări cu ocazia sărbătorilor de iarnă şi a Anului Nou!
Season's Greetings and best wishes for the New Year!

Pentru anul ce vine şi cei ce vor urma îţi / vă doresc numai fericire!
I wish you happiness throughout the coming year and for many years to come!

Mulţumesc! Le voi transmite!
Thank you! I will attend to your kind message!

Mulţumesc ! Aceleaşi urări bune şi ţie / dumneavoastră!
Thank you! The same good wishes to you!

Fie ca toate dorinţele tale / voàstre / dumneavoastră să se realizeze!
May all your wishes come true!

Felicitări cordiale cu ocazia căsătoriei tale / dumneavoastră!
I congratulate you most heartily upon your wedding!

Mulţumesc! Cât se poate de amabil din partea ta / dumneavoastră!
Thank you! Most kind on your part!

TASK 4 Express wishes or give answers, according to the following situations.
(Faceţi urări sau răspundeţi, în funcţie de context.)

1. Mihai has successfully graduated from the University of Bucharest.
   a) Salutări celor de acasă!
   b) La mulţi ani, Mihai!
   c) Vă doresc un Paşte fericit!
   d) Îţi doresc multe succese în carieră!

2. Tomorrow is your friend's wedding anniversary. His name is Michael.
   a) Vă doresc un Paşte fericit!
   b) La mulţi ani!
   c) Salutări celor de acasă!
   d) Toate urările de bine pentru noul an!

3. You are leaving on holidays. Today is December, 29. You are speaking to your office mates.

   a) Pentru anul ce vine şi cei ce vor urma vă doresc numai fericire!
   b) Mă bucur din inimă pentru tine!
   c) Beau în sănătatea ta!
   d) Petrecere frumoasă!

4. What is their reply?

   a) Vă doresc un Paşte fericit!
   b) Mulţumim ! Aceleaşi urări bune şi ţie. La mulţi ani!
   c) Felicitări!
   d) Salutări celor de acasă!

5. Your boss is getting married tomorrow. You are speaking to him.

   a) Vă doresc multe succese în carieră!
   b) Cele mai bune urări cu ocazia sărbătorilor de iarnă şi a Anului Nou!
   c) Felicitări cordiale cu ocazia căsătoriei dumneavoastră!
   d) Felicitări cu ocazia logodnei!

6. Today is December, 25. You meet one of your friends in the tube. What do you tell him?

   a) Îîţi doresc un Crăciun fericit, ţie şi familiei tale!
   b) Îţi doresc un Paşte fericit!
   c) Petrecere frumoasă!
   d) Vacanţă plăcută!

7. What is his answer?

   a) Mă bucur din inimă pentru tine!
   b) Salutări celor de acasă!
   c) Mulţumesc! Le voi transmite! Îţi doresc un Crăciun fericit!
   d) Cele mai bune urări cu ocazia sărbătorilor de iarnă şi a Anului Nou!

8. Today is Mihai's birthday. What do you tell him?

   a) Mă bucur din inimă pentru tine!
   b) Beau în sănătatea ta!
   c) La mulţi ani!
   d) Cele mai bune urări de ziua ta de naştere!

9. Easter is coming. What does your boss wish you?

   a) Îţi doresc un Paşte fericit!
   b) Vacanţă plăcută!
   c) Îţi / Vă doresc multe succese în carieră!
   d) Să trăieşti / trăiţi!

10. You are invited to a party. What does your office mate tell you?

   a) Mă bucur din inimă pentru tine!
   b) Fie ca toate dorinţele tale / voastre / dumneavoastră să se realizeze!
   c) Petrecere frumoasă!
   d) La mulţi ani!

TASK **5**	Translate the following wishes or express wishes suggested by the following images.

(Traduceţi următoarele urări sau exprimaţi urările sugerate de următoarele imagini.)

....

....

....

....

Grammar Session (Gramatică)

The Nouns in the Genitive Case
(Substantivele în cazul genitiv)

Masculine and neuter nouns:

Nouns at the **singular form** take the suffix **'ului'**. The definite article in the Genitive Case is **'lui'** while **'u'** is a connecting vowel:

> **e.g.** băiat *(boy)*   băiat**ului** *(the boy's / of the boy)*
> muncitor *(worker)*   muncitor**ului** *(the worker's / of the worker)*

Masculine proper nouns are preceded by **'lui'**:

> **e.g.** **lui** Victor *(Victor's)*   **lui** Andrei *(Andrei's)*

Feminine nouns:

In the **singular form**, the feminine nouns have the ending **'ei'**. The nouns ending in '**ă**' (secretară, elevă) drop the final vowel '**ă**' and then get the ending '**ei**'.

> **e.g.** secretar**ă** *(secretary)*   secretar**ei** *(the secretary's / of the secretary)*

Feminine nouns ending in '**e**' accept only the final article '**i**'.

> **e.g.** muncitoar**e** *(worker)* muncitoar**ei** *(the worker's / of the worker)*

Proper nouns drop the final vowel '**a**' and then take '**ei**':

> **e.g.** Mari**a** Mari**ei** *(Mary's)*
> Eugeni**a** Eugeni**ei** *(Eugenia's)*

The proper nouns 'Carmen' and all the names which are not tipically Romanian make an exception to this rule; though they are feminine nouns, they behave like masculine ones:

> **e.g.** Carmen **lui** Carmen *(Carmen's)*
> Zoe **lui** Zoe *(Zoe's)*
> Mimi **lui** Mimi *(Mimi's)*

The nouns designating the possessed objects always have the definite article:

> **e.g.** '**cartea** băiatului' *(the boy's book)*; '**sora** Mariei' *(Mary's sister)*

The plural form is marked by the definite article '**lor**' for all the three genders:

masc.	băieţi *(boys)*	băieţi**lor** *(the boys' / of the boys)*
	muncitori *(workers)*	muncitori**lor** *(the workers' / of the workers)*
fem.	secretare	secretare**lor** *(the secretaries' / of the secretaries)*
	muncitoare	muncitoare**lor** *(the workers' / of the workers)*
neuter	scaune *(chairs)*	scaune**lor** *(of the chairs)*
	caiete *(note-books)*	caiete**lor** *(of the note-books)*

Prepositions used with nouns in Genitive

asupra	*on / about / concerning*	
contra	*against*	
deasupra	*above*	
de-a lungul	*along / over (the years)*	
dedesubtul	*under*	
din cauza	*because of*	
împotriva	*against / contrary to*	
în faţa	*in front of / before (the)*	Noun in Genitive
în josul	*down (the)*	+ **(singular or plural)**
în jurul	*around (the)*	**or**
în locul	*instead of*	Pronoun in Genitive
în mijlocul	*in the middle of*	
în numele	*on behalf of*	
în spatele	*at the back of*	
în susul	*up (the)*	
în timpul	*during*	
în urma	*as a result of*	
înaintea	*before*	
înapoia	*behind*	
la dreapta	*to the right (of)*	
la stânga	*to the left (of)*	

e.g. **deasupra** canapelei	*(above the sofa)*
dedesubtul biroului	*(under the office-desk)*
contra vântului	*(against the wind)*
împotriva voinţei mele	*(against my will)*
un studiu **asupra** tehnicii avansate	*(a study on the advanced technique)*
înaintea lui	*(before him)*
înapoia copacilor	*(behind the trees)*
în mijlocul naturii	*(in the middle of nature)*
în timpul orelor de curs	*(during the classes)*
de-a lungul litoralului românesc	*(along the Romanian seaside)*
la stânga magazinului	*(to the left of the shop)*
la dreapta mea	*(to my right)*
în susul râului	*(up the river)*
în josul dealului	*(down the hill)*
în faţa publicului	*(before the audience)*
în spatele casei	*(at the back of the house)*
în jurul oraşului	*(round the town)*
în urma demersurilor noastre	*(as a result of our approaches)*
în numele echipei de conducere	*(on behalf of the managerial team)*

TASK **6**   Give the genitive to the following nouns according to the model.
(Puneţi următoarele substantive la genitiv potrivit modelului.)

Model: agendă / director   „**agend**a **directoru**lui"

1. raport / contabil ....
2. nume / vânzătoare ....
3. activitate / inginere ....
4. atribuţii / asistente ....
5. fişe / bibliotecari ....
6. diplome / economişti ....
7. salariu / profesor ....
8. curs / studentă ....
9. mame / prietene ....
10. birouri / companie ....

TASK **7**   Give the genitive form of the nouns in brackets.
(Puneţi substantivele din paranteză la genitiv.)

Model: În faţa (birou) .... se află o măsuţă.
În faţa biroului se află o măsuţă.

1. Din cauza (ninsoare) .... nu mai plecăm la munte.
2. În jurul (director) .... se află câţiva colaboratori.
3. Andrei Ionescu se află în fruntea (sindicat) .... din compania noastră.
4. Ea lucrează în locul (centralistă) .... bolnave.
5. Compania „ABC" se află în urma (compania „Carpaţi") ....
6. Au loc mari schimbări în societate de-a lungul (ani) ....

TASK 8 Unscramble the following dialogue.
(Ordonaţi replicile din dialogul următor.)

a) Ana: Unde mergi?
b) Ana: Ce ai vrea să cumperi?
c) Ana: ... Şi pentru tatăl tău?
d) Mihaela: Mai întâi, un cadou pentru mama mea. Aş vrea să cumpăr un parfum; preferă parfumurile franţuzeşti.
e) Mihaela: La cumpărături. Trebuie să fac nişte cumpărături pentru sărbători.
f) Mihaela: Vreau să cumpăr cadouri pentru toată familia.
g) Ana: A mea preferă parfumurile englezeşti. Ce parfum vei cumpăra?
h) Mihaela: Cred că voi cumpăra un parfum Chanel şi o cutie de bomboane.
i) Ana: Al meu poartă numai cravate simple, uni. Bine. Sper să găseşti ce vrei să cumperi!
j) Ana: La revedere. Pe curând!
k) Ana: Ce vrei să cumperi?
l) Mihaela: Ah, pentru tata voi cumpăra o cravată şi o pereche de pantofi.
m) Mihaela: Acum te las. Mă duc la Magazinul Unirea la raioanele de parfumerie, de galanterie, confecţii bărbaţi şi la cofetărie. La revedere.
n) Ana: Ce cravate îi plac?
o) Mihaela: Preferă cravatele de mătase.

Letter	a.	b.	c.	d.	e.	f.	g.	h.	i.	j.	k.	l.	m.	n.	o.
Order (1–15)	1									15					

Grammar Session (Gramatică)

The Possessive Pronoun
(Pronumele posesiv)

The possessives are in the Genitive Case, answering the concept question 'Whose?'
Unlike all the other pronouns, it replaces two nouns:
– the noun denoting the owner;
– the noun denoting the object owned.

e.g. La concurs participă doi cai.
Two horses participate in the competition.

Al meu este alb, iar **al tău** este negru.
Mine *is white and* ***yours*** *is black.*

this pronoun stands for:
  a) the personal pronoun 'eu' (owner)
  b) the noun denoting the owned object ('cal' – 'horse')

this pronoun stands for:
  a) the personal pronoun 'tu' (owner)
  b) the noun denoting the owned object ('cal' – 'horse')

150

The Possessive Article
(Articolul posesiv)

The possessive article precedes a noun or a pronoun in the genitive case. It always agrees in the gender, number and case with the owned object, not with the noun denoting the owner.

Study the forms of the possessive articles and the examples given in the table below:

Number and gender of the object		
	al (masculine / neuter) **al** meu / tău / lui / ei / nostru / vostru / lor **al** Mariei **al** lui Victor **al** directorului	**a (feminine)** **a** mea / ta / lui / ei / noastră / voastră / lor **a** Mariei **a** lui Victor **a** directorului
Singular		
Plural	**ai (masculine)** **ai** mei / tăi / lui / ei / noştri / voştri / lor **ai** Mariei **ai** lui Victor **ai** directorului	**ale (feminine / neuter)** **ale** mele/ tale/ lui/ ei / noastre / voastre / lor **ale** Mariei **ale** lui Victor **ale** directorului

TASK 9   Study the following possessive pronouns and remember that they are replacing two terms.
(Studiaţi următoarele pronume posesive şi reţineţi că înlocuiesc doi termeni.)

Person of the owner	Nr.	Number and gender of the owned object			
		Masculine / Neuter	**Feminine**	**Masculine**	**Feminine / Neuter**
I	sg.	al meu	a mea	ai mei	ale mele
		mine			
	pl.	al nostru	a noastră	ai noştri	ale noastre
		ours			
II	sg.	al tău	a ta	ai tăi	ale tale
		yours			
	pl.	al vostru	a voastră	ai voştri	ale voastre
		yours			
III	sg.	al său	a sa	ai săi	ale sale
		his/hers			
	pl.	al lor	a lor	ai lor	ale lor
		theirs			

Notes. How can we identify the pronouns' forms?

Let's translate the following sentence:

This is the director's signature. → Aceasta este semnătura directorului.

- First, we must consider the gender and the number of the possessed object, in this example **'semnătura'**. This noun ends in **'a'**, so it is in the feminine gender, singular. The possessive article for this noun is **'a'**.
- Then, we must replace the owner, which is the noun **'directorul'** in the masculine gender, singular. The pronoun is **'a lui'**.

> **e.g.** *It's his.* → Este **a lui**.

Similarly, if the owner is feminine, singular form, the pronoun is **'a ei'**.

> **e.g.** *It is hers.* → Este **a ei**.

How can we ask questions?

Questions are based on the use of the articles + 'cui'

> **e.g.** *Whose is this signature?* **A cui** este această semnătură?

We use **'a'** because we refer to the noun 'semnătură', feminine, singular form. Similarly, if the noun is masculine or neuter, singular form, the question is:

> **e.g.** *Whose is this pen?* **Al cui** este acest stilou?

TASK 10 Fill in the blanks with the corresponding possessive pronouns, according to the context.

(Completaţi spaţiile libere cu pronumele posesive corespunzătoare contextului.)

Model: Noi locuim într-un **apartament** în cartierul Titan.
We live in a flat in Titan District.
Apartamentul este **al nostru**.
The flat is **ours**.

1. Avem două **camere**. Camerele sunt .... *(ours)*.
2. Andrei are **un calculator**. Calculatorul este .... *(his)*.
3. Anca şi Liviu au 5 **bancnote** de 100.000 de lei. Bancnotele sunt .... *(theirs)*.
4. Am **un abonament** de metrou. Abonamentul este .... *(mine)*.
5. Mihai are **bani** să cumpere o maşină. Banii sunt .... *(his)*.
6. Jerry are **un telefon** mobil. Telefonul este .... *(his)*.
7. În camera de zi este o **carte de telefon**. Cartea de telefon este .... *(mine)*.
8. Eu am **un stilou** roşu. Stiloul roşu este .... *(mine)*.
9. Profesoara are **un proiector** nou. Proiectorul este .... *(hers)*.
10. Inginerul scrie o **cerere de achiziţionare**. Cererea este .... *(his)*.
11. Lângă scaun este **un ventilator**. Ventilatorul este .... *(mine)*.
12. Directorul scrie o **scrisoare**. Scrisoarea este .... *(his)*.

The Ordinal Numeral
(Numeralul ordinal)

a) The structure for the masculine form:

possessive article				suffix
al	+	cardinal numeral	+	'-lea'
al		cincisprezece		-lea

al cincisprezece**lea** = the *fifteenth*

Note. The correspondent to '**the first**' is '**primul**'. The possessive article 'al' is employed starting with 'the second'.

b) The Feminine form:

possessive article				suffix
a	+	cardinal numeral	+	'-a'
a		cincisprezece		-a

a cincisprezece**a** = the *fifteenth*

Note. The correspondent to '**the first**' is '**prima**' and to '**the second**' is '**a doua**'. The stem of the cardinal numeral is slightly modified for a series of numerals, as follows:
– the vowel '**u**' from 'patru' turns into 'a' (a patr**a**);
– the vowel '**i**' from 'cinci' becomes 'e', and then adds 'a' (a cinc**ea**);
– the ending '**ă**' from 'nouă' turns into 'a' (a nou**a**);
– the vowel '**i**' from 'douăzeci', 'treizeci', etc. becomes 'e' and then the suffix 'a' is added (a douăzec**ea**, a treizec**ea**, a patruzec**ea**, a cincizec**ea**, etc).

Figure	The Cardinal Numeral	The Ordinal Numeral Masculine / Neuter	Feminine	Translation into English
1	unu / una	**primul**	**prima**	*the first*
2	doi / două	**al** doilea	a doua	*the second*
3	trei	**al** treilea	a treia	*the third*
4	patru	**al** patrulea	a patra	*the fourth*
5	cinci	**al** cincilea	a cincea	*the fifth*
6	şase	**al** şaselea	a şasea	*the sixth*
7	şapte	**al** şaptelea	a şaptea	*the seventh*
8	opt	**al** optulea	a opta	*the eighth*
9	nouă	**al** nouălea	a noua	*the ninth*
10	zece	**al** zecelea	a zecea	*the tenth*
11	unsprezece	**al** unsprezecelea	a unsprezecea	*the eleventh*
12	doisprezece / douăsprezece	**al** doisprezecelea	a douăsprezecea	*the twelfth*
13	treisprezece	**al** treisprezecelea	a treisprezecea	*the thirteenth*
14	paisprezece	**al** paisprezecelea	a paisprezecea	*the fourteenth*
15	cincisprezece	**al** cincisprezecelea	a cincisprezecea	*the fifteenth*

Figure	The Cardinal Numeral	The Ordinal Numeral Masculine / Neuter	Feminine	Translation into English
16	şaisprezece	al şaisprezecelea	a şaisprezecea	the sixteenth
17	şaptesprezece	al şaptesprezecelea	a şaptesprezecea	the seventeenth
18	optsprezece	al optsprezecelea	a optsprezecea	the eighteenth
19	nouăsprezece	al nouăsprezecelea	a nouăsprezecea	the nineteenth
20	douăzeci	al douăzecilea	a douăzecea	the twentieth
21	douăzeci şi unu / una	al douăzeci şi unulea	a douăzeci şi una	the twenty-first
22	douăzeci şi doi / două	al douăzeci şi doilea	a douăzeci şi doua	the twenty-second
23	douăzeci şi trei	al douăzeci şi treilea	a douăzeci şi treia	the twenty-third
24	douăzeci şi patru	al douăzeci şi patrulea	a douăzeci şi patra	the twenty-fourth
25	douăzeci şi cinci	al douăzeci şi cincilea	a douăzeci şi cincea	the twenty-fifth
26	douăzeci şi şase	al douăzeci şi şaselea	a douăzeci şi şasea	the twenty-sixth
27	douăzeci şi şapte	al douăzeci şi şaptelea	a douăzeci şi şaptea	the twenty-seventh
28	douăzeci şi opt	al douăzeci şi optulea	a douăzeci şi opta	the twenty-eighth
29	douăzeci şi nouă	al douăzeci şi nouălea	a douăzeci şi noua	the twenty-ninth
30	treizeci	al treizecilea	a treizecea	the thirtieth
40	patruzeci	al patruzecilea	a patruzecea	the fortieth
50	cincizeci	al cincizecilea	a cincizecea	the fiftieth
60	şaizeci	al şaizecilea	a şaizecea	the sixtieth
70	şaptezeci	al şaptezecilea	a şaptezecea	the seventieth
80	optzeci	al optzecilea	a optzecea	the eightieth
90	nouăzeci	al nouăzecilea	a nouăzecea	the ninetieth
99	nouăzeci şi nouă	al nouăzeci şi nouălea	a nouăzeci şi noua	the ninety-ninth
100	o sută	al o sutălea	a (o) suta	the (one) hundredth
101	o sută unu / una	al o sută unulea	a o sută una	the one hundred and first
102	o sută doi / două	al o sută doilea	a o sută doua	the one hundred and second
110	o sută zece	al o sută zecelea	a o sută zecea	the one hundred and tenth
200	două sute	al două sutelea	a două suta	the two hundredth
999	nouă sute nouăzeci şi nouă	al nouă sute nouăzeci şi nouălea	a nouă sute nouăzeci şi noua	the nine hundred and ninety-ninth
1000	o mie	al o mielea	a mia	the thousandth
9000	nouă mii	al nouă miilea	a nouă mia	the nine thousandth
100000	o sută de mii	al o sută de miilea	a o sută mia	the one hundred thousandth

e.g. Mihai are trei fiii.   Paul este al treilea fiu al său.   Paul este al treilea.
Mihai has three sons.   Paul is his third son.   Paul is the third one.

'**The first**' is translated '**primul**' and '**prima**', respectively.

The correspondents for '**the last**' are '**ultimul**' for masculine and '**ultima**' for feminine.

Task 11 Turn the cardinal numerals in brackets into ordinal ones.
(Transformaţi numeralele cardinale din paranteze în numerale ordinale.)

Model: Luni este (una) .... zi a săptămânii.
Luni este **prima** zi a săptămânii.

1. Aztăzi are loc (trei) .... şedinţă din această săptămână.

2. Biroul meu este la etajul (doi) ...., (patru) .... pe dreapta.

3. (Şaptesprezece) .... zi a lunii ianuarie este într-o duminică.

4. August este (opt) .... lună a anului.

5. Acesta este (douăzeci şi trei)...................... apel telefonic pe care îl primesc astăzi.

6. Pe 17 iunie este (unsprezece) .... aniversare a căsătoriei noastre.

7. (trei) .... pastilă se ia după masa de seară.

8. În această clasă, (unu) .... la învăţătură este Adrian.

9. (nouă) .... propoziţie este ultima din acest exerciţiu.

Task 12 Listen to the CD and check up your answers to the above exercise.
(Ascultaţi CD-ul şi verificaţi-vă răspunsurile date la exerciţiul de mai sus.)

Task 13 Try the following crossword:
(Rezolvaţi următorul careu:)

Across *(Orizontal)*:

1. (the) summer
2. (the) autumn
3. presents
4. 'Have a good time!' *(two words)*
5. (the) spring

6. 'Happy Birthday' *(three words)*
7. 'Happy Holidays!' *(two words)*
8. yours *(masc., sing., two words)*
9. (the) winter
10. 'Happy Easter!' *(two words)*

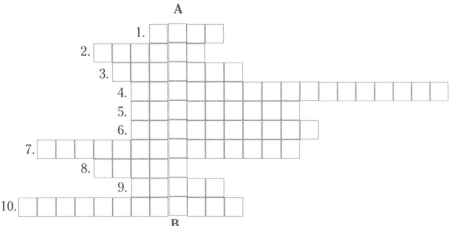

Down – *from* **A** *to* **B** *(Vertical)*: 'Seasons'

Lesson Eleven / Lecția unsprezece

Topics for Conversation
(Subiecte de conversație)

Medical Emergencies
(Urgențe medicale)

Task 1 — Listen to the CD.
(Ascultați CD-ul.)

– Alo, Salvarea? **Trimiteți** urgent o ambulanță pe strada Macaralei!
– Imediat! ... Da, **am anunțat**. În șase minute ambulanța va ajunge la dumneavoastră.
– Mulțumesc! **Grăbiți-vă!** Fetița mea nu se simte bine.
– Vă rog să-mi spuneți ce simptome are, pentru a le transmite echipei de medici.
– De două zile are febră mare, nu poate să mănânce și tușește tot timpul. **Nu a răspuns** la tratamentul pe care l-**a urmat** în ultimele trei zile. Sunt foarte îngrijorată. Acum o jumătate de oră **a avut** temperatură de 40 de grade!
– **Stați** liniștită. În câteva minute doctorul va sosi pentru consultație. Ce vârstă are fetița dumneavoastră?
– Are 7 ani.
– Cum o cheamă?
– Mariana. Mariana Petrescu.
– Bine, doamnă, **fiți** liniștită! Totul va fi bine în curând!
– Mulțumesc ... Aștept ambulanța!

Vocabular / Vocabulary

ambulanță	– ambulance
consultație	– consultation
echipă	– team
febră mare	– high fever
simptom / simptome	– symptom/s
temperatură	– temperature; fever
tot timpul	– all the time
tratament/e	– treatment/s
urgent (*adv.*)	– urgently
Fetița mea nu se simte bine!	– My daughter is not feeling well!
Fiți / stați liniștită!	– Keep calm!; Don't worry!
Grăbiți-vă!	– Hurry up!
Imediat!	– Right away!
Sunt foarte îngrijorat/ă!	– I am very worried!
Totul va fi bine în curând!	– Soon everything will be all right!
a anunța	– to announce; to give a message
a consulta	– to cosult / take (medical) advice
a răspunde	– to answer
a transmite	– to transmit; to let smb. know

a trimite	– to send
a tuşi	– to cough
a urma	– to follow

TASK 2 Fill in the table below with the corresponding forms of the following verbs:

(Completaţi tabelul de mai jos cu formele corespunzătoare ale următoarelor verbe:)

Person	a anunţa	a consulta	a răspunde	a transmite	a trimite	a tuşi
Eu	anunţ	consult	răspund	transmit	trimit	tuşesc
Tu						
El / Ea						
Noi						
Voi						
Ei / Ele						

TASK 3 Replace the nouns and pronouns written in italics with the ones in brackets. Make all the other necessary changes.

(Înlocuiţi substantivele şi pronumele scrise cursiv cu cele din paranteză. Efectuaţi modificările ce se impun.)

Model:

1. *Un pacient* are febră mare de câteva zile. (5)

....

2. *(Tu)* Tuşeşti de cinci zile. (noi)

....

3. *(Tu)* Trebuie să consulţi un doctor. (Victor)

....

4. Ce simptome are *Victor*? (copiii din salon)

....

5. *Mama* fetiţei este foarte îngrijorată. (părinţii)

....

6. *Doctorul* va veni imediat! (asistentele)

....

TASK 4 Turn the following sentences into the negative form, according to the model.

(Treceţi următoarele propoziţii la negativ, conform modelului.)

Model: **Trebuie** să bei mult lapte.   **Nu ai voie** să bei lapte.

Este recomandabil să bei mult lapte. **Nu este recomandabil** să bei lapte.

1. Trebuie să iei medicamentele acestea.

....

2. Este recomandabil să faci gimnastică acum.

....

3. Trebuie să stai în pat.

....

4. Este recomandabil să bei cafea.

....

5. Trebuie să faci o injecţie.

....

6. Este recomandabil să iei o aspirină.

....

The Human Body / Corpul omenesc

brat/e	– arm/s
barbă / bărbi	– beard/s
bărbie / bărbii	– chin/s
buză / buze	– lip/s
călcâi / călcâie	– heel/s
cap/ete	– head/s
coloana vertebrală	– backbone
corpul omenesc	– human body
cot / coate	– elbow/s
creier/e	– brain/s
deget/e	– finger/s
deget/e de la picior	– toe/s
degetul mare	– thumb
dinte / dinţi	– tooth / teeth
faţă / feţe	– face/s
frunte / frunţi	– forehead/s
gât / gâturi	– neck/s; throat/s
geană / gene	– eyelash/es
genunchi / genunchi	– knee/s
gleznă / glezne	– ankle/s
gură / guri	– mouth/s
mână / mâini	– hand/s
încheietura mâinii	– wrist
inimă / inimi	– heart/s
laba piciorului / labele picioarelor	– foot / feet
limbă / limbi	– tongue/s
măsea / măsele	– large tooth / teeth
măsea de minte	– wisdom tooth
membru / membre	– limb/s
nară / nări	– nostril/s
nas/uri	– nose/s
obraz / obraji	– cheek/s
palmă / palme	– palm/s
piept/uri	– chest/s
pântece / pântece	– belly

păr	– hair
plămân/i	– lung/s
pleoapă / pleoape	– eye-lid/s
rinichi / rinichi	– kidney/s
sân/i	– breast/s
spate	– back
sprânceană / sprâncene	– eyebrow/s
stomac/uri	– stomach/s
talpă / tălpi	– sole/s
trup/uri	– body / bodies
umăr / umeri	– shoulder/s
unghie / unghii	– nail/s
ureche / urechi	– ear/s

Task 5   Give various answers to the question '**What do you complain of** ?', using the prompts in brackets.
*(Daţi răspunsuri diferite întrebărilor „**Ce vă supără?**"/„**Ce vă doare?**"/„**Ce aveţi?**", utilizând indicaţiile din paranteze.)*

Model: Doctorul:– **Ce vă supără? / Ce vă doare? / Ce aveţi?**
Pacientul: .... (a avea o durere de cap.)
      – Am o durere de cap. / Mă doare capul.

Use and remember the following patterns:

a) 'a avea' + 'o durere de' + gât / picior / cap / măsea / inimă / ficat / rinichi / spate
b) 'Mă doare'   +   the singular form of the noun with definite article

   e.g.   **Mă doare** capul / inima / măseaua / ficatul / braţul / piciorul;
'Mă dor' + the plural form of the noun with definite article

   e.g.   **Mă dor** picioarele / ochii / braţele / măselele / dinţii
'Mă supără' + the singular / plural form of the noun with definite article

   e.g.   **Mă supără** capul / inima / măseaua / ficatul / braţul / piciorul / picioarele
      / ochii / braţele / măselele / dinţii

1. Doctorul: Ce vă doare?
   Pacientul: .... (a durea / o măsea)
2. Doctorul: Ce vă supără?
   Pacientul: .... (a avea o durere de / ficat)
3. Doctorul: Ce aveţi?
   Pacientul: .... (a durea / rinichii)
4. Doctorul: Ce vă doare?
   Pacientul: .... (un genunchi)
5. Doctorul: Ce vă supără?
   Pacientul: .... (o gleznă)
6. Doctorul: Ce aveţi?
   Pacientul: .... (a durea / braţul drept)

7. Doctorul: Ce vă doare?

   Pacientul: .... (a durea /gât)

8. Doctorul: Ce vă supără?

   Pacientul: .... (inima)

9. Doctorul: Ce aveți?

   Pacientul: .... (o durere de spate)

Grammar Session (Gramatică)

The Imperative Mood
(Modul imperativ)

The Imperative Mood expresses either very subjective urges / demands or orders. It has two forms:

Affirmative

– in the **singular** it may take the form specific to the 2-nd person, singular, Indicative, Present Tense; for some verbs it takes the form of the 3-rd person, singular, Indicative, Present Tense; there are verbs which have a specific form, as can be seen in the list given below.

> **e.g.** **Come here!** Vino aici!

– in the **plural** it also borrows the form specific to the 2-nd person, plural, Indicative, Present Tense.

> **e.g.** **Go away!** Plecați!

Negative

In the **singular form** this construction contains '**Nu**' followed by the **short infinitive** of the notional verb (without 'a').

> **e.g.** **Don't drink!** Nu bea! (a bea = *to drink*)

Plural form is made up with '**Nu**' followed by the affirmative, same mood, number and person.

> **e.g.** **Don't smoke!** Nu fumați! ('affirmative: *fumați!*')

The adverb '**mai**' ('any more / 'any longer') is often used with the imperative, suggesting the urge to stop the progress of a certain activity. It may be also used to ask smb. to change his/her/their habits:

> **e.g.** Don't smoke any more! **Nu mai fuma! / Nu mai fumați!**

Verbul la infinitiv		Forma la modul imperativ	
(The Infinitive Form of the Verb)		*(The Imperative Mood Form)*	
		II – sing.	II – pl.
to answer	**a răspunde**	Răspunde!	Răspundeți!
to ask	**a întreba / cere**	Întreabă! / Cere!	Întrebați! / Cere
to be	**a fi**	Fii!*	Fiți!
to buy	**a cumpăra**	Cumpără!	Cumpărați!
to change	**a schimba**	Schimbă!	Schimbați!
to come	**a veni**	Vino!	Veniți!

* When used in the negative, this verb has only one 'i' at the end: '**Nu fi rău!**' *(Don't be naughty!)*

Verbul la infinitiv *(The Infinitive Form of the Verb)*		Forma la modul imperativ *(The Imperative Mood form)*	
		II – sing.	II – pl.
to do	a face	Fă!	Faceţi!
to drink	a bea	Bea!	Beţi!
to eat	a mânca	Mănâncă!	Mâncaţi!
to finish	a termina	Termină!	Terminaţi!
to get off	a coborî	Coboară!	Coborâţi!
to get on / climb up	a urca	Urcă!	Urcaţi!
to give	a da	Dă!	Daţi!
to go	a merge	Mergi!	Mergeţi!
to go	a se duce	Du-te!	Duceţi-vă!
to keep silence	a tăcea	Taci!	Tăceţi!
to leave	a pleca	Pleacă!	Plecaţi
to open	a deschide	Deschide!	Deschideţi!
to push	a împinge	Împinge!	Împingeţi!
to put	a pune	Pune!	Puneţi!
to read	a citi	Citeşte!	Citiţi!
to remain	a rămâne	Rămâi!	Rămâneţi!
to run away	a fugi	Fugi!	Fugiţi!
to say	a spune	Spune!	Spuneţi!
to shut	a închide	Închide!	Închideţi!
to smoke	a fuma	Fumează!	Fumaţi!
to solve	a rezolva	Rezolvă!	Rezolvaţi!
to speak	a vorbi	Vorbeşte!	Vorbiţi!
to start	a începe	Începe!	Începeţi!
to take	a lua	Ia!	Luaţi!
to translate	a traduce	Tradu!	Traduceţi!
to try	a încerca	Încearcă!	Încercaţi!
to write	a scrie	Scrie!	Scrieţi!

TASK 6 Express a demand using the imperative mood, according to the model.
(Treceţi următoarele propoziţii la imperativ, conform modelului.)

Model: Trebuie să bei tot ceaiul.   **Bea tot ceaiul!**

1. Trebuie să spui întotdeauna adevărul. ....!
2. Ar trebui să deschizi uşa. Este foarte cald. ....!
3. Ar trebui să mai rămâneţi aici o oră. ....!
4. Trebuie să te duci la birou mai devreme. ....!
5. Eşti bolnav. Ar fi cazul să te duci la doctor. ....!
6. Sunt ocupată, iar tu vorbeşti prea mult. ....!
7. Am nevoie de un răspuns. De ce taci? ....!
8. Trebuie să termini raportul la timp. ....!
9. Este târziu iar şedinţa trebuie să înceapă. ....!
10. Nu ar trebui să staţi la uşă. ....!

Task 7 Fill in the blanks with the demands written below.
(Completați spațiile libere cu îndemnurile de mai jos.)

Faceți o injecție! Bea lapte! Du-te la doctor! Stai liniștit! Stop! Faceți o electroencefalogramă! Nu fuma!   Fă o radiografie! Spală-te pe mâini! Spală-te pe dinți de 3 ori pe zi! Du-te la dentist! Fă o electrocardiogramă! Ia medicamentele! Nu bea! Ia-ți temperatura!

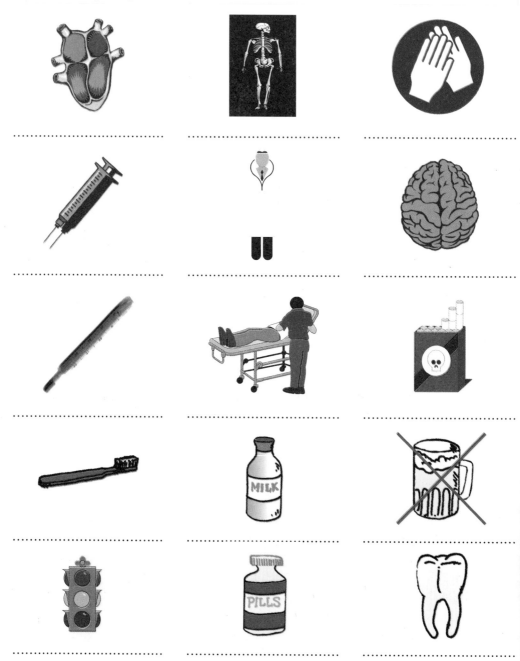

The Pronoun in Accusative
(Pronumele în acuzativ)

The Personal Pronouns / Pronumele personale II

This pronoun replaces the noun in the accusative case. It can be identified by means of the concept questions 'whom?' – **for persons** and 'what?' – **for things**.
This pronoun 'borrows' the number of the person/s that suffer/s the action. The verb agrees with the person that performs the action.

Subject (noun or pronoun)	Pronoun		
	simple form		emphatic form (optional)
	mă me		**pe mine** me
	te you		**pe tine** you
e.g. Eu / Tu / El / Ea / Noi / Voi / Ei / Ele/ Directorul / Sergiu / Colegul meu / Agenda / Domnul Stan, Asistenta etc.	**îl** *(masc.)* / **o** *(fem.)* he / she / it	+ verb matching the subject	**pe el** / **pe ea** he / she / it
	ne us		**pe noi** us
	vă you		**pe voi** you
	îi *(masc.)* / **le** *(fem.)* you		**pe ei** / **ele** you

In the above table you can see two types of pronouns: simple and emphatic ones. The emphatic pronouns can be deleted, as they are usually used in very 'precious' sentences. Personal pronouns in accusative replace the nouns that suffer the action. As the verbal form always matches the subject, sometimes the subject may be omitted.

The word order in the sentences containing such pronouns may be:

(Subject)	+ Pronoun (simple form)	+ **Verb**	+ Pronoun (emphatic form)
(Asistenta)	**mă**	informează	*(pe mine)*

Contracted forms are usually employed in informal Romanian, in the negative, with the 3-rd person singular and plural. The pronouns involved are '**îl**', '**o**' and '**îi**'.

'Eu **nu îl** trezesc',   *becomes*   'Eu **nu-l** trezesc' (the vowel 'î' from '**îl**' is dropped)

'Carmen **nu o** sună',   *becomes*   'Carmen **n-o** sună' (without the vowel 'u' from '**nu**')

'Noi **nu îi** cunoaştem', *becomes*   'Noi **nu-i** cunoaştem' (the vowel 'î' from '**îi**' is deleted)

The pronoun in Accusative with Subjunctive Structures / Pronumele în acuzativ din construcţiile conjunctivale

Study the following structure:

Subject	+	Verb requiring a Subjunctive construction	+ să	+Pronoun(Acc.)	+Verb in Subjunctive

(Eu)	Doresc	să	te	ajut
(Tu)	Trebuie	să	mă	asculţi
(Dan / El / Ea)	Vrea	să	vă	întrebe (ceva)
(Noi)	Intenţionăm	să	le	finalizăm
(Voi)	Vreţi	să	ne	dezinformaţi
(Ei)	Pot	să	îl / o	citească

Contracted forms:
să + îl = să-l
să + o = s-o
să + îi = să-i

The Reflexive Pronouns / Pronumele reflexive

Unlike the pronouns studied in the previous grammar session, these pronouns state that the person who performs the action is the one who suffers it. The form **'se'** makes the infinitive of most reflexive verbs. The emphatic pronoun can be omitted in everyday speech (**e.g.** 'a se informa' – 'to get informed').

Personal Pronoun in Nominative	Reflexive Pronoun (Simple form)	Verb (a se informa)	Translation
Eu	**mă**	informez	I inform mysel
Tu	**te**	informezi	You inform yourself
El / Ea	**se**	informează	He / She informs himself / herself
Noi	**ne**	informăm	We inform ourselves
Voi	**vă**	informaţi	You inform yourselves
Ei / Ele	**se**	informează	They inform themselves

In the table below you can notice two types of pronouns, both of them in accusative. Those written in red letters are 'reflexive pronouns', while the rest of them are personal pronouns.

Person that effects the action	Pronoun (corresponding to the person that suffers the action)	Verb matching the subject	Translation
	mă	**trezesc**	I (don't) wake up myself
	te	trezesc	I (don't) wake you up
Eu (nu)	o / îl	trezesc	I (don't) wake him / her up
	–	–	–
	vă	trezesc	I (don't) wake you up
	îi / le	trezesc	I (don't) wake them up

164

Person that effects the action	Reflexive Pronoun (corresponding to the person that suffers the action)	Verb matching the Subject	Translation
		mă trezeşti	You (don't) wake me up
		te trezeşti	You (don't) wake up yourself
		o / îl trezeşti	You (don't) wake him / her up
Tu	(nu)	ne trezeşti	You (don't) wake us up
		– –	–
		îi / le trezeşti	You (don't) wake them up
		mă trezeşte	He / She wakes (doesn't wake) me up
		te trezeşte	He / She wakes (doesn't wake) you up
El / Ea	(nu)	o / îl / **se trezeşte**	He / She wakes (doesn't wake) him(self) / her(self) up
		ne trezeşte	He / She wakes (doesn't wake) us up
		vă trezeşte	He / She wakes (doesn't wake) you up
		îi / le trezeşte	He / She wakes (doesn't wake) them up
		–	–
		te trezim	We (don't) wake you up
		o / îl trezim	We (don't) wake him / her up
Noi	(nu)	**ne trezim**	We (don't) wake up ourselves
		vă trezim	We (don't) wake you up
		îi / le trezim	We (don't) wake them up
		mă treziţi	You (don't) wake me up
		–	–
		o / îl treziţi	You (don't) wake him / her up
Voi	(nu)	ne treziţi	You (don't) wake us up
		vă treziţi	You (don't) wake yourselves up
		îi / le treziţi	You (don't) wake them up
		mă trezesc	They (don't) wake me up
		te trezesc	They (don't) wake you up
		o / îl trezesc	They (don't) wake him / her up
Ei / Ele	(nu)	ne trezesc	They (don't) wake us up
		vă trezesc	They (don't) wake you up
		îi / le / **se trezesc**	They (don't) wake up themselves

Here are some of the most familiar reflexive verbs:

a se aşeza	to sit down	**a se odihni**	to take a rest
a se bucura	to be happy / glad	**a se plimba**	to go for a walk
a se distra	to have fun	**a se ridica**	to get up
a se duce	to go	**a se scula**	to get up
a se îmbrăca	to get dressed	**a se simţi**	to feel
a se încălţa	to put the shoes on	**a se spăla**	to wash
a se întoarce	to turn / come back	**a se trezi**	to wake up
a se întreba	to ask	**a se uita**	to look at
a se juca	to play	**a se urca**	to get on / into
a se muta	to move		

TASK 8 Fill in the blanks with the personal pronouns in accusative, corresponding to the English pronouns written in brackets.
(Completaţi spaţiile libere cu pronumele personale în cazul acuzativ, corespunzătoare pronumelor englezeşti din paranteze.)

A: Am o durere îngrozitoare de cap, am ameţeală, o senzaţie de greaţă şi (*me*) .... doare gâtul. (*Me*) .... doare şi spatele şi (*me*) .... supără şi o gleznă. Ce (*me*) .... sfătuieşti să fac?

B: Păi ... Cred că mai întâi ar trebui să iei o aspirină. Sigur va avea un efect calmant, dar după aceea ar trebui să (*you*) .... duci la doctor. Chiar dacă nu ai decât o simplă răceală, trebuie, oricum, să faci nişte analize de sânge. Dacă tuşeşti, s-ar putea să ai o bronşită, dar eu nu sunt medic, nu ştiu ce ai. Du-te la doctor şi el (*you*) .... va examina şi apoi va da un diagnostic.

A: Sper că nu este o boală contagioasă. Nu vreau să (*they, male*) .... molipsesc.

B: Nu (*you*) .... îngrijora înainte de a (*you*) .... duce la doctor şi nu uita să iei fişa medicală. Ai nevoie de ea. Cred că ar trebui să (*you*) .... duci şi la chirurgie, pentru durerea de gleznă, iar pentru durerea de spate ar trebui să faci masaj.

TASK 9 Listen to the CD and check up the answers given to the above task.
(Ascultaţi CD-ul şi verificaţi răspunsurile date exerciţiului de mai sus.)

Vocabular / Vocabulary

ameţeală	– giddiness
analiză de sânge	– blood analysis
bronşită	– bronchitis
cabinet medical	– surgery; consulting room
certificat medical	– medical certificate
chirurg	– surgeon
chirurgie	– surgery
clinică	– clinic
contagios / contagioasă	– catching / contagious
durere	– ache; pain
durere de cap	– headache
efect calmant	– soothing effect
fişă medicală	– medical card
gripă	– flu
infirmieră	– nurse
leziune; rană	– injury
luxaţie	– luxation

pacient / pacienţi	– patient/s *(masculine)*
pacientă / paciente	– patient/s *(feminine)*
pastilă / pastile	– pill/s
sală de aşteptare	– waiting-room
senzaţie de greaţă	– sensation of nausea
targă / tărgi	– stretcher/s
tuse	– cough
tăietură	– cut
prim ajutor	– first aid
masaj	– massage
Ce vă supără?	– What do you complain of?
Îmi curge nasul	– My nose is running.
Mă doare gâtul	– I have a sore throat.
a avea o durere	– to have a pain
a durea	– to ache
a răci	– to catch a cold
a se baza pe	– to rely on
a se îmbolnăvi	– to get ill
a se însănătoşi	– to get well
a scăpa de...	– to get rid of ...

TASK 10 Replace the nouns in accusative by the corresponding pronouns, according to the model.
(Înlocuiţi substantivele în acuzativ cu pronumele corespunzătoare, conform modelului.)

Model: Scriu *articolul* pentru buletinul informativ.
Îl *scriu.*

1. Vreau *cursul* de limba română. ....

2. Cunosc *conţinutul* scrisorii. ....

3. Întocmim *raportul* lunar. ....

4. Urmărim *serialele* de sâmbătă seara. ....

5. Aştept *răspunsul* cât de curând. ....

6. Vindem *televizorul* cel vechi. ....

7. Ducem *scaunele* în biroul alăturat. ....

8. Comentează *meciul* de fotbal. ....

9. Vizităm *muzeul* de istorie. ....

10. Angela vrea *ziarul* de azi. ....

Task 11 Use the personal pronouns in accusative, according to the model.
(Utilizaţi pronumele personale în acuzativ, conform modelului.)

Model: Eu îl cunosc **pe Mircea**.
Îl cunosc **pe el**.

1. Dan mă roagă să-l trezesc mâine. ....

2. Noi vă invităm la petrecere. ....

3. Eu o întreb dacă este ocupată. ....

4. Eu îl sun mâine după-amiază. ....

5. Prietenii îl acuză de minciună. ....

6. (Eu) vă rog să o ajutaţi la traducere. ....

7. Să le întrebăm dacă vin mai devreme. ....

8. Să te conduc la gară cu maşina. ....

Task 12 Try the following crossword.
(Rezolvaţi următorul careu.)

Across *(Orizontal)*:

1. hospital	9. first-aid *(two words)*
2. large tooth	10. brain
3. ankle	11. eye-lids
4. injury	12. patient
5. finger	13. back
6. tooth	14. ear
7. head	15. forehead
8. bronchitis	

Down – *from* **A** *to* **B** *(Vertical)*: the waiting-room *(three words)*

Lesson Twelve / Lecția doisprezece

Money Matters
(Probleme financiare)

Tᴀsᴋ **1** Listen to the CD and then repeat.
(Ascultați CD-ul și apoi repetați.)

Funcționarul: Bună ziua. Cu ce vă pot ajuta?
Clientul: Aș vrea să schimb niște valută în dolari americani. Se poate?
Funcționarul: Depinde de suma pe care vreți să o schimbați și de valută. Ce valută aveți?
Clientul: Am lire sterline.
Funcționarul: Ce sumă?
Clientul: 600 de lire sterline. Dar aș vrea ca pe lângă aceste 600 de lire să mai schimb și o sută de lire în lei românești.
Funcționarul: Da, sigur, nu este nici o problemă. Un moment, vă rog, trebuie să verific rata de schimb de astăzi. Să știți că este o rată de schimb favorabilă dolarului american.
Clientul: Da, am citit în ziar că este o mare cerere de dolari americani și de mărci germane pe piața valutară. M-am gândit că va fi o bună alegere dacă voi schimba lirele în dolari.
Funcționarul: Da. Este în regulă. Vă voi schimba câte lire doriți. Vreți numerar sau cecuri de călătorie?
Clientul: Până acum am preferat numerar, dar de data aceasta aș prefera cecuri de călătorie.
Funcționarul: Iată dolarii, conform ratei de schimb, din care s-a scăzut comisionul băncii. Iată și leii.
Clientul: Vă mulțumesc.
Funcționarul: Cu plăcere. Vă doresc o zi bună și mai poftiți pe la noi!

Vocabular / Vocabulary

Aș vrea să schimb niște valută.	I would like to exchange some currency.
Ce sumă?	(In / For) What amount?
cecuri de călătorie	travellers' cheques
clientul	the client / the customer
conform ratei de schimb	according to the rate of exchange
Cu ce vă pot ajuta?	What can I do for you?
Cu plăcere.	You're welcome.
depinde de	it depends on

Este în regulă.	It's OK.
favorabilă dolarului american	favourable to the American Dollar
funcţionarul	the clerk
în dolari americani	in(to) / for USD
numerar	cash
o bună alegere	a good choice
o mare cerere de dolari	a great demand of dollars
pe lângă	beside
piaţa valutară	exchange market
rata de schimb	exchange rate
Se poate?	Is it possible?
Vă doresc o zi bună.	I wish you a good day.

Task 2   Read the table below containing the most important currencies.
(Citiţi tabelul următor care conţine cele mai cunoscute valute.)

Ţara *Country*		Codul valutar *ISO Code*	Valute *Currencies*	
Austria	Austria	ATS	*Austrian shilling*	şiling austriac
Belgium	Belgia	BEF	*Belgian franc*	franc Belgian
Canada	Canada	CAD	*Canadian dollar*	dolar canadian
Denmark	Danemarca	DKK	*Danish krone*	coroană daneză
France	Franţa	FRF	*French franc*	franc francez
Germany	Germania	DEM	*German mark*	marcă germană
Great Britain	Marea Britanie	GBP	*pound sterling*	liră sterlină
Holland	Olanda	NLG	*Dutch guilder*	gulden olandez
Italy	Italia	ITL	*Italian lira*	liră italiană
Japan	Japonia	JPY	*yen*	yen
Norway	Norvegia	NOK	*Norwegian krone*	coroană norvegiană
Romania	România	ROL	*Romanian leu*	leu românesc
Spain	Spania	ESP	*peseta*	peseta
Sweden	Suedia	SEK	*Swedish krona*	coroană suedeză
Switzerland	Elveţia	CHF	*Swiss franc*	franc elveţian
United States	Statele Unite	USD	*dollar*	dolar

Banking Issues / Chestiuni bancare

a achiziţiona	to acquire / buy	**a deveni scadent /**	to come due
a acorda un credit	to grant a credit	**a ajunge la scadenţă**	
a aloca	to allocate	**a eşalona**	to schedule
a atinge pragul de	to break even	**a lua cu împrumut**	to borrow
rentabilitate		**a percepe**	to charge
a creşte / spori / mări	to rise; to increase	**a rambursa**	to repay
a da cu împrumut	to lend	**a reeşalona**	to reschedule
a da faliment	to go bankrupt	**a solicita un credit**	to apply / ask for
a da în judecată	to sue		a loan

a sta la rând	to (stand in a) queue, to line up	împrumut, credit	loan
active fixe	fixed assets	incapacitate de plată	default
acţionar	shareholder	indicator/i	ratio/s
agent de vânzări mobiliare	stockbroker	insolvabilitate	insolvency
an fiscal	fiscal year	ipotecă	mortgage
balanţa de plăţi	balance of payment	masă monetară	money supply
		monedă naţională	domestic currency
balanţă de verificare	trial balance	necesar de finanţare	financing needs
bancă centrală	central bank	necesar de lichiditate	liquidity requirements
bancă comercială	commercial bank	negociere	negotiation
bilanţ contabil	balance sheet	ofertă de cumpărare	bid
bonuri de tezaur	treasury bills	ordin permanent de plată	standing order
case de scont	discount houses	piaţa de scont	discount market
cheltuială / cheltuieli	expenditure	prag de rentabilitate	break even
cifră de afaceri	turnover	registru contabil	ledger
comision	commission / fee	renume	good–will
condiţii	terms	scadenţă	maturity
cont	account	sold	balance
cont curent	current account	speze suplimentare	additional charges
cont de depozit	deposit account	titlu de proprietate	title deed
creditor	lender	tranşă de împrumut	dollop; tranche
datorie publică	governmental debt	transfer automat în cont	direct debit
datornic	debtor	urmărire penală	lawsuit
dealer valutar	foreign exchange dealer	valută	currency
		vânzare cu amănuntul	retail
debitor	borrower	vânzare en gros	wholesale
disponibil/ă	available	venit / câştiguri	earnings / revenue
faliment	bankruptcy	venit/uri	income
ghişeu	counter	venituri din vânzări	sales revenue
impozit/e	tax/es		

Grammar Session (Gramatică)

Past Tenses
(Timpurile trecute)

'Perfectul compus' Tense

This structure expresses an action that took place in the past. It corresponds to three English tenses:

Past Tense Simple   Ieri am citit un articol foarte interesant.
Yesterday I **read** a very interesting article.

Present Perfect Simple Am citit un articol interesant.

I **have read** a very interesting article.

Past Perfect Simple I-am spus că am citit[1] un articol foarte interesant.

I told him that I **had read** a very interesting article.

The terms associated with this structure are:

(de) abia / tocmai	– just
acum cinci minute	– five minutes ago
acum două zile	– two days ago
acum zece ani	– ten years ago
alaltăieri	– the day before yesterday
anul acesta	– this year
anul trecut	– last year
data trecută	– last time
de la ora 5	– since 5 o'clock
deja	– already
deseori	– often
ieri	– yesterday
în dimineaţa aceasta	– this morning
în ultima vreme	– lately
încă	– yet
luna trecută	– last month
niciodată	– never
până acum	– so far
recent / de curând	– recently
săptămâna aceasta	– this week
săptămâna trecută	– last week
timp de două ore	– for two hours
vreodată	– ever

This structure contains an auxiliary and the participle of the notional verb.

Person	Eu	Tu	El / Ea	Noi	Voi	Ei / Ele
Auxiliary	am	ai	a	am	aţi	au

With reflexive verbs:

Person	Eu	Tu	El / Ea	Noi	Voi	Ei / Ele
Auxiliary	m- + am	te- + ai	s- + a	ne- + am	v- + aţi	s- + au
	m-am	**te-ai**	**s-a**	**ne-am**	**v-aţi**	**s-au**

> **e.g.** Am spălat rufele.
>
> *I washed the laundry.*
>
> *M*-am spălat.
>
> *I washed myself.*

The Participle, in most cases, is made up of: the infinitive of the notional verb, which gets some suffixes in terms of the verbs' endings at the Infinitive Mood.

Thus, the verbs ending in '-a', '-ea', '-i' and '-î' at the infinitive, get the suffix '-t':

> **e.g.** a încerca – încercat; a vrea – vrut; a citi – citit; a urî – urât

---

[1] Past Perfect is the equivalent of '**perfect compus**' only in the subordinate clauses.

The verbs ending in '-e', get either the suffix '-ut' or '-s'.
Study the following table:

Infinitive	-a	-ea	-e		-i	-î
	a aştepta	a putea	a face	a merge	a fugi	a coborî
	a lucra	a vedea	a trece	a rade	a gândi	a hotărî
Participle	-at	-ut	-ut	-s	-it	-ât
	aşteptat	putut	făcut	mers	fugit	coborât
	lucrat	văzut	trecut	ras	gândit	hotărât

Study the conjugation of the verbs 'a fi ' / 'to be' and 'a avea'/ 'to have' at 'Perfect compus':

Person	A fi / To be			Person	A avea / To have		
	The auxiliary 'a avea' at present	The Participle of 'a fi'	English		The auxiliary 'a avea' at present	The Participle of 'a avea'	English
Eu	am		I was	Eu	am		I had
Tu	ai		You were	Tu	ai		You had
El / Ea	a	fost	He/She was	El / Ea	a	avut	He / she had
Noi	am		We were	Noi	am		We had
Voi	aţi		You were	Voi	aţi		You had
Ei / Ele	au		They were	Ei / Ele	au		They had

Here is a list with the **participles** of the most frequently used verbs:

a achiziţiona	**achiziţionat**	a înţelege	**înţeles**
a acorda	**acordat**	a lua	**luat**
a aloca	**alocat**	a mânca	**mâncat**
a atinge	**atins**	a mări	**mărit**
a auzi	**auzit**	a merge	**mers**
a bea	**băut**	a percepe	**perceput**
a citi	**citit**	a pune	**pus**
a coborî	**coborât**	a rambursa	**rambursat**
a creşte	**crescut**	a rămâne	**rămas**
a cumpăra	**cumpărat**	a răspunde	**răspuns**
a da	**dat**	a rezolva	**rezolvat**
a deschide	**deschis**	a schimba	**schimbat**
a eşalona	**eşalonat**	a scrie	**scris**
a face	**făcut**	a solicita	**solicitat**
a fi	**fost**	a spori	**sporit**
a fugi	**fugit**	a spune	**spus**
a fuma	**fumat**	a tăcea	**tăcut**
a ieşi	**ieşit**	a termina	**terminat**
a intra	**intrat**	a traduce	**tradus**
a începe	**început**	a urca	**urcat**
a încerca	**încercat**	a veni	**venit**
a închide	**închis**	a vorbi	**vorbit**
a întreba	**întrebat**		

TASK 3 Fill in the blanks with the corresponding forms of the verb at 'Perfect Compus'.
(Completaţi spaţiile libere cu formele corespunzătoare ale verbului la perfectul compus.)

ai – ai avut	luaţi – aţi luat	stai – ai stat	vorbim – am vorbit
avem	iei	stau	vorbeşte ....
are	iau	stau	vorbesc ....
aveţi	ia	stă	vorbesc ....
au	luăm	staţi	vorbiţi ....
am	iau	stăm	vorbeşti ....

rezolvă – au rezolvat	plecaţi – aţi plecat	vin – am venit	lucrăm – am lucrat
rezolv	pleacă	veniţi	lucrează ....
rezolvă	pleacă	vine	lucrează ....
rezolvăm	pleci	vii	lucrez ....
rezolvaţi	plecăm	venim	lucraţi ....
rezolvi	plec	vin	lucrezi ....

TASK 4 Turn the verbs of the following sentences into 'Perfectul Compus' Tense using the proper adverbs of time.
(Treceţi verbele din propoziţiile de mai jos la perfect compus utilizând adverbe de timp corespunzătoare.)

e.g. Voi studia limba germană la anul.
Am studiat limba germană **anul trecut**.
Anul trecut am studiat limba germană.

1. (Noi) Aşteptăm cu nerăbdare vacanţa de vară.

....

2. Mircea nu merge la birou astăzi.

....

3. Cine va găti mâine?

....

4. Contabilul întocmeşte bilanţul acum. Este foarte ocupat.

....

5. Voi aveţi putere deplină de decizie acum.

....

6. Compania Carpaţi are relaţii de afaceri numai cu parteneri serioşi.

....

7. Cred că dumneavoastră faceţi aluzie la întâlnirea de mâine.

....

8. Doamna Popescu are grijă de Mihăiţă.

....

Fill in the tables below with the corresponding verbal forms. Some of them have already been done for you.
(Completaţi tabelele de mai jos cu formele verbale corespunzătoare. Unele sunt deja completate ca model.)

Person	a achiziţiona *(to acquire / buy)*	a aloca *(to allocate)*	a da cu împrumut *(to lend)*; a da faliment *(to go bankrupt)*	a eşalona *(to schedule)*
Eu	achiziţionez	....	....	....
Tu	....	....	dai	....
El / Ea	....	....	....	....
Noi	....	....	....	....
Voi	....	alocaţi	....	....
Ei / Ele	....	....	....	eşalonează

Person	a percepe *(to charge)*	a acorda un credit *(to grant a credit)*	a rambursa *(to repay)*	a solicita *(to apply for/ to ask)*
Eu	....	....	....	....
Tu	....	acorzi	....	....
El / Ea	....	....	....	....
Noi	....	....	rambursăm	....
Voi	percepeţi	....	....	....
Ei / Ele	....	....	....	solicită

Person	a atinge *(to touch / to reach)*	a creşte *(to rise / to increase)*	a spori *(to rise / to increase)*	a mări *(to rise / to increase)*
Eu	ating	....	....	....
Tu	....	....	sporeşti	....
El / Ea	....	creşte	....	....
Noi	....	....	....	....
Voi	....	....	....	măriţi
Ei / Ele	....	....	....	....

Turn the verbs from the following sentences into 'Perfect Compus', using the adverbs of time in brackets.
(Treceţi verbele din propoziţiile următoare la perfect compus, utilizând adverbele din paranteze.)

Model: El pleacă de la birou **azi** la ora 16:00. *(ieri)*
El **a plecat** de la birou **ieri** la ora 16:00.

1. Suntem obosiţi **acum**. Nu avem chef de lucru. (*alaltăieri*)

   ....

2. Directorul ne vorbeşte **azi** despre planul de investiţii. (*luna trecută*)

   ....

3. Echipa managerială este formată **în prezent** din opt directori. (*anul trecut*)

   ....

4. Cum stă Mihai cu sănătatea **acum**? (*în clasa a şaptea*)

   ....

5. Despre ce vei vorbi la şedinţa de **mâine**? (*săptămâna trecută*)

   ....

6. (El) Nu are o slujbă serioasă în **prezent**. (*acum trei ani*)

   ....

7. Jarl vorbeşte **întotdeauna** deschis. (*întotdeauna*)

   ....

8. **Mâine** la ora 16:00 vom participa la o şedinţă foarte importantă. (*pe 17 ianuarie*)

   ....

9. Eu iau cina cu familia **astă seară**. (*ieri seară*)

   ....

10. **Mâine** vei lua trenul de Constanţa la ora 17:16. (*marţea trecută*)

    ....

11. **Luna viitoare** voi lua un credit de la bancă. (*acum trei luni*)

    ....

12. El stă pe scaun **acum**. (*acum trei minute*)

    ....

13. Andrei nu are astâmpăr **astăzi**. (*ieri după-amiază*)

    ....

14. Dan vorbeşte aiurea **acum**. (*la întâlnirea de săptămâna trecută*)

    ....

15. Tu nu stai pe roze în **prezent**. (*niciodată*)

    ....

16. Staţi la taifas cu maiştrii **de câteva minute**. (*câteva ore, ieri*)

    ....

17. Cred că vorbim în vânt **acum**. (*la ora de română de săptămâna trecută*)

    ....

18. **Mâine** la ora 18:30 mă voi duce la teatru. (*joia trecută*)

    ....

TASK 7 Answer the following questions, using the prompts in brackets.
(Răspundeți la următoarele întrebări utilizând informațiile din paranteze.)

Model: Ce a făcut domnul Ionescu marți la ora 14:00? *(spoke on the phone with the managing director)*
Marți la ora 14:00 domnul Ionescu a vorbit la telefon cu directorul general.

1. Ce a făcut domnul Valentin Ionescu vineri la 17:20? *(went home)*

   ....

2. Ce a făcut fratele lui miercuri la ora 14:00? *(played football)*

   ....

3. La ce oră a luat cina joi? *(at 7:30 p.m.)*

   ....

4. Când a plecat în delegație la Cluj? *(last Thursday)*

   ....

5. Cu cine a vorbit la telefon? *(with his wife)*

   ....

6. Când a luat micul dejun cu familia? *(on Monday and Friday)*

   ....

7. Când a luat micul dejun singur? *(when he was in Cluj)*

   ....

8. A stat acasă luni? *(No, because he had four meetings)*

   ....

9. Când a luat masa cu domnul director Stamate? *(two weeks ago, on Wednesday)*

   ....

10. Ce a făcut marți la 12:00? *(did some shopping)*

    ....

TASK 8 Ask questions so that you may get the following answers.
(Formulați întrebări pentru a primi următoarele răspunsuri.)

Când ...?	When ...?	**De unde ...?**	Where ... from?
Cu cine ...?	With whom ...?	**Cum...?**	How ...?
De ce ...?	Why ...?	**Cu ce ...?**	What ... with / by?
Ce ...?	What ...?	**Pe cine ...?**	Whom ...?

e.g. Am așteptat un telefon.
Ce ai făcut? / Ce ai așteptat?

1. Am așteptat un telefon.

   ....

2. (Voi) Ați stabilit programul de mâine.

   ....

3. Am știut tot timpul ce gândiți.

   ....

4. Ieri la ora 16:00 am văzut un film la cinematograf.

   ....

5. A trebuit să facem un plan.

   ....

6. A mers foarte bine.

   ....

7. A aşteptat un autobuz.

   ....

8. Nu am aşteptat pe nimeni.

   ....

9. Am făcut deja planuri de vacanţă.

   ....

10. Am luat hotărârea acum două săptămâni.

    ....

11. A trebuit să aşteptăm un răspuns alaltăieri.

    ....

12. Nu am văzut pe nimeni cunoscut ieri seară la teatru.

    ....

13. Am venit de la teatru.

    ....

14. Am lucrat cu colegul meu Dan Ionescu.

    ....

15. Ieri la ora 15:00 am luat prânzul cu Dan.

    ....

16. Am venit din Norvegia.

    ....

17. Mihai a alergat după autobuz, ca în fiecare dimineaţă.

    ....

18. Întotdeauna am citit ziarele după micul dejun.

    ....

19. Luna trecută a mers la birou cu metroul.

    ....

20. Întotdeauna am urât să călătoresc cu metroul.

    ....

21. Nu am fost la teatru în ultimele şase luni. Am fost foarte ocupată.

    ....

22. Nu am citit ziarul de ieri.

    ....

TASK 9 Give the **Perfect Compus** form of the verbs below, in terms of the pronouns or nouns attached.

*(Daţi formele de „**perfect compus**" corespunzătoare verbelor de mai jos, în funcţie de pronumele sau substantivele precizate în dreptul lor.)*

Model: a pleca acasă; Maria **Maria a plecat acasă.**
a pleca de la birou; noi **Noi am plecat de la birou.**

a bea Coca–Cola; eu ....

a citi o carte bună; eu ....

a coborî scările; tu ....

a cumpăra fructe; voi; nu ....

a da un telefon; prietenul meu ....

a deschide uşa; copilul; nu ....

a face gălăgie; elevii ....

a fi fericit; ea ....

a fugi de răspundere; el ....

a fuma; englezii; nu ....

a ieşi în oraş; noi ....

a începe; ploaia ....

a încerca; voi ....

a închide geamul; mama ....

a intra în birou; directorul ....

a întreba despre proiect; eu ....

a înţelege; noi toţi ....

a lua notiţe; studenţii ....

a mânca prăjituri; toţi copiii ....

a merge la gară pe jos; noi; nu ....

a pune masa; soţia mea ....

a rămâne singuri; noi ....

a răspunde la întrebări; preşedintele ....

a rezolva o problemă; contabilul ....

a schimba hainele; voi ....

a scrie o scrisoare; ei ....

a spune adevărul; nimeni; nu ....

a tăcea; publicul ....

a termina de scris; secretarele ....

a traduce un text; noi ....

a urca în tren; călătorii ....

a veni la timp; ele; nu ....

a vorbi mult; ele; întotdeauna ....

TASK 10 Answer the following questions using 'perfect compus'.
(Răspundeţi la următoarele întrebări utilizând timpul perfect compus.)

1. Care a fost rata de schimb leu – dolar american ieri?

....

2. Când aţi solicitat prima oară un credit la bancă?

....

3. Care a fost suma pe care aţi solicitat-o?

....

4. La ce bancă aţi deschis contul în România?

....

5. Aţi deschis un cont în lei sau în valută?

....

6. Aţi deschis un cont curent sau un cont de depozit?

....

7. Cât timp aţi stat la rând la ghişeu pentru a depune banii?

....

8. Câţi bani aţi depus ultima dată?

....

9. Aţi depus lei, dolari sau lire?

....

10. La ce oră s-a închis banca?

....

Topics for Conversation
(Subiecte de conversaţie)

Health
(Sănătate)

TASK 11 Read the following dialogue.
(Citiţi următorul dialog.)

A: Am auzit că **ai fost** bolnavă.
B: Am avut o gripă care **m–a supărat** vreo două săptămâni. Acum, însă, mă simt bine. **Mi–am revenit.**
A: Mă bucur. Arăţi foarte bine. Pentru că **a venit vorba**, ai auzit de doamna Andreescu?
B: Nu. Ce i **s–a întâmplat?**
A: A avut o formă de gripă foarte severă încât **a trebuit** să o ducem la spital.
B: Vai, îmi pare atât de rău! Cum se simte acum?
A: Acum se simte mai bine, dar este încă internată …
B: Biata de ea! Sper să se facă bine în curând!

Vocabular / Vocabulary

Phrases / Expresii

Am auzit că ai fost bolnavă.	I hear you have been ill. (*fem.*)
Am avut o gripă …	I had a flu.
… care m–a supărat vreo două săptămâni.	…that troubled me for a couple of weeks.
Acum, însă, mă simt bine.	I am fine, now.
Mi-am revenit.	I have recovered.
Mă bucur.	I am happy to hear that.
Arăți foarte bine.	You are looking very well.
Pentru că a venit vorba …	By the way …
… ai auzit de doamna Andreescu?	… did you hear about Mrs. Andreescu?
Ce i s–a întâmplat?	What about her? / What has happened?
A avut o formă de gripă foarte severă	She had a bad case of flu.
… şi a trebuit să o ducem la spital.	… and we had to take her to the hospital.
Vai, îmi pare atât de rău!	Oh, I'm so sorry to hear that!
Cum se simte acum?	How is she now?
Acum se simte mai bine …	Now she's feeling better …
… dar este încă internată în spital …	… but she's still in the hospital.
Biata de ea!	Poor her!
Sper să se facă bine în curând!	I hope she will be fine soon!

TASK 12 Listen to the CD and then repeat.
(Ascultaţi CD-ul şi apoi repetaţi.)

TASK 13 Translate into Romanian using the pronouns in dative.
(Traduceţi în limba română utilizând pronumele în cazul dativ.)

1. Mary told me a funny story the other day.

....

2. I brought her some flowers.

....

3. They told us that they had finished the report.

....

4. She brought us a present.

....

5. Alexander gave me three lovely roses.

....

6. We sent them a fax at the beginning of the year.

....

7. Who gave you this brilliant idea?

....

8. Nobody told us the truth.

....

181

Task 14 Fill in the missing letters and translate the words into English.
(Completaţi literele care lipsesc şi traduceţi cuvintele în limba engleză.)

î...pru...ut	....	c...eltu...eli	....
co...i...io...	....	re...u...e	....
...ali...ent	....	...on...iţi...	....
...egis...ru con...abi...	....	ve...it	....
ram...ur...are	....	i...otec...	....
pia...a de ...cont	....	...ator...ic	....
i...po...it	....	an ...is...al	....

Task 15 Try the following crossword:
(Rezolvaţi următorul careu:)

A

1.
2.
3.
4.
5.
6.
7.
8.
9.
10.
11.
12.
13.
14.
15.

B

Across (*Orizontal*):
1. goodwill
2. balance
3. negotiation
4. mortgage
5. borrower
6. payment
7. deposit account (*three words*)
8. debtor
9. shareholder
10. commission
11. balance sheet (*two words*)
12. fiscal year (*two words*)
13. fixed assets (*two words*)
14. expenditure
15. maturity

Down – *from* **A** *to* **B** *(Vertical)*: 'national / domestic currency' *(two words)*

Lesson Thirteen / Lecţia treisprezece

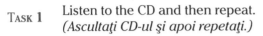

Topics for Conversation
(Subiecte de conversaţie)

Clothes
(Articole vestimentare)

TASK 1   Listen to the CD and then repeat.
(Ascultaţi CD-ul şi apoi repetaţi.)

Vânzătoarea: Cu ce vă pot servi?
Clienta: Aţi putea, vă rog, să-mi arătaţi taiorul acela verde deschis, din vitrină?
Vânzătoarea: Da, desigur, imediat… Poftiţi! Cred că vi se potriveşte. Ce număr purtaţi?
Clienta: Eu port mărimea 46, dar aş vrea să fie puţin mai larg. Cred că numărul 48 ar fi foarte bun. Îl voi putea purta cu o bluză pe dedesubt.
Vânzătoarea: Este chiar mărimea 48. Vreţi să-l probaţi?
Clienta: Da, desigur. Unde este cabina de probă?
Vânzătoarea: Imediat la stânga, lângă casa numărul 3.
Clienta: … L-am probat, dar din nefericire fusta îmi este prea largă. Aş vrea acelaşi model şi culoare, dar mărimea 46, vă rog.
Vânzătoarea: Imediat… Poftiţi, vă rog. Acest costum este măsura 46. Vreţi să-l probaţi?
Clienta: Nu, nu cred că este necesar. Îl cumpăr. Spuneţi-mi, vă rog, aveţi, cumva, şi o eşarfă care să se asorteze cu această culoare? Aş prefera o eşarfă verde închis …
Vânzătoarea: Îmi pare rău. Noi nu ţinem eşarfe. Încercaţi la raionul de galanterie, de la etajul II!

Vocabular / Vocabulary

Phrases / Expresii

… din vitrină?	… from the shop-window?
… fusta mi-este prea largă	… the skirt is too loose for me
… lângă casa numărul 3	… next to the cashier's desk no. 3
… să-mi arătaţi taiorul acela verde deschis	…show me that light-green suit
Aş vrea acelaşi model şi culoare.	I would like the same pattern and colour
Aş vrea să fie puţin mai larg.	I would like it to be a little loose
Aţi putea, vă rog …	Could you …, please
Ce număr purtaţi?	What is your size?
clientă / cliente	customer/s
Cred că vi se potriveşte.	I think it fits you.
Cu ce vă pot servi?	What can I do for you?
Da, desigur, imediat…	Yes, of course. Just a minute, please…
o eşarfă care să se asorteze cu …	a scarf that matches ….
Poftiţi!	Here you are!
Unde este cabina de probă?	Where is the fitting-room?
vânzătoarea	the shop-assistant

TASK 2
Fill in the blanks with the missing forms.
(Completaţi spaţiile libere cu formele care lipsesc.)

Person	a purta (to wear)	a se dezbrăca (to take off)	a se îmbrăca (to dress oneself)	a proba (to try on)	a se potrivi (to fit)
Eu	port				
Tu		te dezbraci		probezi	
El / Ea	poartă		se îmbracă		se potriveşte
Noi			ne îmbrăcăm	probăm	
Voi					
Ei /Ele		se dezbracă			

Vocabulary / Vocabular

a proba	to try on
a purta	to wear
a se dezbrăca	to take off one's clothes
a se îmbrăca	to put on one's clothes
a se potrivi	to fit smb.
(de) blană	fur
bluză / bluze	blouse/s
(de) bumbac	cotton
cabină / cabine de probă	fitting-room/s
(de) catifea	velvet
casă / casierie	cashier desk
cămaşă / cămăşi	shirt/s
chiloţi	panties
ciorapi	stockings
confecţii	ready-made clothes
costum cu vestă	three-piece suit
costum fără vestă	two-piece suit
costum la două rânduri	double breasted suit
costum la un rând	single breasted suit
costum/e de baie	bathing costume/s
costum/e de haine	suit/s of clothes
cravată / cravate	tie/s
croială	cut
demodat/ă	out of fashion; old-fashioned
elegant/ă	fashionable; stylish
eşarfă / eşarfe	scarf/s
fără mânecă	sleeveless
fular/e	muffler/s
furou/ri	chemise/s
fustă / fuste	skirt/s

(cu) gust	in good taste
ghete	hiking shoes / boots
gros / groasă	thick
guler/e	collar/s
haină / haine	coat/s
în dungi	striped
încălţăminte	footwear
jachetă / jachete	jacket/s
(de) lână	woolen
lung/ă	long (**e.g.** 'o fustă lungă')
maiou/ri	(under)vest/s
manşetă / manşete la haină	cuff/s
manşetă la pantalon	turn up
mănuşă / mănuşi	glove/s
măsură / măsuri	size/s
(de) mătase	silk
mânecă / mâneci	sleeve/s
model / modele	pattern/s
neşifonabile *(fem., pl.)*	uncreasable
nuanţă / nuanţe	shade/s
pălărie / pălării	hat/s
palton / paltoane	winter coat/s
pantof/i	shoe/s
pantof/i de stradă	walking shoe/s
pantofi cu toc	high heeled shoes
pantofi fără toc	low heeled shoes
papuci	slippers
pardesiu/ri·	overcoat/s
pijama/le	pyjamas
prosop / prosoape	towel/s
rochie / rochii	dress/es
rochie de seară	evening dress
rufărie de corp	underwear
sandale	sandals
scurt/ă	short (**e.g.** 'o rochie scurtă')
strâmt / strâmte *(sg.)* **strâmţi / strâmte** *(pl.)*	tight
subţire / subţiri	thin
sutien/e	bust-bodice // bra/s
taior / taioare	tailor-made suit/s
tricou/ri	T-shirt/s
ultima modă	the latest fashion
vestă / veste	waistcoat/s
vitrină / vitrine	shop-window/s

TASK 3 Fill in the following table with the corresponding forms of the given adjectives.
(Completaţi tabelul de mai jos cu formele corespunzătoare ale adjectivelor date.)

English	Romanian			
	Feminine		**Masculine**	
	Singular	*Plural*	*Singular*	*Plural*
fashionable	....	....	elegant	....
thick	....	groase	....	....
thin	subţire	....	....	....
short	....	....	....	scurţi
long	lungă	....	....	....
out of fashion	....	....	demodat	....
expensive	....	scumpe	....	....
tight	....	....	....	strâmţi
uncreasable	neşifonabilă	....	....	....
cheap	....	....	ieftin	....

TASK 4 Listen to the CD and complete the following dialogues.
(Ascultaţi CD-ul şi completaţi următoarele dialoguri.)

I. A: .... ?
B: Aş vrea o pereche de mănuşi de piele mărimea VII, vă rog.
A: Avem maro, roşii, albe şi negre. Ce culoare preferaţi?
B: Aş vrea o pereche de mănuşi negre, dar aş dori să le văd mai întâi. Da, îmi vin foarte bine. Le vreau pe acestea. .... ?
A: 257.000 lei.
B: ....
A: La casa numărul 2. Este prima pe stânga.

II. A: Cu ce vă pot servi?
B: ....
A: Îmi pare rău. Nu ţinem decât pantaloni de damă. Puteţi găsi pantaloni bărbăteşti la raionul de confecţii bărbaţi, de la etajul I.
B: .... ?
A: Da, desigur, şi pentru copii.

TASK 5 Answer the questions, using the information from dialogues I and II.
(Răspundeţi la următoarele întrebări, utilizând informaţiile din dialogurile I şi II.)

1. Ce vrea să cumpere clienta din dialogul I?

....

2. Ce mărime a solicitat[1] clienta?

....

3. Ce culori aveau mănuşile oferite de vânzătoare?

....

[1] a solicita – to ask for; to make a request

4. Ce mănuşi a cumpărat clienta?

....

5. Cât au costat mănuşile?

....

6. Unde a plătit?

....

7. Ce a vrut să cumpere clienta din dialogul II?

....

8. Ce a cumpărat?

....

9. De ce?

....

10. La ce etaj a fost sfătuită să meargă?

....

Grammar Session (Gramatică)

The Nouns in the Dative Case
(Substantivele în cazul dativ)

TASK 6   Study the following table:
(Studiaţi următorul tabel:)

Articol / Type of Article	Masculine / Neuter		Feminine	
	Singular	*Plural*	*Singular*	*Plural*
articol hotărât / *definite article*	**-(u)lui**	**-lor**	**-ei**	**-lor**
	elev**ului** *(to) the student*	elevi**lor** *(to) the students*	elev**ei** *(to) the student*	elevel**or** *(to) the students*
	doctor **lui** *(to) the doctor*	doctori**lor** *(to) the doctors*	secretar**ei** *(to) the secretary*	secretare**lor** *(to) the secretaries*
articol nehotărât / *indefinite article*	**unui** + noun	**unor** + noun	**unei** + noun [1]	**unor** + noun
	unui elev *(to) a student*	**unor** elevi *(to) some students*	**unei** eleve *(to) a student*	**unor** eleve *(to) some students*
	unui director *(to) a director*	**unor** directori *(to) some directors*	**unei** femei *(to) a woman*	**unor** femei *(to) some women*

The Personal Pronoun in Dative used with 'Perfectul Compus' Tense
(Pronumele personal în dativ folosit cu perfectul compus)

When combined with 'perfect compus', the pronoun in dative has the following contracted forms:

---

[1] The ending 'e' or 'i' is always used (**unei** eleve; **unei** femei)

	Singular			Plural	
I	mi-	me	I	ne-	us
II	ţi-	you	II	v-	you
III	i-	him / her	III	le-	them

e.g. *They gave us the money.*
Ei **ne-au dat** banii.

Note. In the above translation one can notice:
– the form of the pronoun ('**ne**') corresponds to '**us**'
– the subject ('**ei**') agrees with the predicate in number: '**ei au dat**'.

Pronoun in Nominative	**Pronoun in Dative**	*Example in Romanian* **(the verb 'a da' / 'to give')**	*Translation*
Eu	**mi-**	Andrei **mi-a dat** un dosar.	*Andrei **gave me** a file.*
Tu	**ţi-**	Andrei **ţi-a dat** un dosar.	*Andrei **gave you** a file.*
El / Ea	**i-**	Andrei **i-a dat** un dosar.	*Andrei **gave him** / **her** a file.*
Noi	**ne-**	Andrei **ne-a dat** un dosar.	*Andrei **gave us** a file*
Voi	**v-**	Andrei **v-a dat** un dosar.	*Andrei **gave you** a file.*
Ei / Ele	**le-**	Andrei **le-a dat** un dosar.	*Andrei **gave them** a file.*

e.g. Cine **i**-a cerut sfatul **directorului**?
Consiliul profesoral **i**-a acordat **unui elev** o bursă de merit.
I-au dat **secretarei** un calculator nou.
Le-au dat **secretarelor** manuale noi.

TASK 7 Give the dative form to the nouns and pronouns in brackets.
(Daţi forma de dativ substantivelor şi pronumelor din paranteze.)

Model: I-am dat Mariei o informaţie valoroasă.

1. Mircea *(us)* .... a oferit o ceaşcă de cafea.

2. *(Them)* .... au spus adevărul în cele din urmă.

3. Credeţi că au trimis *(parents)* .... o scrisoare anul acesta?

4. Nu *(me)* .... au precizat şi ora la care va sosi avionul.

5. Crezi că a dat *(to the students)* .... note de zece?

6. Nu au acordat *(to the workers)* .... nici o mărire de salariu.

7. Cine a spus *(to the employees)* .... că sâmbăta aceasta se va lucra?

TASK 8 Rewrite the following sentences correcting the mistakes, if any.
(Rescrieţi propoziţiile următoare, corectând eventualele greşeli.)

1. Pot să pun o întrebare unor director?

....?

2. Cui ţi-a dat Carmen dicţionarul român – englez?

....?

3. Cine ne-a înmânat secretarei lista cu necesarul de materiale?

....?

4. I-am cerut doctorilor un sfat.

....?

5. Mi-am dat copiilor trei înghețate.

....?

6. Andrei ne-a oferit colegilor șampanie de ziua lui de naștere.

....?

7. Ți-am cumpărat soțului meu o cravată modernă.

....?

8. Cine le aduce nouă corespondența?

....?

Sports and Games / Sporturi și jocuri

a înota	to swim	ciclism	cycling
a juca baschet	to play basketball	coechipier/i	team-mate/s
a juca șah	to play chess	crosă / crose	stick/s (hockey)
a juca volei	to play volleyball	echipament/e	outfit/s; equipment/s
a merge cu bicicleta	to go riding	floretă / florete	foil/s
a merge la patinaj	to go skating	gimnastică	gymnastics
a merge la pescuit	to go fishing	haltere	weight lifting
a merge la schi	to go skiing	hipism	horse riding
a merge la vânătoare	to go hunting	înot	swimming
a patina	to skate	jucător/i de fotbal	football player/s
a pescui	to fish	minge / mingi	ball/s
a schia	to ski	șah	chess
a urca pe munte	to climb the mountains	patină / patine	skate/s
a vâna	to hunt	patinaj	skating
a vâsli	to row a boat	pescuit	fishing
alpinism	mountain climbing	popice	nine-pins
antrenament/e	training	rachetă / rachete	racket/s
atletism	athletics	sală / săli	hall/s
automobilism	motoring	scrimă	fencing
baschet	basketball	teren / terenuri	sport-ground/s
bazin/e de înot	swimming pool/s	tir	shooting
bicicletă / biciclete	bicycle/s	undiță / undițe	fishing rod/s
biliard	billiards	vânătoare	hunting
bob	bob-sleigh	vâslă / vâsle	oar/s
box	boxing	vestiar/e	dressing room/s
canotaj	rowing	volei	volleyball

TASK 9   Replace the underlined words with the ones in brackets, changing the verbal forms, if necessary.
(Înlocuiți cuvintele subliniate cu cele din paranteze, schimbând formele verbale, dacă este necesar.)

Model: **Mariei** îi place să joace baschet, dar nu știe să joace șah. (noi)
Nouă ne place să jucăm baschet, dar nu știm să jucăm șah.

1. De obicei **noi** urmărim jocurile de fotbal în week-end. (eu)

....

2. Săptămâna trecută **prietenii noștri** au mers la pescuit. (voi)

....

3. **Cine** ştie să joace tenis? (ele)

....

4. **Tu** ştii să mergi cu bicicleta? (ea)

....

5. Când ai fost **tu** ultima dată la un meci de fotbal? (prietenii tăi)

....

6. Care **jucător** a marcat în meciul cu Steaua Bucureşti? (fotbalişti)

....

7. Alpinismul este sportul **nostru** preferat. (meu)

....

8. **Voi** ştiţi să jucaţi baschet? (ei)

....

TASK 10 Fill in the space provided to each of the following pictures, according to the model.
(Completaţi spaţiile libere corespunzătoare fiecărei imagini de mai jos, conform modelului.)

Model: Îmi place atletismul.
Nu îmi place atletismul.
Am practicat atletismul.
Nu am practicat niciodată atletismul.
Vă / îţi / îi / le place atletismul?

....
....
....
....
....

....
....
....
....
....

....
....
....
....
....

Task 11 Give the correct form to the verbs in brackets.
(Precizaţi forma corectă a verbelor din paranteze.)

Model:

1. Duminica trecută *(I went)* .... la meciul Steaua-Dinamo.
2. Echipa Steaua *(won)* .... meciul.
3. După meci, eu şi soţia mea *(called on our friends)* ....
4. *(We came back)* .... acasă seara, pe la ora 22:30.
5. Când *(did you go)* .... la antrenament ultima dată?
6. *(Did you go)* .... la mare anul trecut?
7. Cât timp *(did you stay)* .... acolo?
8. Ce staţiuni maritime *(did you see)* .... în drum spre Neptun?
9. *(Have you ever got late)* .... la birou? De ce?
10. Când *(did you go shopping)* .... ultima dată?
11. La ce magazin *(did you shop)* .... ?
12. Când *(did you graduate)* .... colegiul?
13. Când *(did you come)* .... în România?
14. Cât timp *(did you wait)* .... la vamă?

Task 12 Describe the clothes your fellow is being dressed in today.
(Descrieţi vestimentaţia de astăzi a colegului dumneavoastră.)

....
....
....
....
....

TASK 13 Listen to the following sport article from the 'România liberă' daily newspaper.
(Ascultaţi următorul articol sportiv din cotidianul 'România liberă'.)

'Fotbal Club Naţional' a fost ultima echipă care s-a decis să înceapă pregătirile de iarnă după o vacanţă mai lungă ca niciodată. În timp ce F. C. Argeş, de exemplu, s-a reunit pe 4 ianuarie, jucătorii de la F. C. Naţional au preferat să îşi înceapă pregătirile cu 20 de zile mai târziu. De fapt elevii antrenorilor Alesanco şi Esteban – cei doi spanioli au ajuns din nou în România sâmbătă seara, în jurul orei 20:00 – vor face abia azi, 25 ianuarie, primul antrenament la Snagov.

TASK 14 Answer the questions below. Use the dictionary, if necessary.
(Răspundeţi la următoarele întrebări. Utilizaţi dicţionarul, dacă este cazul.)

1. Care echipă a început antrenamentul mai târziu?

   ....

2. La ce dată s-au reunit jucătorii de la F.C. Argeş?

   ....

3. Câte zile mai târziu şi-au început pregătirile jucătorii de la F.C. Naţional?

   ....

4. Când au făcut primul antrenament ?

   ....

5. Cine sunt antrenorii lor?

   ....

6. Unde şi-au făcut primul antrenament?

   ....

TASK 15 Fill in the following table with the clothes and footwear specific to each season.
(Completaţi următorul tabel cu articole de îmbrăcăminte şi încălţăminte specifice fiecărui anotimp.)

Îmbrăcăminte şi încălţăminte de vară	Îmbrăcăminte şi încălţăminte de toamnă	Îmbrăcăminte şi încălţăminte de iarnă	Îmbrăcăminte şi încălţăminte de primăvară
bluză / cămaşă	costum de haine / taior	palton	pantofi

TASK 16 Try the following crossword:
(Rezolvaţi următorul careu:)

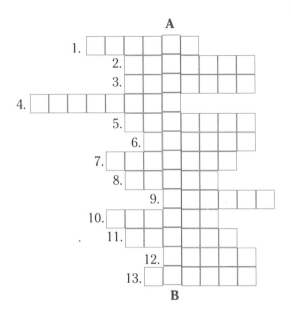

Across (*Orizontal*):
    1. sleeve
    2. tie
    3. thin (*sing.*)
    4. T-shirts
    5. cuff
    6. gloves
    7. sandals
    8. boots
    9. slippers
    10. scarf
    11. towel
    12. blouses
    13. silk

Down – *from* **A** *to* **B** *(Vertical)*: fitting-room (*three words*)

193

Key - Cheia Exercițiilor

Task 6
directori; directoare; contabili; contabile; vânzători; vânzătoare; asistenți; asistente; bibliotecari; bibliotecare; ingineri; inginere; economiști; economiste; profesori; profesoare.

Task 10
un strungar; o / nişte muncitoare; un director; o / nişte vânzătoare; o bibliotecară; un contabil; nişte ingineri; nişte directori.

Task 12
a) Cine sunteți dumneavoastră? b) Maria este bibliotecară. c) Mă numesc Ionescu. d) Îmi pare bine. e) Cum vă numiți dumneavoastră? f) Ea este vânzătoare. g) Cine este director?

Task 13
a) el; b) eu; c) ea; d) el; e) eu / ele; f) ea.

Task 14
1) dumneavoastră; 2) dumnealui / dânsul; 3) dumnealor; 4) dumneaei/ dânsa; 5) dumnealor / dânşii; 6) dumneavoastră

Task 15
1. Nu, Anton Şerban nu este analist la compania „Carpați". El este analist la compania „Astra". 2. Da, el / dumnealui / dânsul este director financiar la compania „Carpați". 3. Nu Anton Şerban nu locuieşte în Oslo. Locuieşte în Braşov. 4. Da, Jan Yvarsen este din Norvegia. 5. Mariana Ionescu este din Bucureşti. 6. Da, Anton Şerban este din România.

Task 20
1) sunteți; 2) sunt; 3) este; 4) este; 5) este 6) sunteți.

Task 24
1-f; 2-c; 3-e; 4-b; 5-d; 6-a; 7-h; 8-g; 9-i.

Task 25
Crossword *Orizontal*: 1) directoare; 2) strungar; 3) pe mâine; 4) pe curând; 5) secretară; 6) ocupat; 7) vânzător; 8) muncitor; 9) da; 10) deasupra; 11) printre; 12) inginer; 13) elevă.
Vertical: dumneavoastră.

Task 5
douăsprezece litere; două secretare; doisprezece directori; douăzeci şi doi de vânzători; patruzeci şi două de inginere; şaptezeci şi doi de elevi; cincizeci şi doi de instalatori; treizeci şi două de asistente; o sută doi constructori; o sută treizeci şi două de contabile; optzeci şi două de economiste; o sută şaizeci şi două de eleve.

TASK 6	a) şapte funcţionari; b) două calculatoare; c) trei coşuri de hârtii; d) patru scaune; e) trei fotolii; f) treizeci şi şapte de dosare, un telefon şi două dicţionare.
TASK 7	1) În birou se află cincisprezece sudori 2) În fabrică se află două mii trei sute de angajaţi. 3) Pe masă se află şapte cărţi. 4) În departamentul de marketing se află unsprezece economişti. 5) În departamentul financiar se află optsprezece funcţionari. 6) În cameră se află şase scaune.
TASK 16	1. Eu lucrez. 2. Maria rezolvă o problemă. 3. Cine pleacă? 4. Tu iei cina acum? 5. Noi vorbim. 6. El lucrează acum. 7. Când pleci? 8. Când staţi acasă? 9. Cine vine azi? 10. Voi vorbiţi la telefon? 11. Eu plec acum. 12. Ce faci? 13. Noi lucrăm acum. 14. Eu stau acum. 15. Voi plecaţi acum? 16. Când vine el la birou? 17. Andrei este aici? 18. Cine este acolo? 19. Tu eşti ocupat ? 20. Când veniţi voi la birou?
TASK 17	1. Ei nu au chef de lucru. 2. Vorbim despre planul de restructurare. 3. Biroul are are în componenţă 8 membri. 4. Cum staţi cu sănătatea? 5. Despre ce vorbiţi? 6. Ele nu au nici un amestec. 7. Olaf şi Bjorn vorbesc întotdeauna deschis. 8. La ora 16:00 iau parte la o şedinţă. 9. Noi luăm cina cu familia astă-seară. 10. El ia trenul de Constanţa. 11. Luaţi cu împrumut nişte bani. 12. Noi stăm pe scaune acum. 13. Tu nu ai astâmpăr vineri după-amiaza. 14. Maria şi Petre vorbesc aiurea acum. 15. Ei nu stau pe roze. 16. Ea nu are încredere în Angela. 17. Stăm la taifas cu maiştrii. 18. Cred că vorbeşti în vânt acum. 19. Este ora 18:30. Ele pleacă acasă acum. 20. El pleacă de la birou la ora 16:00.
TASK 19	1) lucrez 2. vii 3. rezolvaţi 4. ia 5. plecaţi 6. lucrează 7. staţi; plecaţi 8. aveţi.
TASK 23	1. Vineri la ora 17:20 domnul Valentin Ionescu vine acasă de la birou. 2. Miercuri la ora 14:00 ia masa cu domnul director Stamate. 3. Joi ia cina la 19:30. 4. Pleacă în delegaţie joi la ora 7:10. 5. Nu vorbeşte vineri cu directorii de fabrici. Vorbeşte cu ei luni la ora 9:00. 6. Luni şi duminică ia micul dejun cu familia. 7. Ia micul dejun singur joi la 6:45. 8. Nu, luni nu stă acasă. El stă acasă sâmbătă. 9. Miercuri la ora 14:00 ia masa cu domnul director Stamate. 10. Marţi la 12:00 rezolvă probleme urgente cu şefii de secţii.
TASK 24	**Adevărate**: 2, 4, 5, 6, 8, 9, 10. **False**: 1, 3, 7.
TASK 27	43; 21; 9; 55; 7,15; 27; 3,15; 1964; 3; 1999; 3,17; 2000; 50.
TASK 28	a – 8; b –3; c – 1; d – 5; e – 2; f – 7; g – 4; h – 6.

Task 29 1. a) Permiteţi-mi să mă prezint! b) Mă numesc Ide Yvarsen şi sunt din Norvegia. c) Sunt profesoară de muzică. 2) a) Îmi pare bine. b) Eu mă numesc Cornelia Tomescu şi sunt secretara şcolii. c) Permiteţi-mi să vă prezint domnului director. d) Domnule director, v-o prezint pe doamna Ide Yvarsen, mama elevului Ove Yvarsen. 3. Îmi pare bine să vă cunosc. 4. Vi-l prezint pe domnul director Valentin Stănescu. 5. Îmi pare bine să vă cunosc.

Task 33 1- stă; 2 – vorbeşte; 3 – venim; 4 – pleacă / vin; 5 – fac; 6 – iei.

Task 34 1. Vorbesc la telefon cu directorul de marketing 2. Lucrăm la raport cu inginerii de la Informatică 3. Andrei merge la şcoală cu autobuzul. 4. Mihai Ionescu ia de obicei masa cu Mihaela. 5. Autobuzul merge în centru. 6. Fac referatul pentru director.

Task 35 1. tine; 2. ele; 3. ei; 4. voi; 5. noi; 6. tine.

Task 36 **Crossword** *Orizontal* –1. micul dejun; 2. vineri; 3. lucrează; 4. treisprezece; 5. gustare; 6. şapte; 7. plecaţi; 8. miercuri; 9. acesta. *Vertical* – delegaţie

Lesson Three

Task 5 alerg, alergi, aleargă, alergăm, alergaţi, aleargă; pot, poţi, poate, putem, puteţi, pot; merg, mergi, merge, mergem, mergeţi, merg; citesc, citeşti, citeşte, citim, citiţi, citesc; urăsc, urăşti, urăşte, urâm, urâţi, urăsc.

Task 6 1. aşteptăm cu nerăbdare. 2. merge pe jos. 3. face mâncare / găteşte. 4. face bilanţul contabil. 5. aveţi putere deplină de decizie 6. face afaceri numai cu. 7. faceţi o aluzie la. 8. are grijă de / vede de.

Task 13 1. … este domnul Ionescu; 2. … domnul Ionescu are doi copii; 3. … John este din Marea Britanie; 4. … Anca lucrează în biroul acesta; 5. … Mircea este ocupat acum; 6. … ei sunt români.

Task 15 1. Cât zahăr cumperi / vinzi? 2. Câţi bani vrei? 3. Câte maşini ai? 4. Câtă benzină vrei? 5. Câţi fii ai? 6. Câţi ani ai? 7. Câţi copii ai? 8. Câţi prieteni ai? 9. Câtă făină cumperi? 10. Cât timp ai? 11. Câţi colegi ai? 12. Câte fiice ai?

Task 17 1. turcoaică; 2. olandez; 3. britanic; 4. spaniol; 5. elveţiană; 6. norvegian.

Task 18 1. John este din Canada. 2. Sunt / Suntem în Bucureşti de un an. 3. Alexandru este din Alba Iulia. 4. Alexandru este din judeţul Alba. 5. Sunt / Suntem în Londra de cinci zile. 6. Juan este din Spania. 7. Lucrez/ Lucrăm la Compania „Carpaţi" de un an. 8. Jerry este din Marea Britanie.

Task 20 **Crossword** *Orizontal* – 1. bulevard; 2. ocupat; 3. englez; 4. gară; 5. răspuns; 6. norvegian; 7. vacanţă; 8. teatru; 9. cinematograf. *Vertical* – Bună seara!

Task 3
1. Mai este şi un telefon. 2. Mai am şi două fete de 10 şi 12 ani. 3. Mai sunt şi 8 britanici. 4. Mai este şi domnul Ionescu. 5. Mai este şi un teatru. 6. Mai am şi o soră de 22 de ani.

Task 8
a) Dumnealui merge astăzi la aeroport la ora 11:45. b) Eu alerg în fiecare dimineaţă în jurul blocului. c) Noi aşteptăm un telefon din Norvegia, la ora 14:00. d)Voi citiţi ziare la birou în fiecare dimineaţă. e) Anca merge la birou cu autobuzul. f) Directorul este în ţară sau în Marea Britanie? g) Teatrul Naţional este lângă Hotelul Intercontinental.

Task 11
1. televizor / aparat de radio / cameră de zi / *robinet* / canapea; 2. terasă / subsol / pod / scară / *aspirator*; 3. canapea / noptieră / televizor / măsuţă / *creion;* 4. perdea / uşă / *chiuvetă* / covor / bibliotecă; 5. *birou* / frigider / dulap de bucătărie / masă de bucătărie / mixer de bucătărie; 6. lumină electrică / apă curentă rece / apă curentă caldă / cadă de baie / *acoperiş.*

Task 12
a) Între fotolii se află o măsuţă. b) Lângă canapea este o bibliotecă. c) Pe masă sunt nişte reviste. d) În frigider este o ciocolată. e) Lângă camera de zi se află un dormitor. f) Sub masă se află un coş de hârtii. g) În şifonier este o pereche de pantaloni. h) În bibliotecă sunt multe cărţi.

Task 14
Jan Yvarsen *locuieşte* într-un *apartament* cu trei camere în Piaţa Victoriei *la etajul şase.* Apartamentul *are* o cameră de zi şi *două dormitoare*, unul pentru el şi soţia sa şi unul pentru *copii*. Ei *au* un băiat de *şase ani* şi *o fată* de 3 ani. Anne este *soţia* lui. Ea *are treizeci şi patru de ani* şi este foarte drăguţă. Anne *este casnică.* Ei au o *casă* curată şi confortabilă. În *camera de zi* se află *o bibliotecă, o vitrină, o canapea* cu *două fotolii, o măsuţă* pentru *televizor* şi o măsuţă pentru cafea. De obicei, pe măsuţă se află *ziare, reviste* şi *o vază* cu flori. Pe *podea* este *un covor* gri, iar *la fereastră* se află *o perdea* albă şi foarte *curată.* Pe peretele de *lângă canapea* se află *două tablouri.* În dormitor se află *un dulap de haine, un pat, două noptiere,* unde sunt *parfumuri, deodorante* şi *truse de machiaj.* Pe fiecare noptieră se află *o veioză.* Pe noptiera de lângă *dulapul de haine* se află un ceas cu radio. În dormitorul în care stau *copiii* se află două paturi, un şifonier, *două birouri* şi *o măsuţă* pe care sunt multe *jucării.* La fereastră se află o perdea *foarte viu colorată.* În bucătărie se află o masă de patru persoane, *patru scaune, un dulap* şi *o chiuvetă.* La intrare este *un frigider.* În baie se află un *bazin de toaletă, o chiuvetă* şi *o cadă* cu duş.

Task 18
Crossword *Orizontal* – 1. cameră; 2. spaţioasă; 3. sufragerie; 4. cartier; 5. dormitor; 6. baie; 7. monede; 8. bancnote; 9. scaun; 10. bucătărie. *Vertical* – apartament.

TASK 4   1. aş citi; 2. am merge; 3. ar vorbi; ar avea; 4. ar alerga; ar avea; 5. am aştepta; 6. aş opri; aş găsi; 7. ar rezolva; ar avea; 8. aş merge; aş avea.

TASK 6   1. cui / de ce; 2. când / unde; 3. ce / pe cine; 4. cu cine / când; 5. când / de ce / cu cine; 6. ce; 7. unde; 8. pe cine / ce; 9. cine; 10. la cine / la ce.

TASK 9   Astăzi la ora 8:30 am oră la dentist *apoi* fac cumpărături. La ora 12:00 iau masa cu d-na Ionescu şi *după aceea* merg la coafor. La ora 14:30 vorbesc la telefon cu soţul meu, *apoi* fac lecţiile cu fiul meu. *Imediat ce* soţul meu ajunge acasă, mergem la aeroport să-l luăm pe Andrei, care vine cu avionul de ora 17:45.

TASK 14   **Crossword** *Orizontal* – 1. sfat; 2. metrou; 3. gară; 4. ţigară; 5. bicicletă; 6. troleibuz; 7. drumul către; 8. aeroport; 9. cu maşina; 10. autocar; 11. tren; 12. port; 13. barcă; 14. cu vaporul; 15. cenzori.
Vertical – staţie de autobuz.

TASK 12   1. cea mai bună; 2. mai înalt; 3. cel mai mult; 4. mai în vârstă; 5. cea mai lungă; 6. cea mai scurtă.

TASK 16   roşii coapte; castraveţi muraţi; ouă fierte; fructe acre; mâncare proaspătă; femei tinere; copil fericit; îngheţate dulci; pepene mic.

TASK 19   **Crossword** *Orizontal* – 1. salată verde; 2. curcan; 3. pui; 4. mazăre; 5. andive; 6. clătite cu brânză; 7. fasole verde; 8. pateu; 9. îngheţată; 10. ou fiert; 11. homar; 12. peşte.
Vertical – supă de legume.

TASK 2   1. convorbirea; 2. telefonul; 3. prefixul; 4. cartea; 5. firul; 6. abonatul; 7. informaţiile; 8. tonul; 9. taxa; 10. factura; 11. centralista; 12. receptorul; 13. abonamentul; 14. interiorul.

TASK 3   1. abonatul; factura; 2. abonamentul; 3. centrala; 4. centralista; 5. prefixul; 6. telefonul; 7. numărul; centrala; 8. directorul; 9. compania; 10. numele.

TASK 4   1. Nişte secretare vorbesc la telefon. 2. Nişte bărbaţi vorbesc cu fiii mei. 3. În vaze sunt nişte lalele. 4. Lângă dulapuri sunt cadourile mele. 5. Tablourile sunt pe pereţi. 6. În staţii sunt tramvaie. 7. Nişte pachete de ţigări sunt în buzunare. 8. Nişte ciocolate sunt în sacoşe. 9. Chiorchinii de struguri sunt pe farfurii. 10. Nişte perechi de ochelari sunt pe masă.

TASK 6   1. va; 2. va; 3. va; 4. vom; 5. voi; 6. va; va; 7. veţi; 8. voi; 9. va; 10. vor; vom; 11. veţi; 12. va; 13. va; 14. voi; 15. vom; 16. veţi; 17. va; 18. va; 19. vei; 20. veţi; 21. va; 22. va; 23. va; 24. vom; 25. va.

TASK 7   1. El; 2. Noi; 3. el; 4. Eu; 5. Voi; 6. noi; 7. Tu; 8. Eu.

TASK 11   *A:* Vom pleca la munte în acest weekend. Vom merge la Poiana Braşov. / *B:* Cu ce veţi merge la Poiana Braşov? / *A:* Cred că vom merge cu trenul, nu cu maşina. / *B:* Cu ce tren veţi pleca? / *A:* Vom pleca cu trenul de 6:15. / *B:* La ce oră veţi ajunge la Poiana Braşov? / *A:* Vom ajunge înainte de prânz. / *B:* La ce hotel veţi sta? / *A:* Vom sta la Hotel Sport. / *B:* Când vă veţi întoarce? / *A:* Ne vom întoarce duminică seara. / *B:* Cu ce tren? / *A:* Cu trenul de 18:30, dacă nu va fi foarte aglomerat.

TASK 13   **Crossword** *Orizontal* – 1. scaun; 2. prefix; 3. centralistă; 4. poimâine; 5. deranjamente; 6. viitor; 7. tablouri; 8. floarea; 9. femeile. *Vertical* – săptămâna viitoare.

Lesson Eight

TASK 3   1. nişte capse; 2. un plic; 3. nişte (coli de) hârtie; 4. filtre; 5. nişte scaune; 6. rafturi de birou; 7. o bibliotecă; 8. un ventilator; 9. o măsuţă; 10. dischete; 11. creioane; 12. nişte pixuri; 13. nişte bani; 14. agrafe de birou; 15. chei; 16. nişte markere; 17. planşete; 18. o cerere de achiziţionare; 19. birou; 20. calorifere; 21. capsatoare; 22. capse; 23. cafetieră; 24. hârtie.

TASK 5   1. nici; nici; 2. fie; fie; 3. şi de; 4. nici; nici; 5. nici; nici.

TASK 7   1. aceasta; 2. aceia; 3. aceea; 4. acelea; 5. acesta / acela; aceasta / aceea; 6. aceea; 7. acestea / acelea; 8. aceştia / aceia; 9. aceasta; 10. aceea.

TASK 11   1. Acestea sunt imprimante. 2. Acestea nu sunt probleme. 3. Acelea sunt biblioteci. 4. Acestea sunt pixuri sau stilouri? 5. Acestea sunt poveşti interesante. 6. Acele uşi sunt închise sau deschise? 7. Acelea nu sunt dosare. 8. Acestea nu sunt idei bune. 9. Acestea nu sunt birourile mele? 10. Acestea sunt ventilatoarele tale? 11. Acestea sunt bucătăriile? 12. Care sunt dormitoarele? 13. Unde sunt camerele de oaspeţi? 14. Care sunt numerele de telefon? 15. Ai cărţi de telefon? 16. Unde sunt agendele? 17. Prietenii aceştia locuiesc în Bucureşti sau în provincie? 18. Facturile sunt în sertare. 19. Profesoarele au cărţile acestea? 20. Unde sunt cheile?

TASK 15   1. Este biroul său. 2. Este agenda mea. 3. Sunt capsele sale. 4. Sunt banii noştri. 5. Sunt scrisorile voastre. 6. Sunt cărţile lor. 7. Sunt creioanele lor. 8. Este discheta mea.

Task 16 „Sunt om de afaceri şi am *nevoie de un birou* spaţios şi de multe materiale consumabile. Am două sau trei *şedinţe* în fiecare zi şi trebuie să întocmesc multe *rapoarte* pentru patronul *companiei*. Am multe obiecte în biroul meu. Pe masa de lucru sunt: un calculator, o imprimantă, o agendă, un capsator, un perforator, o cutie de capse, *o cutie de agrafe de birou*, două pixuri, un stilou *roşu*, şi un caiet. Lângă calculator este *un telefon*. Am şi un telefon mobil. *Am nevoie de* acest telefon mobil pentru a comunica foarte rapid cu *partenerii de afaceri*. Pe măsuţa de lângă birou se află un copiator Cannon. Este un copiator foarte bun. Acest *copiator* poate face 200 de copii pe minut. Este un copiator performant, nu-i aşa?”

Task 18 **Crossword** *Orizontal* - 1. şerveţele; 2. agendă; 3. imprimantă; 4. cafetieră; 5. dischetă; 6. sală de conferinţe; 7. calculator; 8. proiector; 9. copiator; 10. scrisoare; 11. dosar; 12. sertar.
Vertical – ventilatoare.

Lesson Nine

Task 5 1. îmi; 2. îi; 3. îţi; 4. vă; 5. îmi; 6. îi; 7. îţi; 8. îi; 9. ne; 10. –ţi; 11. –ţi; 12. îţi; 13. ne; 14. îmi; 15. îţi; 16. îi; 17. le; 18. vă; 19. îmi; 20. îi.

Task 6 1. cartofii prăjiţi; piureul de cartofi; 2. vermutul cu lămâie; vermutul cu apă minerală; 3. conopida cu unt; conopida cu brânză; 4. îngheţata de cireşe; îngheţata de căpşuni; 5. inelele de aur; inelele de argint; 6. salata de legume cu leuştean; salata de legume cu pătrunjel; 7. îmi spune; 8. clătitele; 9. ţelina; 10 andivele.

Task 9 un; două mii patru sute; două; două; o; una; douăzeci şi opt de mii două sute; două sute; două mii.

Task 12 **Crossword** *Orizontal* – 1. colier; 2. ceasornicărie; 3. agenţia loto; 4. croitorie; 5. tutungerie; 6. porumb; 7. dovleac; 8. ardei verde; 9. piersici; 10. mere; 11. caise; 12. struguri; 13. orez; 14. secară; 15. ridichi; 16. ţelină; 17. vinete; 18. cereale; 19. varză; 20. usturoi; 21. fasole.
Vertical – raionul de marochinerie.

Lesson Ten

Task 6 1. raportul contabilului; 2. numele vânzătoarei / vânzătoarelor; 3. activitatea inginerelor; 4. atribuţiile asistentelor; 5. fişele bibliotecarilor; 6. diplomele economiştilor; 7. salariul profesorului; 8. cursul studentei; 9. mamele prietenelor; 10. birourile companiei.

Task 7 1. Din cauza ninsorii nu mai plecăm la munte. 2. În jurul directorului se află câţiva colaboratori. 3. Andrei Ionescu se află în fruntea sindicatului din compania noastră. 4. Ea lucrează în locul centralistei bolnave. 5. Compania ABC se află în urma companiei „Carpaţi”. 6. Au loc mari schimbări în societate de-a lungul anilor.

TASK 10   1. Camerele sunt ale noastre. 2. Calculatorul este al său. 3. Bancnotele sunt ale lor. 4. Abonamentul este al meu. 5. Banii sunt ai săi. 6. Telefonul este al său. 7. Cartea de telefon este a mea. 8. Stiloul roşu este al meu. 9. Proiectorul este al său. 10. Cererea de achiziţionare este a sa. 11. Ventilatorul este al meu. 12. Scrisoarea este a sa.

TASK 11   1. a treia; 2. întâi; al patrulea; 3. a şaptesprezecea; 4. a opta; 5. al douăzeci şi treilea; 6. a unsprezecea; 7. a treia; 8. primul; 9. a noua.

TASK 13   **Crossword** *Orizontal* – 1. vara; 2. toamna; 3. cadouri; 4. petrecere frumoasă!; 5. primăvara; 6. La mulţi ani!; 7. Vacanţă plăcută!; 8. al tău; 9. iarna; 10. Paşte fericit!
Vertical: anotimpuri.

Lesson Eleven

TASK 2   anunţ; anunţi; anunţă; anunţăm; anunţaţi; anunţă; consult; consulţi; consultă; consultăm; consultaţi; consultă; răspund; răspunzi; răspunde; răspundem; răspundeţi; răspund; transmit; transmiţi; transmite; transmitem; transmiteţi; transmit; trimit; trimiţi; trimite; trimitem; trimiteţi; trimit; tuşesc; tuşeşti; tuşeşte; tuşim, tuşiţi, tuşesc.

TASK 3   1. *Cinci pacienţi au* febră mare de câteva zile; 2. *Noi tuşim* de cinci zile. 3. *Victor trebuie să consulte* un doctor. 4. Ce simptome *au copiii din salon*? 5. *Părinţii* fetiţei *sunt* foarte *îngrijoraţi*; 6. *Asistentele vor veni* imediat!

TASK 5   1. Mă doare o măsea. 2. Am o durere de ficat. 3. Mă dor rinichii. 4. Mă doare un genunchi. 5. Mă doare / Mă supără o gleznă. 6. Mă doare braţul drept. 7. Mă doare gâtul. 8. Mă doare / supără inima. 9. Am o durere de spate.

TASK 6   1. Spune totdeauna adevărul! 2. Deschide uşa! 3. Mai rămâneţi aici o oră! 4. Du-te la birou mai devreme! 5. Du-te la doctor! 6. Nu mai vorbi aşa de mult! 7. Vorbeşte! 8. Termină raportul la timp! 9. Hai la şedinţă! 10. Nu staţi la uşă!

TASK 10   1. Îl vreau. 2. Îl cunosc. 3. Îl întocmim. 4. Le urmărim. 5. Îl aştept. 6. Îl vindem. 7. Le ducem în biroul alăturat. 8. Îl comentează. 9. Îl vizităm. 10. Angela îl vrea.

TASK 12   **Crossword** *Orizontal* – 1. spital; 2. măsea 3. gleznă 4. rană; 5. deget; 6. dinte; 7. cap; 8. bronşită; 9. prim ajutor; 10. creier; 11. pleoape; 12. pacient; 13. spate; 14. ureche; 15. frunte.
Vertical – sală de aşteptare.

TASK 4

1. Am aşteptat cu nerăbdare vacanţa de vară. 2. Mircea nu a mers la birou ieri. 3. Cine a gătit ieri? 4. Contabilul a întocmit bilanţul săptămâna trecută. A fost foarte ocupat. 5. Voi aţi avut putere deplină de decizie până acum. 6. Compania „Carpaţi" a avut relaţii de afaceri numai cu parteneri serioşi. 7. Cred că dumneavoastră aţi făcut aluzie la întâlnirea de ieri. 8. Doamna Popescu a avut grijă de Mihăiţă acum câţiva ani.

TASK 6

1. Alaltăieri am fost obosiţi. Nu am avut chef de lucru. 2. Directorul ne-a vorbit luna trecută despre planul de investiţii. 3. Echipa managerială a fost formată anul trecut din opt directori. 4. Cum a stat Mihai cu sănătatea în clasa a şaptea? 5. Despre ce ai vorbit la şedinţa de săptămâna trecută? 6. El nu a avut o slujbă serioasă acum trei ani. 7. Jarl a vorbit întotdeauna deschis. 8. Pe 17 ianuarie la ora 16:00 am participat la o şedinţă foarte importantă. 9. Eu am luat cina cu familia ieri seară. 10. Marţea trecută ai luat trenul de Constanţa la ora 17:16. 11. Acum trei luni am luat un credit de la bancă. 12. El a stat pe scaun acum trei minute. 13. Andrei nu a avut astâmpăr ieri după-amiază. 14. Dan a vorbit aiurea la întâlnirea de săptămâna trecută. 15. Tu nu ai stat pe roze niciodată. 16. Aţi stat la taifas cu maiştrii câteva ore, ieri. 17. Cred că am vorbit în vânt la ora de română de săptămâna trecută. 18. Joia trecută la ora 18:30 am fost la teatru.

TASK 9

Eu am băut Coca-Cola. Eu am citit o carte bună. Tu ai coborât scările. Voi nu aţi cumpărat fructe. Prietenul meu a dat un telefon. Copilul nu a deschis uşa. Elevii au făcut gălăgie. Ea a fost fericită. El a fugit de răspundere. Englezii nu au fumat. Noi am ieşit în oraş. Ploaia a început. Voi aţi încercat. Mama a închis geamul. Directorul a intrat în birou. Eu am întrebat despre proiect. Noi toţi am înţeles. Studenţii au luat notiţe. Toţi copiii au mâncat prăjituri. Noi nu am mers la gară pe jos. Soţia mea a pus masa. Noi am rămas singuri. Preşedintele a răspuns la întrebări. Contabilul a rezolvat o problemă. Voi v-aţi schimbat hainele. Ei au scris o scrisoare. Nimeni nu a spus adevărul. Publicul a tăcut. Secretarele au terminat de scris. Noi am tradus un text. Călătorii au urcat în tren. Ele nu au venit la timp. Ele vorbesc mult întotdeauna.

TASK 13

1. Maria mi-a spus o poveste amuzantă zilele trecute. 2. I-am adus (ei) nişte flori. 3. Ne-au spus că au terminat raportul. 4. (Ea) Ne-a adus un cadou. 5. Alexandru mi-a dat trei trandafiri minunaţi. 6. Le-am trimis un fax la începutul anului. 7. Cine ţi-a dat ideea aceasta nemaipomenită? 8. Nimeni nu ne-a spus adevărul.

TASK 15

Crossword *Orizontal* 1. renume; 2. sold; 3. negociere; 4. ipotecă; 5. debitor; 6. plată; 7. cont de depozit; 8. datornic; 9. acţionar; 10. comision 11. bilanţ contabil; 12. an fiscal; 13. active fixe; 14. cheltuială; 15. scadenţă.
Vertical – monedă naţională.

Task 4   I. Ce aţi dori?; Ce preţ au?; Achit aici sau la casă? II. Pantaloni bărbăteşti aveţi? M-ar interesa nişte pantaloni şi pentru fiul meu. Acolo sunt şi articole pentru copii?

Task 7   1. ne-; 2. le-; 3. părinţilor; 4. mi-; 5. studenţilor; 6. muncitorilor; 7. angajaţilor.

Task 8   1. Pot să pun o întrebare *unui director / unor directori*? 2. Cui *i-a dat* Carmen dicţionarul Român–Englez? 3. Cine *i-a înmânat* secretarei lista cu necesarul de materiale? 4. *Le-am cerut* doctorilor un sfat. 5. *Le-am dat* copiilor trei îngheţate. 6. Andrei *le-a oferit* colegilor şampanie de ziua lui de naştere. 7. *I-am cumpărat soţului* meu o cravată modernă. 8. Cine *ne aduce* nouă corespondenţa?

Task 9   1. De obicei eu urmăresc jocurile de fotbal în week-end. 2. Săptămâna trecută voi aţi mers la pescuit. 3. Ele ştiu să joace tenis? 4. Ea ştie să meargă cu bicicleta? 5. Când au fost prietenii tăi ultima dată la un meci de fotbal? 6. Care fotbalişti au marcat în meciul cu Steaua Bucureşti? 7. Alpinismul este sportul meu preferat. 8. Ei ştiu să joace baschet?

Task 11   1. am mers; 2. a câştigat; 3. am făcut o vizită prietenilor noştri; 4. ne-am întors; 5. ai mers; 6. ai fost / aţi fost; 7. ai stat / aţi stat; 8. ai / aţi văzut / vizitat; 9. ai / aţi întârziat vreodată; 10. ai / aţi fost la cumpărături; 11. ai / aţi făcut cumpărături; 12. ai / aţi absolvit; 13. ai / aţi venit; 14. ai / aţi aşteptat.

Task 16   **Crossword** *Orizontal* – 1. mânecă; 2. cravată; 3. subţire; 4. tricouri; 5. manşetă; 6. mănuşi; 7. sandale; 8. ghete; 9. papuci; 10. eşarfă; 11. prosop; 12. bluze; 13. mătase.
Vertical – cabină de probă.

English – Romanian Vocabulary / Vocabular englez – român

a / an *indef. art.* — o *(f.)*, un *(m., n.)*

about *prep.* — despre / asupra *(+ Gen.)*

about / approxima-tely *adv.* — cam

above *prep.* — deasupra *(+ Gen.)*

above *adv.* — sus

account *n.* — cont *n.n.*

accountant *n.* — contabil *m.n.*

accounting office — contabilitate *f.n.*

accuse *v.* — a acuza

ache *v.* — a durea / a avea dureri de

ache *n.* — durere *f.n.*

acquire *v.* — a achiziţiona

activity *n.* — activitate *f.n.*

actor, actress *n.* — actor *m.n.*, actriţă *f.n.*

actually / in fact *adv.* — de fapt

additional calls — convorbiri adiţionale

additional charges — speze suplimentare

advice *n.* — sfat *n.n.*

advisable *adj.* — recomandabil

advise *v.* — a sfătui

after *prep.* — după

again *adv.* — iar

against *prep.* — contra *(+ Gen.)*; împotriva *(+ Gen.)*

age *n.* — vârstă *f.n.*

aged *adj.* — în vârstă

ahead *adv.* — înainte

airport *n.* — aeroport *n.n.*

(pale) ale *n.* — bere blondă

all *adj., pron.* — tot, toată *(sg.)*; toţi, toate *(pl.)*

all right / well *adv.* — bine

all the time — tot timpul

allocate *v.* — a aloca

allow *v.* — a permite

allude (to) *v.* — a face aluzie (la)

alone *adj.* — singur

along / over *prep.* — de-a lungul *(+ Gen.)*

already *adv.* — deja

always *adv.* — întotdeauna

amazing *adj.* — uimitor

ambulance *n.* — ambulanţă *f.n.*

Ambulance Service — Salvarea

amethyst *n.* — ametist *n.n.*

among *prep.* — printre

amount *n.* — sumă *f.n.*

analysis *n.* — analiză *f.n.*

analyst *n.* — analist *m.n.*

ancient *adj.* — vechi

and *conj.* — şi

angry *adj.* — supărat

ankle *n.* — gleznă *f.n.*

anniversary *n.* — aniversare *f.n.*

announce *v.* — a anunţa

answer *v.* — a răspunde

any *adj., pron.* — orice, oricare

anyhow / anyway *adv.* — oricum

anything *pron.* — orice

appeal (to) *v.* — a face apel (la)

apple *n.* — măr *n.n.*

apply / ask for a loan — a solicita un credit

appointment *n.* — întâlnire, şedinţă *f.n.*

approach *n.* — demers *n.n.*

apricot *n.* — caisă *f.n.*

April *n.* — aprilie *m.n.*

archaeologist *n.* — arheolog *m.n.*

architect *n.* — arhitect *m.n.*

arm *n.* — braţ *n.n.*

armchair *n.* — fotoliu *n.n.*

(a)round (the) *prep.* — în jurul *(+ Gen.)*

arrive *v.* — a ajunge

as soon as — de îndată ce / imediat ce

as soon as possible — cât de curând

as well as... — precum şi...

ask *v.* — a întreba

ask / to beg *v.* — a ruga

ask / demand *v.* — a cere

asparagus *n.* — sparanghel *m.n.*

aspirin *n.* — aspirină *f.n.*

assistant *n.* — asistent *m.n.*

assorted *adj.* — asortat

astronomer *n.* — astronom *m.n.*

at *prep.* — la

at the head of — în fruntea *(+ Gen.)*

athletics *n.*	atletism *n.n.*	beefsteak *n.*	biftec *n.n.*
audience *n.*	public *n.n.*	before *prep.*	înaintea *(+ Gen.)*
auditor *n.*	cenzor *m.n.*	begin *v.*	a începe
August *n.*	august *m.n.*	beginning *n.*	început *n.n.*
aunt *n.*	mătuşă *f.n.*	behind *prep.*	în spatele / urma *(+ Gen.)*
autumn *n.*	toamnă *f.n.*		
available *adj.*	disponibil	believe *v.*	a crede
avenue *n.*	bulevard *n.n.*	belly *n.*	pântece *n.n.*
awful *adj.*	îngrozitor	below *adv.*	dedesubt
bachelor flat *n.*	garsonieră *f.n.*	beside *prep.*	pe lângă
back *adv.*	înapoi	better *adv.*	mai bine
back *n.*	spate *n.n.*	between *prep.*	între
back entrance	intrare de serviciu	bid *n.*	ofertă de cumpărare
backbone *n.*	coloană vertebrală	big *adj.*	mare
bad *adj.*	rău	bike *n.*	bicicletă *f.n.*
bag *n.*	sacoşă *f.n.*; sac *m.n.*; pungă *f.n.*	bill *n.*	notă de plată / factură *f.n.*
bake *v.*	a face prăjituri	bill of fare	meniu *n.n.*
baker's *n.*	brutărie *f.n.*	birthday *n.*	zi de naştere
balance *n.*	bilanţ *n.n.*	bit *n.*	bucăţică *f.n.*
balance of payment	balanţă de plăţi	black *adj.*	negru
balance sheet	bilanţ contabil	blackberries *n.*	mure *f.n.pl.*
ball *n.*	minge *f.n.*	block-of-flats *n.*	bloc *n.n.*
ballpen *n.*	pix *n.n.*	blood analysis / test	analiză de sânge
banana *n.*	banană *f.n.*	blouse *n.*	bluză *f.n.*
bank *n.*	bancă *f.n.*	blue *adj.*	albastru
bank note *n.*	bancnotă *f.n.*	board of directors	consiliu de administraţie
bankruptcy *n.*	faliment *n.n.*		
bar *n.*	bar *n.n.*	boat *n.*	barcă *f.n.*
barber's *n.*	frizerie *f.n.*	body *n.*	corp / trup *n.n.*
basement *n.*	subsol *n.n.*	body-spray *n.*	deodorant *n.n.*
bathroom *n.*	baie *f.n.*	boiled *adj.*	fiert
bath-tub *n.*	cadă de baie	boiled fish	rasol de peşte
be *v.*	a fi / a se afla	boiled meat	carne rasol
be allowed	a avea voie	book *n.*	carte *f.n.*
be covered	a avea acoperire	book-case *n.*	bibliotecă *f.n.*
begin *v.*	a începe	boot *n.*	gheată *f.n.*
be happy	a se bucura	boring *adj.*	plictisitor
be in the mood (for)	a avea chef (de)	borrow *v.*	a lua cu împrumut
be in the pink	a sta pe roze	borrower *n.*	debitor *m.n.*
beard *n.*	barbă *f.n.*	both *pron.*	amândoi
beautiful *adj.*	frumos	bottle *n.*	sticlă *f.n.*
beauty parlour	salon de cosmetică	bowl *n.*	vas *n.n.*
because *conj.*	fiindcă / pentru că	box *n.*	cutie *f.n.*
because of *prep.*	din cauza *(+ Gen.)*	box of matches	cutie de chibrituri
bed *n.*	pat *n.n.*	boy *n.*	băiat *m.n.*
bedroom *n.*	dormitor *n.n.*	bracelet *n.*	brăţară *f.n.*
bedside table *n.*	noptieră *f.n.*	brain *n.*	creier *n.n.*
		bread *n.*	pâine *f.n.*

break even *n.*	prag de rentabilitate
break even *phr. v.*	a atinge pragul de rentabilitate
breakfast *n.*	micul dejun
breast *n.*	sân *m.n.*
briefcase *n.*	servietă *f.n.*
brilliant *adj.*	strălucitor
bring *v.*	a aduce
British *n.*	britanic *m.n.*
bronchitis *n.*	bronşită *f.n.*
brooch *n.*	broşă *f.n.*
brother *n.*	frate *m.n.*
brother-in-law *n.*	cumnat *m.n.*
brown *adj.*	cafeniu / maro
builder *n.*	constructor *m.n.*
(electric) bulb *n.*	bec *n.n.*
bunch *n.*	buchet *n.n.*
bus *n.*	autobuz *n.n.*
bus stop /station	staţie de autobuz
business *n.*	afacere *f.n.*
business meeting	întâlnire de afaceri
business partner	partener de afaceri
business trip	delegaţie *f.n.*
but *conj.*	dar / însă
butter *n.*	unt *n.n.*
buy *v.*	a cumpăra / achiziţiona
by *prep.*	de către
by all means *adv. phr.*	negreşit
by chance *adv. phr.*	cumva
cabbage *n.*	varză *f.n.*
cake *n.*	prăjitură *f.n.* / chec *n.n.*
calendar *n.*	calendar *n.n.*
call *n.*	convorbire telefonică
call / ring up *v.*	a da un telefon / suna
Call Services	Servicii telefonice
calling *n.*	chemare *f.n.*
camera *n.*	aparat de fotografiat
can *v.*	a putea
Canadian *n.*	canadian *m.n.*
car *n.*	maşină *f.n.*
(motor) car *n.*	autoturism *n.n.*
(telephone) card *n.*	cartelă (telefonică) *f.n.*
cards *n.*	cărţi de joc
carpet *n.*	covor *n.n.*
carrier *n.*	carieră *f.n.*
carrot *n.*	morcov *m.n.*

cash *n*	numerar *n.n.*
cashier desk	casă / casierie *f.n.*
cassette recorder	casetofon *n.n.*
catch a cold	a răci
catching / contagious *adj.*	contagios
cauliflower *n.*	conopidă *f.n.*
celebrate *v.*	a sărbători
celery *n.*	ţelină *f.n.*
cellar *n.*	pivniţă *f.n.*
central bank	bancă centrală
central heating	încălzire centrală
centre *n.*	centru *n.n.*
cereals *n.*	cereale *f.n.*
chain *n.*	lanţ *n.n.*
chair *n.*	scaun *n.n.*
chalet *n.*	cabană *f.n.*
change *n.*	schimbare *f.n.*
change *v.*	a schimba
charge *v.*	a percepe
chat *v.*	a sta la taifas
cheap *adj.*	ieftin
check up *phr. v.*	a verifica
cheek *n.*	obraz *m.n.*
cheese *n.*	brânză *f.n.*
chemist's *n.*	farmacie *f.n.*
cheque *n.*	cec *n.n.*
cherry *n.*	cireaşă *f.n.*
chest *n.*	piept *n.n.*
chest of drawers	comodă *f.n.*
chicken *n.*	pui (de găină) *m.n.*
chief *n.*	şef *m.n.*
child *n.*	copil *m.n.*
chin *n.*	bărbie *f.n.*
chocolate *n.*	ciocolată *f.n.*
choice *n.*	alegere *f.n.*
Christmas *n.*	Crăciun *n.n.*
cigarette *n.*	ţigară *f.n.*
cinema *n.*	cinematograf *n.n.*
claim *v.*	a revendica
class *n.*	oră (de curs) *f.n.*
clean *adj.*	curat
clerk *n.*	funcţionar *m.n.*
client *n.*	client *m.n.*
climb up *phr. v.*	a urca
clinic *n.*	clinică *f.n.*
close *v.*	a închide
closed *adj.*	închis

cloud *n.*	nor *m.n.*
clumsy *adj.*	neîndemânatic
coach *n.*	autocar *n.n.*
coat *n.*	haină *f.n.*
coffee *n.*	cafea *f.n.*
coffee filter	filtru de cafea
coffee maker	cafetieră *f.n.*
coin *n.*	monedă *f.n.*
cold *adj.*	rece
colleague *n.*	coleg *m.n.*
college *n.*	colegiu *n.n.*
colour *n.*	culoare *f.n.*
column *n.*	coloană *f.n.*
come *v.*	a veni
come back *phr. v.*	a reveni / a se întoarce
come due	a deveni scadent / ajunge la scadenţă
comfortable *adj.*	confortabil
Come in!	Intraţi!
comma *n.*	virgulă *f.n.*
comment *v.*	a comenta
commercial bank	bancă comercială
commercial director	director comercial
commission *n.*	comision *n.n.*
communicate *v.*	a comunica
company *n.*	companie *f.n.*
computer *n.*	calculator *n.n.*
confectionery *n.*	cofetărie *f.n.*; dulciuri *n.n.pl.*
conference room	sală de conferinţe
confused *adj.*	contrariat
congratulations *n.*	felicitări *f.n.pl.*
consonant *n.*	consoană *f.n.*
consulting room *n.*	cabinet medical
consumables *n.*	materiale consumabile
conversation *n.*	conversaţie *f.n.*
cook *n.*	bucătar *m.n.*
cook *v.*	a face mâncare / a găti
cooker *n.*	aragaz *n.n.*
copy *n.*	copie *f.n.*
copy mashine *n.*	copiator *n.n.*
copy-book *n.*	caiet *n.n.*
corn flakes	fulgi de porumb
corner *n.*	colţ *n.n.*
corridor *n.*	coridor; hol *n.n.*
cost *v.*	a costa
cotton *n.*	bumbac *n.n.*
cough *n.*	tuse *f.n.*
counsellor *n.*	consilier *m.n.*
counter *n.*	ghişeu *n.n.*
country *n.*	ţară *f.n.*
county *n.*	judeţ *n.n.*
course *n.*	curs *n.n.*
cousin *n.*	văr *m.n.*
co-worker *n.*	colaborator *m.n.*
credit *n.*	credit *n.n.*
cross (the street) *v.*	a traversa
crossroad *n.*	intersecţie *f.n.*
crowded *adj.*	aglomerat
cucumber *n.*	castravete *m.n.*
cup *n.*	ceaşcă *f.n.*
cupboard *n.*	dulap (de bucătărie) *n.n.*
currency *n.*	valută *f.n.*
current account	cont curent
curtain *n.*	perdea *f.n.*
customs *n.*	vamă *f.n.*
cut *n.*	tăietură *f.n.*
daily *adv.*	zilnic *adv.*
dairy (counter) *n.*	(raion de) lactate *f.n.pl.*
Dane *n.*	danez *m.n.*
dates (fruit) *n.*	curmale *f.n.pl.*
date / day *n.*	dată *f.n.*
date / time *n.*	oară *f.n.*
daughter *n.*	fiică *f.n.*
daughter-in-law *n.*	noră *f.n.*
day *n.*	zi *f.n.*
the day after tomorrow	poimâine
the day before yesterday	alaltăieri
day-off *n.*	zi liberă
... days ago	acum ... zile
dear *adj.*	drag
debtor *n.*	datornic *m.n.*
December *n.*	decembrie
decide *v.*	a hotărî
decision *n.*	hotărâre *f.n.*
decrease *v.*	a scădea
deep *adj.*	adânc
degree *n.*	grad *n.n.*
delicious *adj.*	delicios
delighted *adj.*	încântat
demand *n.*	cerere *f.n.*
demanding *adj.*	exigent

dentist *n.*	dentist *m.n.*
department / counter *n.*	raion *n.n.*
department store	magazin universal
depend *v.*	a depinde
deposit *v.*	a depune
deposit account	cont de depozit
dessert *n.*	desert *n.n.*
detective *n.*	detectiv *m.n.*
diagnosis *n.*	diagnostic *n.n.*
dial *v.*	a forma un număr de telefon
dictionary *n.*	dicţionar *n.n.*
difference *n.*	diferenţă *f.n.*
dill *n.*	mărar *n.sg.*
dining-room *n.*	sufragerie *f.n.*
diploma *n.*	diplomă *f.n.*
direct debit	transfer automat în cont
director / manager *n.*	director *m.n.*
disc *n.*	disc *n.n.*
discount house	casă de scont
discount market	piaţă de scont
discuss *v.*	a discuta
dislike *v.*	a displăcea
district *n.*	cartier *n.n.*
do *v.*	a face
do business	a face afaceri
do the lessons	a face lecţiile
dog *n.*	câine *m.n.*
dollar *n.*	dolar *m.n.*
dollop *n.*	tranşă de împrumut
door *n.*	uşă *f.n.*
dough-nut *n.*	gogoaşă *f.n.*
draft / draw up *v.*	a întocmi
drapery *n.*	stofe *f.n.pl.*
draw *v.*	a desena
draw up the balance sheet	a face bilanţul contabil
drawer *n.*	sertar *n.n.*
drawing *n.*	desen *n.n.*
dress *n.*	rochie *f.n.*
dress *v.*	a îmbrăca
dressmaker's *n.*	croitorie *f.n.*
drink *v.*	a bea
drinks *n.*	băuturi *f.n.pl.*
drive *v.*	a conduce
drop a hint	a face o aluzie
drug / medica-	medicament *n.n.*

ment *n.*	
dry-cleaner's *n.*	curăţătorie *f.n.*
duck *n.*	raţă *f.n.*
during *prep.*	în timpul *(+ Gen.)*
Dutch *n.*	olandez *m.n.*
dwell *v.*	a locui
ear *n.*	ureche *f.n.*
early *adv.*	devreme
earnings *n.*	venituri / câştiguri *n.n.pl.*
ear-rings *n.*	cercei *m.n.pl.*
Easter *n.*	Paşte *n.n.*
eat *v.*	a mânca
economist *n.*	economist *m.n.*
egg *n.*	ou *n.n.*
eggplant *n.*	vânătă *f.n.*
eight *num.*	opt
either... or *conj.*	fie... fie
elbow *n.*	cot *n.n.*
electric light	lumină electrică
electrician *n.*	electrician *m.n.*
elevator *n.*	ascensor / lift *n.n.*
embassy *n.*	ambasadă *f.n.*
employee *n.*	angajat; salariat *m.n.*
employer *n.*	patron *m.n.*
engagement *n.*	logodnă *f.n.*
engineer *n.*	inginer *m.n.*
Englishman *n.*	englez *m.n.*
enough *adj.*	destul
enter *v.*	a intra
entrance *n.*	intrare *f.n.*
entrance hall *n.*	hol *n.n.*
envelope *n.*	plic *n.n.*
establish *v.*	a stabili
even *adv.*	chiar
evening *n.*	seară *f.n.*
ever *adv.*	vreodată
everybody *pron.*	fiecare
exactly / precisely *adv.*	exact
examine *v.*	a examina
exception *n.*	excepţie *f.n.*
exchange *v.*	a schimba
exchange market	piaţă valutară
exchange office	birou de schimb valutar
exchange rate	rată de schimb
Excuse me!	Scuzaţi-mă!
exercise *n.*	exerciţiu *n.n.*

expenditure *n.*	cheltuieli *f.n.pl.*	fiscal year	an fiscal
expensive *adj.*	scump	fish *n.*	peşte *m.n.*
expert *n.*	expert *m.n.*	fish counter	(raion de) pescărie *f.n.*
explain *v.*	a explica	fishing *n.*	pescuit *n.n.*
extension (telephone) *n.*	interior *n.n.*	fit *v.*	a se potrivi
		fitting-room *n.*	cabină de probă
extraordinary *adj.*	extraordinar	five *num.*	cinci
extremely *adj.*	extrem (de)	fixed assets	active fixe
eye *n.*	ochi *m.n.*	flag *n.*	drapel *n.n.*
eyebrows *n.*	sprâncene *f.n.pl.*	flat *n.*	apartament *n.n.*
eyelashes *n.*	gene *f.n.pl.*	floor *n.*	podea *f.n.* / etaj *n.n.*
eyelids *n.*	pleoape *f.n.pl.*	floppy disk *n.*	dischetă *f.n.*
face *n.*	faţă *f.n.*	florist's *n*	florărie *f.n.*
factory *n.*	fabrică *f.n.*	flour *n.*	făină *f.n.*
false *adj.*	fals	flower *n.*	floare *f.n.*
family *n.*	familie *f.n.*	flu *n.*	gripă *f.n.*
famous *adj.*	renumit	follow *v.*	a urmări
fan *n.*	ventilator *n.n.*	food *n.*	mâncare *f.n.*
far (away) *adv.*	departe	food store	magazin alimentar
fare *n.*	cost / taxă *n.n.*	foot *n.*	laba piciorului
fashionable *adj.*	elegant	football *n.*	fotbal *n.n.*
father *n.*	tată *m.n.*	football player *n.*	fotbalist *m.n.*
father-in-law *n.*	socru *m.n.*	footwear *n.*	încălţăminte *f.n.*
February *n.*	februarie *m.n.*	for *prep.*	pentru
feel *v.*	a (se) simţi	for ... hours	timp de ... ore
fever *n.*	febră *f.n.*	For how long...?	Cât timp...?
a few / some (+ pl.) *adj., pron.*	câţiva, câteva	forehead *n.*	frunte *f.n.*
		foreign exchange dealer	dealer valutar
a few *adj., pron.*	puţini, puţine		
fidget *v.*	a nu avea astâmpăr	foreman *n.*	maistru *m.n.*
figure / number *n.*	cifră *f.n.*	forget *v.*	a uita
file *n.*	dosar *n.n.*	fork *n.*	furculiţă *f.n.*
file cabinet	cartotecă *f.n.*	fortunately *adv.*	din fericire
film / movie *n.*	film *n.n.*	fountain-pen *n.*	stilou *n.n.*
financial department	departament financiar	four *num.*	patru
		frame *n.*	cadru / chenar *n.n.*
financial director	director financiar	franc *n.*	franc *m.n.*
financial office	serviciu financiar	free *adj.*	liber
financing needs	necesar de finanţare	Frenchman *n.*	francez *m.n.*
find *v.*	a găsi	fresh *adj.*	proaspăt
finger *n.*	deget *n.n.*	Friday *n.*	vineri *f.n.*
finish *v.*	a finaliza / termina	fried *adj.*	prăjit
Finn *n.*	finlandez *m.n.*	friend *n.*	prieten *m.n.*
first aid	prim ajutor	from *prep.*	de la / din
first of all *adv. phr.*	mai întâi	fruit *n.*	fruct,-e *n.n.*
the first *num.*	primul *(m.,n.),* prima *(f.)*	full powers	puteri depline
		funny *adj.*	amuzant
the first time	(prima) oară	furniture *n.*	mobilă *f.n.*

game *n.*	joc *n.n.*	graduate *n.*	absolvent *m.n.*
garbage *n.*	gunoi *n.n.*	grand-daughter *n.*	nepoată *f.n.*
garlic *n.*	usturoi *m.n.*	grandfather *n.*	bunic *m.n.*
garret *n.*	pod *n.n.*	grandmother *n.*	bunică *f.n.*
gate *n.*	poartă *f.n.*	grandson *n.*	nepot *m.n.*
gear box *n.*	cutie de viteze	grant *v.*	a acorda
generally *adv.*	în general	grapes *n.*	struguri *m.n.*
Germany *n.*	Germania	graph *n.*	grafic *n.n.*
get *v.*	a primi	grass *n.*	iarbă *f.n.*
get dressed	a se îmbrăca	green *adj.*	verde *adj.*
get ill	a se îmbolnăvi	green beans *n.*	fasole verde
get off / get out of *phr. v.*	a coborî	green pepper *n.*	ardei gras
		green stuff *n.*	verdeaţă, verdeţuri *f.n.*
get on / into *phr. v.*	a urca în		
get out *phr. v.*	a ieşi	greet *v.*	a saluta
get rid (of) *phr. v.*	a scăpa (de)	grey *adj.*	cenuşiu / gri
get the wrong number	a greşi numărul	grill *n.*	grătar *n.n.*
		grocer's *n.*	băcănie *f.n.*
get up *phr. v.*	a se ridica; a se scula	guest *n.*	invitat *m.n.*
get well *phr. v.*	a se însănătoşi	guilder *n.*	gulden *m.n.*
giddiness *n.*	ameţeală	gymnastics *n.*	gimnastică *f.n.*
gift *n.*	cadou, dar *n.n.*	haberdashery *n.*	mercerie *f.n.*
gifted *adj.*	dotat	hair *n.*	păr *m.n.*
girl *n.*	fată *f.n.*	hairdresser *n.*	coafor *m.n.*
give *v.*	a da	half *n.*	jumătate *f.n.*
glass *n.*	pahar *n.n.*	hall *n.*	sală *f.n.*; hol *n.n.*
glass jar *n.*	borcan *n.n.*	ham *n.*	şuncă *f.n.*
glass-case *n.*	vitrină *f.n.*	ham and eggs	omletă cu şuncă
glasses / spectacles *n.*	ochelari *n.n.pl.*	ham-and-beef counter	raion de mezeluri
go *v.*	a merge / a se duce	hand *n.*	mână *f.n.*
go bankrupt	a da faliment	handbook *n.*	manual *n.n.*
go by train	a lua trenul	handicraft *n.*	artizanat *n.n.*
go shopping	a face cumpărături	handkerchief *n.*	batistă *f.n.*
goal keeper *n.*	portar *m.n.*	happen *v.*	a se întâmpla
gold *n.*	aur *n.n.*	happy *adj.*	fericit
good *adj.*	bun	harbour *n.*	port *n.n.*
Good afternoon!	Bună ziua!	hardly ever *adv. phr.*	aproape niciodată
Good appetite!	Poftă bună!	haricot beans *n.*	fasole boabe
good bargain	chilipir *n.n.*	hat *n.*	pălărie *f.n.*
Good-bye!	La revedere!	hatred *n.*	ură *f.n.*
Good evening!	Bună seara!	have *v.*	a avea
Good morning!	Bună dimineaţa!	Have a good time!	Petrecere frumoasă!
Good night!	Noapte bună!	have a meal	a lua masa
good wishes	urări de bine	have fun	a se distra
goods *n.*	marfă, mărfuri *f.n.*	have supper	a lua cina
good-will *n.*	renume *n.n.*	have work to do	a avea de lucru
goose *n.*	gâscă *f.n.*	hazel-nuts *n.*	alune *f.n.pl.*
governmental debt	datorie publică		

he *pron.*	el
he *(pronoun of politeness)*	dumnealui
head *n.*	cap *n.n.*
headache *n.*	durere de cap
health *n.*	sănătate *f.n.*
hear *v.*	a auzi
heart *n.*	inimă *f.n.*
heaven *n.*	rai *n.n.*
heel *n.*	călcâi *n.n.*
Hello!	Salut!
Hello! / Good luck!	Noroc!
help *n.*	ajutor *n.n.*
hen *n.*	găină *f.n.*
her *adj.*	său / sa / săi / sale
here *adv.*	aici
Here they are!	Iată-i / le!
high *adv.*	sus
hill *n.*	deal *n.n.*
his *adj.*	său / sa / săi / sale
history *n.*	istorie *f.n.*
holiday *n.*	sărbătoare *f.n.*
holidays / vacation	concediu *n.n.*/ vacanţă *f.n.*
(at) home *adv.*	acasă
hook *n.*	furcă (a telefonului) *f.n.*
hors d'oeuvres *n.*	aperitive *n.n.pl.*
horse *n.*	cal *m.n.*
hosiery *n.*	galanterie *f.n.*
hospitable *adj.*	ospitalier
hospital *n.*	spital *n.n.*
hot *adj.*	fierbinte
hot pepper *n.*	ardei iute
hour *n.*	oră *f.n.* / ceas *n.n.*
house / home *n.*	casă *f.n.*
household goods	articole de menaj
housewife *n.*	casnică *f.n.*
how *adv.*	cum
How are you?	Ce mai faci? *(I.R.)*
How do you do?	Ce mai faceţi?
How long...?	Cât timp...?
How many...?	Câţi *(m.)*? Câte *(f., n.)*?
How many times...?	De câte ori...?
How much...?	Cât *(m., n.)*? Câtă *(f.)*?
How much is...?	Cât costă...?
How old are you?	Ce vârstă aveţi?
human *adj.*	omenesc

hundred *num.*	sută
hunting *n.*	vânătoare *f.n.*
hurried *adj.*	grăbit
hurry *v.*	a se grăbi
Hurry up!	Grăbeşte-te!
husband *n.*	soţ *m.n.*
I *pron.*	eu
I am happy / delighted.	Imi pare bine.
I am hungry.	Mi-e foame.
I am thirsty.	Mi-e sete.
I don't know.	Nu ştiu.
I don't like...	Nu îmi place...
I like...	Îmi place...
I'm fine!	Bine! *(I.R.)*
I'm fine, thank you!	Bine, mulţumesc!
I'm sorry.	Îmi pare rău.
ice *n.*	gheaţă *f.n.*
ice-cream *n.*	îngheţată *f.n.*
idea *n.*	idee *f.n.*
idle *n., adj.*	leneş
if *conj.*	dacă
ill *adj.*	bolnav
ill luck *n.*	ghinion *n.n.*
illness / disease *n.*	boală *f.n.*
in / into *prep.*	în
in a	într-o + *f.n.*
in a	într-un + *m.n.* or *n.n.*
in due time *adv. phr.*	la timp
in front of *prep.*	în faţa *(+ Gen.)*
in the middle of *prep.*	în mijlocul *(+ Gen.)*
income *n.*	venit *n.n.*
increase *n.*	mărire *f.n.*
increase *v.*	a creşte / mări / spori
information *n.*	ştiri / informaţii *f.n.pl.*
inhabitant *n.*	locuitor *m.n.*
injection *n.*	injecţie *f.n.*
injury *n.*	leziune / rană *f.n.*
Inquiries *n.*	Informaţii *f.n.pl.*
insert *v.*	a introduce
inside / in *adv.*	înăuntru
insolvency *n.*	insolvabilitate *f.n.*
instead of *prep.*	în locul *(+ Gen.)*
intend *v.*	a intenţiona
interesting *adj.*	interesant
interpreter *n.*	interpret *m.n.*
introduce *v.*	a prezenta

investment project	proiect de investiţii
invite *v.*	a invita
Isn't it?	Nu-i aşa?
It means that...	Înseamnă că...
It would be a good thing to...	Ar fi cazul să...
jacket *n.*	jachetă *f.n.*
jam *n.*	dulceaţă *f.n.*
January *n.*	ianuarie
jeweller *n.*	bijutier *m.n.*
job *n.*	slujbă *f.n.*
joke *v.*	a glumi
journey *n.*	călătorie *f.n.*
July *n.*	iulie
June *n.*	iunie
just *adv.*	tocmai
key *n.*	cheie *f.n.*
kidney *n.*	rinichi *m.n.*
kilo *n.*	kilogram *n.n.*
king *n.*	rege *m.n.*
kitchen *n.*	bucătărie *f.n.*
knee *n.*	genunchi *n.n.*
knife *n.*	cuţit *n.n.*
know *v.*	a şti
known *adj.*	cunoscut
krone *n.*	coroană *f.n.*
lamb cutlet	cotlet de miel
lamp *n.*	lampă *f.n.*
landing *n.*	palier *n.n.*
language *n.*	limbă *f.n.*
large *adj.*	spaţios
last *adj.*	ultim
last time *adv. phr.*	data trecută
late *adv.*	târziu
lately *adv.*	în ultima vreme
later (on) *adv.*	mai târziu
lathe *n.*	strung *n.n.*
laundry *n.*	rufe / spălătorie *f.n.*
law suit	urmărire penală
lay the table	a pune masa
lead *v.*	a conduce
learn *v.*	a învăţa
learning *n.*	învăţătură *f.n.*
leather goods	marochinărie *f.n.*
leave *v.*	a pleca (de la)
leave / convey a message	a lăsa un mesaj
leave for *phr. v.*	a pleca (la)
leaving *n.*	plecare *f.n.*
ledger *n.*	registru contabil
left *adj.*	stâng
leg *n.*	picior *n.n.*
lemon *n.*	lămâie *f.n.*
lend *v.*	a da cu împrumut
lender *n.*	creditor *m.n.*
let *v.*	a da cu chirie
Let's go!	Hai să mergem!
letter *n.*	literă / scrisoare *f.n.*
letter box	cutie de scrisori
librarian *n.*	bibliotecar *m.n.*
lie *n.*	minciună *f.n.*
like *v.*	a plăcea
limb *n.*	membru *n.n.*
lime *n.*	tei *m.n.*
line *n.*	fir *n.n.*
lips *n.*	buze *f.n.pl.*
liquidity requirements	necesar de lichiditate
lira *n.*	liră *f.n.*
list *n.*	listă *f.n.*
listen *v.*	a asculta
a little *adj.*	puţin
little *adj.*	mic
live *v.*	a trăi / locui
liver *n.*	ficat *m.n.*
living-room *n.*	cameră de zi
loaf *n.*	pâine *f.n.*
loan *n.*	împrumut / credit *n.n.*
local call	convorbire locală
locksmith *n.*	lăcătuş *m.n.*
long *adj.*	lung
long distance call	convorbire interurbană
look *v.*	a se uita
look after (smb.) *phr. v.*	a avea grijă de
look forward to *phr. v.*	a aştepta cu nerăbdare
Look!	Iată!
loose *adj.*	larg
lottery agency	agenţie loto
lovely *adj.*	drăguţ
luggage *n.*	bagaj *n.n.*
lunch / dinner *n.*	prânz *n.n.*
lung *n.*	plămân *m.n.*
luxation *n.*	luxaţie *f.n.*
luxurious *adj.*	luxos

mail *n.*	corespondenţă *f.n.*	mincemeat balls *n.*	chifteluţe *f.n.pl.*
main entrance	intrare principală	mineral water *n.*	apă minerală
Maintenance Department	Deranjamente	minute *n.*	minut *n.n.*
		mirror *n.*	oglindă *f.n.*
maize / corn *n.*	porumb *m.n.*	misinform *v.*	a dezinforma
make *v.*	a face	mission *n.*	sarcină *f.n.*
make a speech	a ţine un discurs	mistake *n.*	greşeală *f.n.*
make up *phr. v.*	a alcătui / forma	mobile telephone *n.*	telefon mobil
make-up kit	trusă de machiaj	Monday *n.*	luni *f.n.*
male / man's *adj.*	bărbătesc	money *n.*	bani *m.n.*
man *n.*	bărbat *m.n.*	money matters *n.*	chestiuni financiare
manager *n.*	director *m.n.*	money supply *n.*	masă monetară
managerial team	echipă managerială	month *n.*	lună *f.n.*
managing director	director general	monthly *adv.*	lunar
many *pron., adj.*	mulţi, multe	more... than	mai... decât
Many happy returns!	La mulţi ani!	morning *n.*	dimineaţă *f.n.*
map *n.*	hartă *f.n.*	mortgage *n.*	ipotecă *f.n.*
March *n.*	martie	mother *n.*	mamă *f.n.*
mark (currency) *n.*	marcă *f.n.*	mountain *n.*	munte *m.n.*
(school) mark *n.*	notă *f.n.*	mouth *n.*	gură *f.n.*
market *n.*	piaţă *f.n.*	move *v.*	a se muta
marketing department	departament de marketing	Mr ...	domnul ...
		Mrs ...	doamna ...
marketing director	director de marketing	much *adj., pron.*	mult, multă
married *adj.*	căsătorit	muffin *n.*	brioşă *f.n.*
massage *n.*	masaj *n.n.*	mug *n.*	halbă *f.n.*
(friction) match *n.*	chibrit *n.n.*	museum *n.*	muzeu *n.n.*
match (sport) *n.*	meci *n.n.*	mushroom *n.*	ciupercă *f.n.*
mate *n.*	coleg *m.n.*	music *n.*	muzică *f.n.*
materials needed	necesar de materiale	must *v.*	a trebui *v.*
matress *n.*	saltea *f.n.*	mutton chop *n.*	cotlet de berbec
matter *n.*	problemă *f.n.*	nail *n.*	cui *n.n.* / unghie *f.n.*
maturity / date of payment *n.*	scadenţă *f.n.*	name *n.*	nume *n.n.*
		national / domestic currency	monedă naţională
mauve *adj.*	mov		
May *n.*	mai *n.*	national day	zi naţională
May I help you?	Te pot ajuta cu ceva?	near *prep.*	aproape de
meal *n.*	masă / mâncare *f.n.*	nearly *adv.*	aproape
the meals of the day	mesele zilei	neck *n.*	gât *n.n.*
means of transport	mijloace de transport	necklace *n.*	colier *n.n.*
meat *n.*	carne *f.n.*	need *v.*	a avea nevoie
medical card	fişă medicală	negotiation *n.*	negociere *f.n.*
medical certificate	certificat medical	neighbouring *adj.*	alăturat
meet *v.*	a întâlni	neither of them *pron.*	nici unul
meeting *n.*	şedinţă / întâlnire *f.n.*	neither... nor *conj.*	nici de... nici de
mellow *adj.*	copt	nephew *n.*	nepot *m.n.*
melon *n.*	pepene galben	never *adv.*	niciodată
milk *n.*	lapte *n.n.*	new *adj.*	nou
million *num.*	milion		

New Year's Eve n.	Revelion n.n.	order v.	a comanda / ordona
news n.	ştiri; informaţii f.n.pl.	other adj.	alt, altă; alţi, alte
news bulletin n.	buletin informativ	the other,-s	celălalt, cealaltă;
news stall n.	chioşc de ziare	adj., pron.	ceilalţi, celelalte
newspaper n.	ziar n.n.	the other	zilele trecute
next time adv. phr.	data viitoare	day adv. phr.	
next to / near prep.	lângă	our adj.	nostru, noastră;
next year adv. phr.	la anul		noştri, noastre
nice adj.	drăguţ	out of fashion adj.	demodat
niece n.	nepoată f.n.	out of order	deranjat / defect
night n.	noapte f.n.	outfit n.	echipament n.n.
nine num.	nouă	outside / out adv.	afară
no adv.	nu	over prep.	peste
nobody pron.	nimeni	owner n.	proprietar m.n.
noise n.	gălăgie f.n.	pack v.	a împacheta
Norwegian n.	norvegian m.n.	packet n.	pachet n.n.
nose n.	nas n.n.	padlock n.	lacăt n.n.
nostril n.	nară f.n.	page n.	pagină f.n.
notes n.	notiţe f.n.pl.	pain n.	durere f.n.
November n.	noiembrie	painting n.	tablou n.n.
now adv.	acum	pair n.	pereche f.n.
nurse n.	infirmieră f.n.	pair of compasses n.	compas n.n.
nut n.	nucă f.n.	pair of glasses n.	pereche de ochelari
object n.	obiect n.n.	pair of scissors n.	foarfece n.n.
occasion n.	ocazie f.n.	pair of shoes n.	pereche de pantofi
occasionally adv.	foarte rar	palace n.	palat n.n.
occupation n.	ocupaţie / profesie f.n.	palm n.	palmă f.n.
October n.	octombrie	pan n.	cratiţă f.n.
of course adv.	bineînţeles / desigur	pancake n.	clătită f.n.
offer v.	a oferi	pantry n.	cămară f.n.
office n.	serviciu / birou n.n.	paper n.	hârtie f.n.
official ceremony	ceremonie oficială	paper basket	coş de hârtii
often adv.	adesea / (a)deseori	paper clip	agrafă de birou
old adj.	bătrân	parcel up phr. v.	a face pachet
olive n.	măslină f.n.	parent n.	părinte m.n.
on prep.	pe / asupra (+ Gen.)	park / garden n.	parc n.n.
on foot adv. phr.	pe jos	parking lot n.	loc de parcare
one num.	unu	parsley n.	pătrunjel m.n.
onion n.	ceapă f.n.	participate v.	a participa
only adv.	numai	partner n.	partener m.n.
open adj.	deschis	party n.	petrecere f.n.
open v.	a deschide	pass v.	a trece
operator n.	centralistă f.n.	passage n.	culoar n.n.
opposite (to) prep.	vizavi de	patient n.	pacient m.n.
optician n.	optician m.n.	pattern n.	model n.n.
option n.	opţiune f.n.	pay v.	a achita / plăti
or conj.	sau	pay-day n.	zi de salariu
orange adj.	portocaliu	payment n.	plată f.n.
		peach n.	piersică f.n.

peanuts *n.*	arahide / alune *f.n.pl.*	preparation *n.*	pregătire *f.n.*
pear *n.*	pară *f.n.*	prepare *v.*	a pregăti
peas *n.*	mazăre *f.n.*	prerogative *n.*	atribuţie *f.n.*
pencil *n.*	creion *n.n.*	present *n.*	dar / cadou *n.n.*
penny / money *n.*	ban,-i *m.n.*	president *n.*	preşedinte *m.n.*
pentioner *n.*	pensionar *m.n.*	pressed cheese *n.*	caşcaval *n.n.*
people *n.*	popor *n.n.*	pressing iron *n.*	fier de călcat
performance *n.*	performanţă *f.n.*	printer *n.*	imprimantă *f.n.*
perfume *n.*	parfum *n.n.*	problem *n.*	problemă *f.n.*
perfumery *n.*	parfumerie *f.n.*	product *n.*	produs *n.n.*
person *n.*	persoană *f.n.*	programme *n.*	program *n.n.*
peseta *n.*	peseta *f.n.*	project / plan *n.*	proiect / plan *n.n.*
petrol *n.*	benzină *f.n.*	projector *n.*	proiector *n.n.*
pharmacy *n.*	farmacie *f.n.*	province *n.*	provincie *f.n.*
photo *n.*	fotografie *f.n.*	pub *n.*	cârciumă *f.n.*
photographer *n.*	fotograf *m.n.*	pudding *n.*	budincă *f.n.*
physician *n.*	medic / doctor *m.n.*	pumpkin *n.*	dovleac *m.n.*
pick up *phr. v.*	a ridica	puncher *n.*	perforator *n.n.*
pickles *n.*	murături *f.n.pl.*	pupil *n.*	elev *m.n.*
pie *n.*	pateu *n.n.* / plăcintă *f.n.*	purchase requisition	cerere de achiziţionare
piece *n.*	bucată *f.n.*	purchasing power	putere de cumpărare
pill *n.*	pastilă *f.n.*	purveyor *n.*	furnizor *m.n.*
pillar *n.*	coloană *f.n.*	push *v.*	a împinge
pineapple *n.*	ananas *m.n.*	put *v.*	a pune
pink *adj.*	roz	put the shoes on	a se încălţa
placed *adj.*	amplasat	put through *phr. v.*	a face legătura
plan *n.*	plan *n.n.*	pyjamas *n.*	pijama *f.n.*
plane *n.*	avion *n.n.*	quarter *n.*	sfert / cartier *n.n.*
plated *adj.*	placat	question *n.*	întrebare *f.n.*
play *v.*	a (se) juca	quick *adj.*	rapid
Please...	Vă rog...	quince *n.*	gutuie *f.n.*
pleasure *n.*	plăcere *f.n.*	quite often *adv.*	destul de des
plumber *n.*	instalator *m.n.*	race *n.*	alergare *f.n.*
pocket *n.*	buzunar *n.n.*	radiator *n.*	calorifer *n.n.*
pocket book / agenda *n.*	agendă *f.n.*	radio set *n.*	aparat de radio
		radiography *n.*	radiografie *f.n.*
Pole *n.*	polonez *m.n.*	radish *n.*	ridiche *f.n.*
politeness *n.*	politeţe *f.n.*	railway station *n.*	gară *f.n.*
poor *adj.*	biet, biată	rain *n.*	ploaie *f.n.*
pork cutlet	cotlet de porc	raspberry *n.*	zmeură *f.n.*
portfolio *n.*	mapă *f.n.*	raw *adj.*	crud
postpone *v.*	a amâna	reach *v.*	a ajunge
potato *n.*	cartof *m.n.*	read *v.*	a citi
pound sterling	liră sterlină	reading *n.*	citire / lectură *f.n.*
powder milk	lapte praf	ready	gata *adv.*
power *n.*	putere *f.n.*	ready-made clothes *n.*	confecţii *f.n.pl.*
prefer *v.*	a prefera		

receiver *n.*	receptor *n.n.*
recently *adv.*	de curând
recommend *v.*	a recomanda
recover *v.*	a-şi reveni
red *adj.*	roşu
red pepper *n.*	gogoşar *m.n.*
refer (to) *v.*	a avea în vedere
refrigerator *n.*	frigider *n.n.*
rely (on) *v.*	a se baza (pe)
remain *v.*	a rămâne
rent *n.*	chirie *f.n.*
rent *v.*	a lua cu chirie
repair *v.*	a repara
repay *v.*	a rambursa
repayment *n.*	rambursare *f.n.*
repeat *v.*	a repeta
replace *v.*	a înlocui
report *n.*	raport *n.n.*
require *v.*	a solicita
reschedule *v.*	a reeşalona
responsibility *n.*	răspundere *f.n.*
restaurant *n.*	restaurant *n.n.*
retail *n.*	vânzare cu amănuntul
retired *adj.*	pensionat
revenue *n.*	venit
review *n.*	revistă *f.n.*
rice *n.*	orez *n.n.*
rich *adj.*	bogat
right *adj.*	drept
Right away!	Imediat!
ring *n.*	inel *n.n.*
ring book / file *n.*	biblioraft *n.n.*
ripe *adj.*	copt
rise *v.*	a creşte / mări / spori
river *n.*	râu *n.n.*
roasted *adj.*	fript
roasted meat *n.*	friptură *f.n.*
ROL (romanian currency)	leu, lei *m.n.*
Romanian *n.*	român *m.n.*
romanian *adj.*	românesc
roof *n.*	acoperiş *n.n.*
room *n.*	cameră *f.n.*
rose *n.*	trandafir *m.n.*
rubber *n.*	gumă *f.n.*
ruby *n.*	rubin *n.n.*
rule *v.*	a conduce
run *v.*	a alerga / fugi
rye *n.*	secară *f.n.*
safe *n.*	seif *n.n.*
saint *n.*	sfânt *m.n.*
Saint Nicholas	Moş Nicolae
sales revenue	venituri din vânzări
salt *n.*	sare *f.n.*
salted *adj.*	sărat
same *adj., pron.*	acelaşi, aceeaşi; aceiaşi, aceleaşi
sandals *n.*	sandale *f.n.*
sandwich *n.*	sandviş *n.n.*
Santa Claus	Moş Crăciun
Saturday *n.*	sâmbătă *f.n.*
sausages *n.*	cârnaţi *m.n.pl.*
say *v.*	a spune
scarf *n.*	eşarfă *f.n.*
schedule *v.*	a eşalona
schnitzel *n.*	şniţel *n.n.*
scholarship *n.*	bursă *f.n.*
school *n.*	şcoală *f.n.*
seaside *n.*	litoral *n.n.*
season *n.*	anotimp *n.n.*
season ticket *n.*	abonament *n.n.*
secretariat *n.*	secretariat *n.n.*
secretary *n.*	secretar *m.n.*
section / department *n.*	secţie *f.n.*
see *v.*	a vedea
See you soon!	Pe curând!
See you tomorrow!	Pe mâine!
seldom *adv.*	rar / rareori
sell *v.*	a vinde
send *v.*	a trimite
September *n.*	septembrie
service *n.*	slujbă *f.n.*
seven *num.*	şapte
shade *n.*	nuanţă *f.n.*
shareholder *n.*	acţionar *m.n.*
shave *v.*	a rade
she *pron.*	ea
she (*pronoun of politeness*)	dumneaei
sheet (of paper) *n.*	coală (de hârtie) *f.n.*
shelf *n.*	etajeră *f.n.*; raft *n.n.*
ship *n.*	vapor *n.n.*
shirt *n.*	cămaşă *f.n.*
shoe *n.*	pantof *m.n.*
shoemaker's *n.*	cizmărie *f.n.*

shop *n.*	magazin *n.n.*
shop-assistant *n.*	vânzător *m.n.*
shopping *n.*	cumpărături *f.n.pl.*
shop-window *n.*	vitrină *f.n.*
short *adj.*	scurt
shoulder *n.*	umăr *m.n.*
shower *n.*	duş *n.n.*
shut *v.*	a închide
shut *adj.*	închis
Shut up!	Să taci!
sick *adj.*	bolnav
sideboard *n.*	bufet *n.n.*
sign *v.*	a semna
signature *n.*	semnătură *f.n.*
silk *n.*	mătase *f.n.*
silver *n.*	argint *n.n.*
simple *adj.*	simplu
since ... o'clock	de la ora ...
sink *n.*	chiuvetă de bucătărie
sister *n.*	soră *f.n.*
sister-in-law *n.*	cumnată *f.n.*
sit *v.*	a sta pe scaun
sit down *phr. v.*	a se aşeza
Sit down! / Take a seat!	Luaţi loc!
six *num.*	şase
size *n.*	mărime / număr
skate *v.*	a patina
ski *v.*	a schia *v.*
skilled *adj.*	priceput
skirt *n.*	fustă *f.n.*
sky *n.*	cer *n.n.*
sleep *v.*	a dormi
slice *n.*	felie *f.n.*
slip (of paper) *n.*	fişă *f.n.*
small change *n.*	mărunţiş *n.n.*
small table *n.*	măsuţă *f.n.*
smoke *v.*	a fuma
snack *n.*	gustare *f.n.*
snowfall *n.*	ninsoare *f.n.*
so *adv.*	aşa
so far *adv.*	până acum
So many?	Aşa de multe?
so much *adv.*	atât
society *n.*	societate *f.n.*
sofa *n.*	canapea *f.n.*
soft drinks *n.*	răcoritoare *f.n.pl.*
sole *n.*	talpă *f.n.*
solve *v.*	a rezolva
some *(+ sg.) adj.*	câtva *(m., n.)*, câtăva *(f.)*, ceva *(m., f., n.)*
some *(affirm.)* / any *(neg.) indef. art. pl.*	nişte
some other time *adv. phr.*	altădată
somebody *pron.*	cineva
something *pron.*	ceva
sometimes *adv.*	câteodată
sometimes *adv.*	uneori
son *n.*	fiu *m.n.*
son-in-law *n.*	ginere *m.n.*
soon *adv.*	curând
soothing effect *n.*	efect calmant
soup *n.*	supă *f.n.*
sour *adj.*	acru
sour cherry *n.*	vişină *f.n.*
sour cream *n.*	smântână *f.n.*
sour milk *n.*	lapte acru (bătut)
sour soup *n.*	ciorbă *f.n.*
Spaniard *n.*	spaniol *m.n.*
spare room *n.*	cameră de oaspeţi
speak *v.*	a vorbi
speak nonsense	a vorbi aiurea
speak off-hand	a vorbi liber
speak one's mind	a vorbi deschis
specify *v.*	a preciza
speed *n.*	viteză *f.n.*
spend *v.*	a petrece
spice *n.*	condiment *n.n.*
spicy *adj.*	iute
spinach *n.*	spanac *n.n.*
spoon *n.*	lingură *f.n.*
spring *n.*	primăvară *f.n.*
square *n.*	piaţă *f.n.*
stairs *n.*	scară *f.n.*
(market) stall *n.*	tarabă *f.n.*
stand *v.*	a sta în picioare
stand in a queue / line up *phr. v.*	a sta la rând
standing order	ordin permanent de plată
staple *n.*	capsă *f.n.*
stapler *n.*	capsator *n.n.*
start *v.*	a începe
state power *n.*	putere de stat
station *n.*	staţie *f.n.*
stationer's *n.*	papetărie *f.n.*

stay *v.*	a sta (pe loc)	tailor's *n.*	croitorie *f.n.*
steak *n.*	antricot *n.n.*	take *v.*	a lua
stewed fruit *n.*	compot *n.n.*	take a bath	a face baie
stock *n.*	pachet de acţiuni	take a rest	a se odihni
stockbroker *n.*	agent de vânzări mobiliare	Take a seat!	Luaţi loc!
		take part into	a lua parte la
stockings *n.*	ciorapi *m.n.pl.*	take place	a avea loc
stomach *n.*	stomac *n.n.*	talk to	a sta de vorbă cu
stop *v.*	a (se) opri	tall *adj.*	înalt
storey *n.*	etaj *n.n.*	tap *n.* ·	robinet *n.n.*
story *n.*	poveste *f.n.*	task *n.*	sarcină *f.n.*
stout *n.*	bere neagră	taste *n.*	gust *n.n.*
straight ahead *adv. phr.*	drept înainte	tax *n.*	impozit *n.n.*
		taxi rank *n.*	staţie de taxi
strawberry *n.*	căpşună *f.n.*	teacher *n.*	profesor *m.n.*
street *n.*	stradă *f.n.*	teaching board *n.*	consiliu profesoral
strength *n.*	putere *f.n.*	team *n.*	echipă *f.n.*
stretcher *n.*	targă *f.n.*	team-mate *n.*	coechipier *m.n.*
student *n.*	student *m.n.*	teaspoon *n.*	linguriţă *f.n.*
study *v.*	a învăţa / studia	telephone *n.*	telefon *n.n.*
stylist *n.*	stilist *m.n.*	telephone booth / box *n.*	cabină telefonică
subscriber *n.*	abonat *m.n.*		
subscription *n.*	abonament *n.n.*	telephone directory *n.*	carte de telefon
subscription charge	taxă de abonament		
suddenly *adv.*	deodată	telephone subscription *n.*	abonament telefonic
sue *v.*	a da în judecată		
sugar *n.*	zahăr *n.n.*	tell *v.*	a spune
suggest *v.*	a recomanda	tell / narrate *v.*	povesti *v.*
suit (of clothes) *n.*	costum (de haine) *n.n.*	Tell me...	Spune-mi...
		temperature *n.*	temperatură *f.n.*
summer *n.*	vară *f.n.*	ten *num.*	zece
summer holidays *n.*	vacanţă de vară	terms *n.*	condiţii *f.n.pl.*
sun *n.*	soare *m.n.*	terrace *n.*	terasă *f.n.*
Sunday *n.*	duminică *f.n.*	thank *v.*	a mulţumi *v.*
supper *n.*	cină *f.n.*	Thank you.	Mulţumesc.
sure *adj.*	sigur	that *pron.*	acela, aceea
surgeon *n.*	chirurg *m.n.*	that *conj.*	că
surgery *n.*	chirurgie; cabinet medical	theatre hall *n.*	teatru / sală de teatru
		then *adv.*	apoi; atunci
Swede *n.*	suedez *m.n.*	there /over there *adv.*	acolo
sweet *adj.*	dulce		
swim *v.*	a înota	There you are!	Poftiţi!
swimming *n.*	înot *n.n.*	therefore *conj.*	deci
swimming pool *n.*	bazin de înot	these *pron.*	aceştia, acestea
Swiss *n.*	elveţian *m.n.*	they *pron.*	ei *(m.)*; ele *(f., n.)*
swiss cheese *n.*	şvaiţer *n.n.*	they (pronoun of politeness)	dumnealor
switchboard *n.*	centrală telefonică		
symptom *n.*	simptom *n.n.*	thick *adj.*	gros
table *n.*	masă *f.n.*	thing *n.*	lucru *n.n.*

think *v.*	a gândi / crede	trial balance *n.*	balanţă de verificare
thinking *n.*	gândire *f.n.*	trip *n.*	excursie *f.n.*
this *pron.*	acesta, aceasta	trolley bus *n.*	troleibuz *n.n.*
this *(I.R.) pron.*	ăsta, asta	trousers *n.*	pantaloni *m.n.*
this time *adv. phr.*	(de) data aceasta	trout *n.*	păstrăv *m.n.*
those *pron.*	aceia, acelea	truck *n.*	camion *n.n.*
thousand *num.*	mie	true *adj.*	adevărat
three *num.*	trei	trust *v.*	a avea încredere
throat *n.*	gât *n.n.*	truth *n.*	adevăr *n.n.*
thumb *n.*	deget mare	try *v.*	a încerca
Thursday *n.*	joi *f.n.*	try on *phr. v.*	a proba
ticket *n.*	bilet *n.n.*	tube *n.*	metrou *n.n.*
tie *n.*	cravată *f.n.*	tube station *n.*	staţie de metrou
time *n.*	timp *n.n.*	Tuesday *n.*	marţi *f.n.*
tin *n.*	cutie de conserve	tulip *n.*	lalea *f.n.*
tired *adj.*	obosit	Turk *n.*	turc *m.n.*
title deed *n.*	titlu de proprietate	turkey *n.*	curcan *m.n.*
to *prep.*	la / spre	turner **n.**	strungar *m.n.*
to the left *adv. phr.*	la stânga	turnover **n.**	cifră de afaceri
to the right *adv. phr.*	la dreapta	TV-set *n.*	televizor *n.n.*
tobacconist's *n.*	tutungerie *f.n.*	twins *n.*	gemeni *m.n.pl.*
today *adv.*	astăzi / azi	two *num.*	doi *(m.)*, două *(f., n.)*
toe *n.*	deget de la picior	typewriter *n.*	maşină de scris
toilet-basin *n.*	bazin de toaletă	uncle *n.*	unchi *m.n.*
tomato *n.*	roşie *f.n.*	under *prep.*	sub / dedesubtul *(+ Gen.)*
tomato juice *n.*	suc de roşii		
tomorrow *adv.*	mâine	understand *v.*	a înţelege
tone *n.*	ton *n.n.*	undress *v.*	a se dezbrăca
tongue *n.*	limbă *f.n.*	unfortunately *adv.*	din nefericire
tonight *adv.*	astă seară	unhappy *adj.*	nefericit
too *adv.*	prea	until *prep.*	până
tool *n.*	unealtă *f.n.*	upset *adj.*	supărat
tooth *n.*	dinte *m.n.*	urgently *adv.*	urgent
touch *v.*	a atinge *v.*	use *v.*	a utiliza / folosi
towel *n.*	prosop *n.n.*	useful	folositor; util *adj.*
town *n.*	oraş *n.n.*	usually *adv.*	de obicei
toy *n.*	jucărie *f.n.*	vacuum cleaner *n.*	aspirator *n.n.*
(trade-)union *n.*	sindicat *n.n.*	vase *n.*	vază *f.n.*
train *n.*	tren *n.n.*	veal cutlet *n.*	cotlet de viţel
training *n.*	antrenament *n.n.*	vegetable *n.*	legumă *f.n.*
tram *n.*	tramvai *n.n.*	vegetable marrow *n.*	dovlecel *m.n.*
tranche *n.*	tranşă de împrumut	velvet *n.*	catifea *f.n.*
travel / journey *v.*	călători *v.*	vermouth *n.*	vermut *n.n.*
travel agency *n.*	agenţie de turism	very *adv.*	foarte
travellers' cheque *n.*	cec de călătorie	villa *n.*	vilă *f.n.*
treasury bill *n.*	bon de tezaur	violet *adj.*	violet
treatment *n.*	tratament *n.n.*	visit *v.*	a vizita
tree *n.*	arbore / copac *m.n.*	vowel *n.*	vocală *f.n.*

wage *n.*	salariu *n.n.*	**white** *adj.*	alb
wait *v.*	a aştepta	**whiteboard** *n.*	tablă *f.n.*
waiter *n.*	chelner / ospătar *m.n.*	**who** *pron.*	cine / care
waiting-room *n.*	sală de aşteptare	**Who is that speaking?**	Cine este la telefon?
waitress *n.*	chelneriţă *f.n.*		
wake up *phr. v.*	a se trezi	**wholesale** *n.*	vânzare en gros
walk *v.*	a merge (pe jos)	**Whom...?** *(Acc.)*	Pe cine...?
wall *n.*	perete *m.n.*	**Whom?** *(Dative)*	Cui?
want *v.*	a vrea	**Why?**	De ce?
wardrobe *n.*	şifonier / dulap de haine *n.n.*	**wife** *n.*	soţie *f.n.*
		wild strawberries *n.*	fragi *f.n.pl.*
warm *adj.*	cald	**will** *n.*	voinţă *f.n.*
warm running water	apă caldă curentă	**win** *v.*	a învinge
wash *v.*	a (se) spăla	**window** *n.*	fereastră *f.n.*
wash-hand basin *n.*	chiuvetă de baie	**window pane** *n.*	geam *n.n.*
washing machine *n.*	maşină de spălat	**wine** *n.*	vin *n.n.*
waste one's breath	a vorbi în vânt	**winter** *n.*	iarnă *f.n.*
watch *n.*	ceas *n.n.*	**wish** *n.*	dorinţă *f.n.*
watchmaker's *n.*	ceasornicărie *f.n.*	**wish** *v.*	a dori
water *n.*	apă *f.n.*	**with** *prep.*	cu
water melon *n.*	pepene verde	**With whom...?**	Cu cine...?
way *n.*	drum *n.n.*	**woman** *n.*	femeie *f.n.*
we *pron.*	noi	**wool** *n.*	lână *f.n.*
wear *v.*	a purta	**word** *n.*	cuvânt *n.n.*
wedding *n.*	căsătorie *f.n.*	**work** *v.*	a lucra
wedding ring *n.*	verighetă *f.n.*	**work / job** *n.*	muncă *f.n.*
Wednesday *n.*	miercuri *f.n.*	**worker** *n.*	muncitor *m.n.*
week *n.*	săptămână *f.n.*	**workshop chief** *n.*	şef de secţie
welder *n.*	sudor *m.n.*	**worried** *adj.*	îngrijorat
Well...	Păi...	**worry** *v.*	a se îngrijora
what *pron.*	ce	**wrist** *n.*	încheietura mâinii
What are you?	Cu ce vă ocupaţi?	**write** *v.*	a scrie
What time is it?	Cât este ceasul?	**year** *n.*	an *m.n.*
What time...?	La ce oră...?	**yellow** *adj.*	galben
What's his /her name?	Cum îl / o cheamă?	**yen** *n.*	yen *m.n.*
		yes *adv.*	da
What... with / by?	Cu ce...?	**yesterday** *adv.*	ieri
wheat *n.*	grâu *m.n.*	**yet** *adv.*	încă
when *adv.*	când	**yogurt** *n.*	iaurt *n.n.*
whenever *adv.*	ori de câte ori	**you** *pron.*	tu *(sg.)*, voi *(pl.)*
where *adv.*	unde	**you** *(pronoun of politeness)*	dumneavoastră
Where...from?	De unde...?		
Where are you from?	De unde sunteţi?	**young** *adj.*	tânăr
Where is.. ?	Unde este.. ?	**You're welcome!**	Cu plăcere!
which *pron.*	care	**zero**	zero

Romanian –English Vocabulary / Vocabular român – englez

Abbreviations

adj.* = adjective
adv. = adverb
adv. phr. = adverbial phrase
affirm. = affirmative
art. = article
conj. = conjunction
f.n. = feminine noun
Gen. = Genitive
indef. = indefinite
I.R. = Informal Romanian
m.n. = masculine noun

n. = noun
neg. = negative
n.n. = neuter noun
num. = numeral
phr. v. = phrasal verb
pl. = plural
prep. = preposition
pron. = pronoun
r.v. = reflexive verb
sg. = singular
v. = verb

*all forms of the adjectives are given, in the following order:
masc. and neuter sg., fem.sg.; masc.pl., fem. and neuter pl.

abonament,-e *n.n.*	season ticket,-s / subscription,-s
abonament telefonic	telephone subscription
abonat,-ţi *m.n.*	subscriber,-s
absolvent,-ţi *m.n.*	graduate,-s
acasă *adv.*	(at) home
aceia, acelea *pron.*	those
acelaşi, aceeaşi; aceiaşi, aceleaşi *adj., pron.*	same
acela, aceea *pron.*	that
acesta, aceasta *pron.*	this
aceştia, acestea *pron.*	these
achita *v.*	to pay
achiziţiona *v.*	to acquire
acolo *adv.*	there /over there
acoperiş,-uri *n.n.*	roof,-s
acorda *v.*	to grant
acru, acră; acri, acre *adj.*	sour
active fixe	fixed assets
activitate, activităţi *f.n.*	activity,-ies
actor,-i *m.n.*	actor,-s

actriţă,-e *f.n.*	actress,-es
acţionar,-i *m.n.*	shareholder,-s
acum *adv.*	now
acum … zile	… days ago
acuza *v.*	to accuse
adânc,-ă; adânci *adj.*	deep
adesea / adeseori *adv.*	often
adevăr *n.n.*	truth
adevărat,-ă; adevăraţi,-te *adj.*	true
aduce *v.*	to bring
aeroport,-uri *n.n.*	airport,-s
afacere,-i *f.n.*	business
afară *adv.*	outside / out
afla (se) *r.v.*	to be / exist
agendă,-e *f.n.*	pocket book,-s / agenda,-s
agenţie de turism	travel agency
agenţie loto	lottery agency
agent de vânzări mobiliare	stockbroker
aglomerat,-ă; aglomeraţi,-te *adj.*	crowded

agrafă de birou	paper clip	**apă** *f.n.*	water
aici *adv.*	here	**apă caldă curentă**	warm running water
ajunge *v.*	to reach / arrive	**apă minerală**	mineral water
ajutor *n.n.*	help / aid	**aparat,-e de**	camera,-s
alaltăieri *adv.*	the day before yesterday	**fotografiat**	
		aparat,-e de radio	radio set,-s
alăturat,-ă;	neighbouring	**apartament,-e** *n.n.*	flat,-s
alăturaţi,-te *adj.*		**aperitive** *n.n.pl.*	hors d'oeuvres
alb,-ă; albi,-e *adj.*	white	**apoi** *adv.*	then
albastru,-ă; albaştri,	blue	**aprilie** *m.n.*	April
albastre *adj.*		**aproape** *adv.*	nearly
alcătui *v.*	to make up	**aproape de** *prep.*	near
alegere *f.n.*	choice	**aproape niciodată**	hardly ever
alerga *v.*	to run	**aragaz,-uri** *n.n.*	cooker,-s
alergare, alergări *f.n.*	race,-s / chase,-s	**arahidă,-e** *f.n.*	peanut,-s
aloca *v.*	to allocate	**arbore,-i** *m.n.*	tree,-s
alt, altă; alţi,	other	**ardei gras,**	green pepper,-s
alte *adj.*		**ardei graşi** *m.n.*	
altădată *adv.*	some other time	**ardei iute,**	hot pepper,-s
alună,-e *f.n.*	hazel-nut,-s / peanut,-s	**ardei iuţi** *m.n.*	
		Ar fi cazul să…	It would be a good thing to…
amâna *v.*	to postpone		
amândoi,	both	**argint** *n.n.*	silver
amândouă *pron.*		**arheolog,-i** *m.n.*	archaeologist,-s
ambasadă,-e *f.n.*	embassy,-ies	**arhitect,-ţi** *m.n.*	architect,-s
ambulanţă,-e *f.n.*	ambulance,-s	**articole de menaj**	household goods
ametist *n.n.*	amethyst	**artizanat** *n.n.*	handicraft
ameţeală *f.n.*	giddiness	**ascensor,-oare** *n.n.*	elevator,-s / lift,-s
amplasat,-ă;	placed	**asculta** *v.*	to listen
amplasaţi,-te *adj.*		**asistent,-ţi** *m.n.*	assistant,-s
amuzant,-ă;	funny	**asortat,-ă;**	assorted
amuzanţi,-te *adj.*		**asortaţi,-te** *adj.*	
an,-i *m.n.*	year,-s	**aspirator,-oare** *n.n.*	vacuum cleaner,-s
an fiscal	fiscal year	**aspirină,-e** *f.n.*	aspirin,-s
analist,-şti *m.n.*	analist,-s	**astă seară** *adv. phr.*	tonight
analiză de sânge	blood analysis / test	**astăzi** *adv.*	today
ananas,	pineapple,-s	**astronom,-i** *m.n.*	astronomer,-s
ananaşi *m.n.*		**asupra** *(+Gen.) prep.*	on / about / concerning
angajat,-ţi *m.n.*	employee,-s		
aniversare,	anniversary,-ies	**aşa** *adv.*	so
aniversări *f.n.*		**Aşa de mulţi?**	So many?
anotimp,-uri *n.n.*	season,-s	**aşeza (se)** *r.v.*	to sit down
antrenament,-e *n.n.*	training,-s	**aştepta** *v.*	to wait
antricot,	steak,-s	**aştepta cu nerăbdare**	to look forward to
antricoate *n.n.*		**atât** *adv.*	so much
anunţa *v.*	to announce	**atinge** *v.*	to touch / to reach

atinge pragul de rentabilitate	to break even	**bărbat,-ţi** *m.n.*	man, men
atletism *n.n.*	athletics	**bărbătesc,-ească; bărbăteşti** *adj.*	male / man's
atribuţie,-i *f.n.*	prerogative,-s / competence,-s	**bărbie, bărbii** *f.n.*	chin,-s
atunci *adv.*	then	**bătrân,-ă; bătrâni,-e** *adj.*	old
august *m.n.*	August	**băuturi** *f.n.pl.*	drinks
aur *n.n.*	gold	**bea** *v.*	to drink
autobuz,-e *n.n.*	bus,-es	**bec,-uri** *n.n.*	(electric) bulb,-s
autocar,-e *n.n.*	coach,-es	**benzină** *f.n.*	petrol
autoturism,-e *n.n.*	(motor) car,-s	**bere blondă**	(pale) ale
auzi *v.*	to hear	**bere neagră**	stout
avea *v.*	to have	**biblioraft,-uri** *n.n.*	ring book,-s / file,-s
avea acoperire	to be covered	**bibliotecă,-i** *f.n.*	book-case,-s
avea chef de	to be in the mood for	**bibliotecar,-i** *m.n.*	librarian,-s
avea de lucru	to have work to do	**bicicletă,-e** *f.n.*	bike,-s
avea grijă de	to look after (smb.)	**biet, biată; bieţi, biete** *adj.*	poor / unfortunate
avea în vedere	to refer (to)		
avea încredere	to trust	**biftec,-uri** *n.n.*	beefsteak,-s
avea loc	to take place	**bijutier,-i** *m.n.*	jeweller,-s
avea nevoie	to need	**bilanţ,-uri** *n.n.*	balance,-s
avea voie	to be allowed	**bilanţ contabil**	balance sheet
nu avea astâmpăr	to fidget	**bilet,-e** *n.n.*	ticket,-s
avion, avioane *n.n.*	plane,-s	**bine** *adv.*	all right / well
azi *adv.*	today	**Bine!** *(I.R.)*	I'm fine!
ăsta, asta *pron. (I.R.)*	this	**Bine, mulţumesc!**	I'm fine, thank you!
bagaj,-e *n.n.*	luggage	**bineînţeles** *adv.*	of course
baie, băi *f.n.*	bathroom,-s	**birou,-ri** *n.n.*	office,-s / writing-desk,-s
balanţă de verificare	trial balance		
balanţă de plăţi	balance of payment	**birou de schimb valutar**	exchange office
ban,-i *m.n.*	penny / money		
banană,-e *f.n.*	banana,-s	**bloc,-uri** *n.n.*	block/,-s/-of-flats
bancă, bănci *f.n.*	bank,-s	**bluză,-e** *f.n.*	blouse,-s
bancă centrală	central bank	**boală, boli** *f.n.*	illness / disease
bancă comercială	commercial bank	**bogat,-ă; bogaţi,-te** *adj.*	rich
bancnotă,-e *f.n.*	bank note,-s		
bar,-uri *n.n.*	bar,-s	**bolnav,-ă; bolnavi,-e** *adj.*	ill / sick
barbă, bărbi *f.n.*	beard,-s		
barcă, bărci *f.n.*	boat,-s	**bon,-uri de tezaur**	treasury bill,-s
batistă,-e *f.n.*	handkerchief,-s	**borcan,-e** *n.n.*	glass jar,-s
baza (se) *r.v.*	to rely	**braţ,-e** *n.n.*	arm,-s
bazin de înot	swimming pool	**brăţară, brăţări** *f.n.*	bracelet,-s
bazin de toaletă	toilet-basin	**brânză** *f.n.*	cheese
băcănie,-i *f.n.*	grocer's	**brioşă,-e** *f.n.*	muffin,-s
băiat, băieţi *m.n.*	boy,-s	**britanic,-ă; -i, -e** *adj.*	British
		bronşită *f.n.*	bronchitis

broşă,-e *f.n.*	brooch,-s
brutărie,-i *f.n.*	baker's
bucată, bucăţi *f.n.*	piece,-s
bucăţică, bucăţele *f.n.*	bit,-s
bucătar,-i *m.n.*	cook,-s
bucătărie,-i *f.n.*	kitchen,-s
buchet,-e *n.n.*	bunch,-es
bucura (se) *r.v.*	to be happy
budincă,-i *f.n.*	pudding,-s
bufet,-uri *n.n.*	sideboard,-s
buletin informativ	news bulletin
bulevard,-e *n.n.*	avenue,-s
bumbac *n.n.*	cotton
bun,-ă; buni,-e *adj.*	good
Bună dimineaţa!	Good morning!
Bună seara!	Good evening!
Bună ziua!	Good afternoon!
bunic,-i *m.n.*	grandfather,-s
bunică,-i *f.n.*	grandmother,-s
bursă,-e *f.n.*	scholarship,-s
buză,-e *f.n.*	lip,-s
buzunar,-e *n.n.*	pocket,-s
cabană,-e *f.n.*	chalet,-s
cabină,-e de probă	fitting-room,-s
cabină telefonică	telephone booth/box
cabinet medical	surgery /consulting room
cadă, căzi de baie	bath-tub,-s
cadou,-ri *n.n.*	present,-s / gift,-s
cadru, cadre *n.n.*	frame,-s
cafea, cafele *f.n.*	coffee,-s
cafeniu, cafenie; cafenii *adj.*	brown
cafetieră,-e *f.n.*	coffee maker,-s
caiet,-e *n.n.*	copy-book,-s
caisă,-e *f.n.*	apricot,-s
cal, cai *m.n.*	horse,-s
calculator,-oare *n.n.*	computer,-s
cald,-ă; calzi, calde *adj.*	warm
calendar,-e *n.n.*	calendar,-s
calorifer,-e *n.n.*	radiator,-s
cam *adv.*	about /approximately
cameră,-e *f.n.*	room,-s
cameră de oaspeţi	room for guests / spare room
cameră de zi	living-room
camion, c amioane *n.n.*	truck,-s
canadian, canadieni *m.n.*	Canadian,-s
canapea, canapele *f.n.*	sofa,-s
cap,-ete *n.n.*	head,-s
capsă,-e *f.n.*	staple,-s
capsator,-oare *n.n.*	stapler,-s
care *pron.*	who / which / that
carieră,-e *f.n.*	carrier,-s
carne *f.n.*	meat
carne rasol	boiled meat
carte, cărţi *f.n.*	book,-s
carte de telefon	telephone directory
cartelă,-e (telefonică) *f.n.*	(telephone) card,-s
cartier,-e *n.n.*	quarter,-s / district,-s
cartof,-i *m.n.*	potato,-s
cartotecă,-i *f.n.*	file cabinet,-s
casă,-e *f.n.*	home,-s / house,-s
casă de scont	discount house
casă / casierie *f.n.*	cashier desk
casetofon,-oane *n.n.*	cassette recorder,-s
casnică,-e *f.n.*	housewife,-s
castravete,-ţi *m.n.*	cucumber,-s
caşcaval *n.n.*	pressed cheese
catifea *f.n.*	velvet
că *conj.*	that
călători *v.*	to travel / journey
călătorie,-i *f.n.*	journey,-s / trip,-s
călcâi,-e *n.n.*	heel,-s
cămaşă, cămăşi *f.n.*	shirt,-s
cămară, cămări *f.n.*	pantry,-ies
căpşună,-i *f.n.*	strawberry,-ies
cărţi de joc	cards
căsătorie,-i *f.n.*	wedding,-s
căsătorit,-ă; căsătoriţi,-te *adj.*	married
câine,-i *m.n.*	dog,-s
când *adv.*	when
cârciumă,-i *f.n.*	pub,-s / tavern,-s

cârnaţi *m.n.pl.*	sausages
Cât *(m., n.)*? **Câtă** *(f.)*?	How much…?
Cât costă…?	How much is…?
Cât este ceasul?	What time is it?
Cât timp...?	How long...?
cât de **curând** *adv. phr.*	as soon as possible
câteodată *adv.*	sometimes
câtva *(m., n.)*, **câtăva** *(f.)*	some *(+ sg.)*
Câţi *(m.)*? **Câte** *(f., n.)*?	How many…?
câţiva *(m.)*, **câteva** *(f., n.)*	a few / some *(+ pl.)*
ce *pron.*	what
Ce mai faci? *(I.R.)*	How are you?
Ce mai faceţi?	How do you do?
Ce vârstă aveţi?	How old are you?
ceaşcă, ceşti *f.n.*	cup,-s
ceapă, cepe *f.n.*	onion,-s
ceas,-uri *n.n.*	watch,-es / hour,-s
ceasornicărie *f.n.*	watchmaker's
cec,-uri *n.n.*	cheque,-s
cec de călătorie	travellers' cheque
celălalt, cealaltă; ceilalţi, celelalte *adj., pron.*	(the) other,-s
centrală telefonică	switchboard
centralistă,-e *f.n.*	operator,-s
centru,-e *n.n.*	centre,-s
cenuşiu, cenuşie; cenuşii *adj.*	grey
cenzor,-i *m.n.*	auditor,-s
cer *n.n.*	sky
cercei *m.n.pl.*	ear-rings
cere *v.*	to ask /demand
cereale *f.n.pl.*	cereals
ceremonie oficială	official ceremony
cerere,-i *f.n.*	demand,-s
cerere de achiziţionare	purchase requisition
certificat medical	medical certificate
ceva *pron.*	some / a little / something
chec,-uri *n.n.*	cake,-s
cheie, chei *f.n.*	key,-s
chelner,-i *m.n.*	waiter,-s
chelneriţă,-e *f.n.*	waitress,-es
cheltuială, cheltuieli *f.n.*	expenditure
chemare, chemări *f.n.*	calling,-s
chenar,-e *n.n.*	frame,-s
chestiuni financiare	money matters
chiar *adv.*	even
chibrit,-uri *n.n.*	(friction) match,-es
chifteluţe *f.n.pl.*	mincemeat balls
chilipir *n.n.*	good bargain
chioşc de ziare	news stall
chirie,-i *f.n.*	rent,-s
chirurg,-i *m.n.*	surgeon,-s
chirurgie *f.n.*	surgery
chiuvetă de baie	wash-hand basin
chiuvetă de bucătărie	sink
cifră,-e *f.n.*	figure,-s / number,-s
cifră de afaceri	turnover
cină,-e *f.n.*	supper,-s
cinci *num.*	five
cine *pron.*	who
cinematograf,-e *n.n.*	cinema-hall,-s
cineva *pron.*	somebody
ciocolată,-e *f.n.*	chocolate,-s
ciorap,-i *m.n.*	stocking,-s
ciorbă,-e *f.n.*	sour soup,-s
cireaşă, cireşe *f.n.*	cherry,-ies
citi *v.*	to read
citire,-i *f.n.*	reading,-s
ciupercă,-i *f.n.*	mushroom,-s
cizmărie,-i *f.n.*	shoemaker's
clătită,-e *f.n.*	pancake,-s
client,-ţi *m.n.*	client,-s / customer,-s
clinică,-i *f.n.*	clinic,-s
coafor *m.n.*	hairdresser
coală, coli (de hârtie) *f.n.*	sheet,-s (of paper)
coborî *v.*	to get off / get out of
coechipier,-i *m.n.*	team-mate,-s
cofetărie,-i *f.n.*	confectionery,-ies
colaborator,-i *m.n.*	co-worker,-s
coleg,-i *m.n.*	mate,-s / colleague,-s
colegiu,-i *n.n.*	college,-s
colier,-e *n.n.*	necklace,-s

coloană,-e *f.n.*	pillar,-s / column,-s
coloană vertebrală	backbone
colţ,-uri *n.n.*	corner,-s
comanda *v.*	to order
comenta *v.*	to comment
comercial,-ă;	commercial
comerciali,-e *adj.*	
comision,-oane *n.n.*	commission,-s / fee,-s
comodă,-e *f.n.*	chest,-s of drawers
companie,-i *f.n.*	company,-ies
compas,-uri *n.n.*	pair of compasses
compot,-uri *n.n.*	stewed fruit
comunica *v.*	to communicate
concediu,-i *n.n.*	holidays / vacation
condiment,-e *n.n.*	spice,-s
condiţii *f.n.pl.*	terms
conduce *v.*	to lead / rule / drive
confecţii *f.n.pl.*	ready-made clothes
confortabil,-ă;	comfortable
-i, -e *adj.*	
conopidă,-e *f.n.*	cauliflower,-s
conservă,-e *f.n.*	tin,-s / can,-s
consilier,-i *m.n.*	counsellor,-s
consiliu de	board of directors
administraţie	
consiliu profesoral	teaching board
consoană,-e *f.n.*	consonant,-s
constructor,-i *m.n.*	builder,-s
cont,-uri *n.n.*	account,-s
cont curent	current account
cont de depozit	deposit account
contabil,-i *m.n.*	accountant,-s
contabilitate *f.n.*	accounting office
contagios,-oasă;	catching/contagious
contagioşi,-oase *adj.*	
contra *(+ Gen.) prep.*	against
contrariat,-ă;	confused
contrariaţi,-te *adj.*	
conversaţie,-i *f.n.*	conversation,-s
convorbire	long distance call
interurbană	
convorbire locală	local call
convorbire telefonică	call
convorbiri adiţionale	additional calls
copac,-i *m.n.*	tree,-s

copiator,-oare *n.n.*	copy mashine,-s
copie, copii *f.n.*	copy,-ies
copil, copii *m.n.*	child, children
copt, coaptă;	ripe / mellow
copţi, coapte *adj.*	
corespondenţă *f.n.*	mail
coridor,-oare *n.n.*	corridor,-s
coroană,-e *f.n.*	krone,-s
corp,-uri *n.n.*	body,-ies
cost,-uri *n.n.*	fare,-s
costa *v.*	to cost
costum,-e	suit,-s (of clothes)
(de haine) *n.n.*	
coş de hârtii	paper basket
cot, coate *n.n.*	elbow,-s
cotlet de berbec	mutton chop
cotlet de miel	lamb cutlet
cotlet de porc	pork cutlet
cotlet de viţel	veal cutlet
covor,-oare *n.n.*	carpet,-s
cratiţă,-e *f.n.*	pan,-s
cravată,-e *f.n.*	tie,-s
Crăciun *n.n.*	Christmas
crede *v.*	to believe / think
credit,-e *n.n.*	credit,-s / loan,-s
creditor,-i *m.n.*	lender,-s
creier,-e *n.n.*	brain,-s
creion,-oane *n.n*	pencil,-s
creşte *v.*	to rise / increase
croitorie,-i *f.n.*	tailor's /dressmaker's
crud,-ă; cruzi,	raw
crude *adj.*	
cu *prep.*	with
Cu ce...?	What... with / by?
Cu ce vă ocupaţi?	What are you?
Cu cine...?	With whom...?
Cu plăcere!	You're welcome!
cui,-e *n.n.*	nail,-s
Cui?	Whom? *(Dative)*
culoar,-e *n.n.*	passage,-s
culoare, culori *f.n.*	colour,-s
cum *adv.*	how
Cum îl / o cheamă?	What's his /her name?
cumnat,-ţi *m.n.*	brother/,-s/ -in-law
cumpăra *v.*	to buy

cumpărături *f.n.pl.*	shopping
cumva *adv.*	by chance
cunoscut,-ă; **cunoscuţi,-te** *adj.*	known
curat,-ă; **curaţi,-te** *adj.*	clean
curăţătorie,-i *f.n.*	dry-cleaner's
curând *adv.*	soon
curcan,-i *m.n.*	turkey
curmală,-e *f.n.*	date,-s (fruit)
curs,-uri *n.n.*	course,-s / class,-es
cutie,-i *f.n.*	box,-es
cutie de chibrituri	box of matches
cutie de conserve	tin
cutie de scrisori	letter box
cutie de viteze	gear box
cuţit,-e *n.n.*	knife,-s
cuvânt, cuvinte *n.n.*	word,-s
da *adv.*	yes
da *v.*	to give
da cu chirie	to let
da cu împrumut	to lend
da faliment	to go bankrupt
da în judecată	to sue
da un telefon	to call / ring up
dacă *conj.*	if
danez,-i *m.n.*	Dane,-s
dar *conj.*	but
dar,-uri *n.n.*	present,-s
dată,-e *f.n.*	date,-s / day,-s
(de) data **aceasta** *adv. phr.*	this time
data **trecută** *adv. phr.*	last time
data **viitoare** *adv. phr.*	next time
datorie publică	governmental debt
datornic,-i *m.n.*	debtor,-s
de către *prep.*	by
De câte ori...?	How many times...?
De ce?	Why?
de curând *adv. phr.*	recently
de fapt *adv. phr.*	actually / in fact
de îndată **ce** *adv. phr.*	as soon as
de la *prep.*	from
de la ora ...	since ... o'clock
de obicei *adv. phr.*	usually
De unde...?	Where...from?
De unde sunteţi?	Where are you from?
de-a lungul **(+ Gen.) prep.**	along / over
deal,-uri *n.n.*	hill,-s
dealer valutar	foreign exchange dealer
deasupra **(+ Gen.) prep.**	above
debitor,-i *m.n.*	borrower,-s
decembrie	December
deci *conj.*	therefore
dedesubt *adv.*	below
dedesubtul **(+ Gen.) prep.**	under
defect,-ă; **defecţi,-te** *adj.*	out of order
deget,-e *n.n.*	finger,-s
deget mare	thumb
deget de la picior	toe
deja *adv.*	already
delegaţie,-i *f.n.*	business trip,-s
delicios,-oasă; **delicioşi,-oase** *adj.*	delicious
demers,-uri *n.n.*	approach,-es
demodat,-ă; **demodaţi,-te** *adj.*	out of fashion
dentist, dentişti *m.n.*	dentist,-s
de ... ori (pe zi)	... times (a day)
deodată *adv.*	suddenly
deodorant,-e *n.n.*	body-spray,-s
departament de **marketing**	marketing department
departament **financiar**	financial department
departe *adv.*	far (away)
depinde *v.*	to depend
depune *v.*	to deposit
Deranjamente	Maintenance Department
deranjat,-ă; **deranjaţi,-te** *adj.*	out of order

deschide *v.*	to open	**doamna...**	Mrs. ...
deschis,-ă; **deschişi,-se** *adj.*	open	**doi** *(m.),* **două** *(f., n.) num.*	two
desen,-e *n.n.*	drawing,-s	**dolar,-i** *m.n.*	dollar,-s
desena *v.*	to draw	**domnul...**	Mr. ...
deseori *adv.*	often	**dori** *v.*	to wish
desert *n.n.*	dessert	**dorinţă,-e** *f.n.*	wish,-es
desigur *adv.*	of course	**dormi** *v.*	to sleep
despre *prep.*	about	**dormitor,-oare** *n.n.*	bedroom,-s
destul,-ă; **destui,-le** *adj.*	enough	**dosar,-e** *n.n.*	file,-s
		dotat,-ă; **dotaţi,-te** *adj.*	gifted
destul de **des** *adv. phr.*	quite often	**dovleac, dovleci** *m.n.*	pumpkin,-s
detectiv,-i *m.n.*	detective,-s	**dovlecel,** **dovlecei** *m.n.*	vegetable marrow,-s
deveni scadent / a **ajunge la scadenţă**	to come due	**drag,-ă; dragi,-e** *adj.*	dear
devreme *adv.*	early	**drapel,-e** *n.n.*	flag,-s
dezbrăca (se) *v. ; r.v.*	to undress	**drăguţ,-ă;** **drăguţi,-e** *adj.*	nice / lovely
dezinforma *v.*	to misinform	**drept, dreaptă;** **drepţi,-te** *adj.*	right
diagnostic *n.n.*	diagnosis		
dicţionar,-e *n.n.*	dictionary,-ies	**drept înainte** *adv. phr.*	straight ahead
diferenţă,-e *f.n.*	difference,-s	**drum,-uri** *n.n.*	way,-s
dimineaţă, **dimineţi** *f.n.*	morning,-s	**duce (se)** *r.v.*	to go
din *prep.*	from	**dulap,-uri (de** **bucătărie)** *n.n.*	cupboard,-s
din cauza *(+ Gen.) prep.*	because of	**dulap de haine**	wardrobe,-s
din fericire *adv. phr.*	fortunately	**dulce; dulci** *adj.*	sweet
din nefericire *adv. phr.*	unfortunately	**dulceaţă** *f.n.*	jam
		dulciuri *n.n.pl.*	sweets
dinte, dinţi *m.n.*	tooth, teeth	**duminică** *f.n.*	Sunday
diplomă,-e *f.n.*	diploma,-s	**dumneaei** *pron.*	she *(pronoun of politeness)*
director,-i *m.n.*	manager,-s / director,-s		
director comercial	commercial director	**dumnealor** *pron.*	they *(pronoun of politeness)*
director de **marketing**	marketing director	**dumnealui** *pron.*	he *(pronoun of politeness)*
director financiar	financial director		
director general	managing director	**dumneavoastră** *pron.*	you *(pronoun of politeness)*
disc,-uri *n.n.*	disc,-s		
dischetă,-e *f.n.*	floppy disk,-s	**după** *prep.*	after
discuta *v.*	to discuss	**durea / avea dureri** **de** *v.*	to ache
displăcea *v.*	to dislike		
disponibil,-ă; -i, **-e** *adj.*	available	**durere,-i** *f.n.*	ache,-s / pain,-s
		durere de cap	headache
distra (se) *r.v.*	to have fun	**duş,-uri** *n.n.*	shower,-s

ea *pron.*	she	face pachet	to parcel up
echipament,-e *n.n.*	outfit,-s / equipment,-s	face prăjituri	to bake
echipă,-e *f.n.*	team,-s	factură,-i (telefonică,-e) *f.n.*	(telephone) bill,-s
echipă managerială	managerial team	faliment,-e *n.n.*	bankruptcy,-ies
economist,-şti *m.n.*	economist,-s	fals,-ă; falşi, false *adj.*	false
efect calmant	soothing effect	familie,-i *f.n.*	family,-ies
ei *pron.*	they *(masc.)*	farmacie,-i *f.n.*	chemist's / pharmacy
el *pron.*	he	fasole boabe	haricot beans
ele *pron.*	they *(fem.)*	fasole verde	green beans
electrician,-eni *m.n.*	electrician,-s	fată, fete *f.n.*	girl,-s
elegant,-ă; eleganţi,-te *adj.*	fashionable	faţă, feţe *f.n.*	face,-s
elev,-i *m.n.*	pupil,-s / student,-s	făină *f.n.*	flour
elveţian,-eni *m.n.*	Swiss,-es	febră *f.n.*	fever
englez,-i *m.n.*	Englishman,-men	februarie *m.n.*	February
eşalona *v.*	to schedule	felicitări *f.n.pl.*	congratulations
eşarfă,-e *f.n.*	scarf,-s	felie,-i *f.n.*	slice,-s
etaj,-e *n.n.*	storey,-s / floor,-s	femeie, femei *f.n.*	woman, women
etajeră,-e *f.n.*	shelf,-s	fereastră, ferestre *f.n.*	window,-s
eu *pron.*	I	fericit,-ă; fericiţi,-te *adj.*	happy
exact *adv.*	exactly / precisely		
examina *v.*	to examine	fi *v.*	to be
excepţie,-i *f.n.*	exception,-s	ficat *m.n.*	liver
excursie,-i *f.n.*	trip,-s	fie... fie *conj.*	either... or
exerciţiu,-i *n.n.*	exercise,-s	fiecare *pron.*	everybody
exigent,-ă; exigenţi,-te *adj.*	demanding	fier de călcat	pressing iron
		fierbinte; fierbinţi *adj.*	hot
expert,-ţi *m.n.*	expert,-s	fiert, fiartă; fierţi, fierte *adj.*	boiled
explica *v.*	to explain		
extraordinar,-ă; -i, -e *adj.*	extraordinary	fiică,-e *f.n.*	daughter,-s
		fiindcă *conj.*	because
extrem (de) *adj.*	extremely	film,-e *n.n.*	film,-s / movie,-s
fabrică,-i *f.n.*	factory,-ies	filtru de cafea	coffee filter
face *v.*	to make / do	finaliza *v.*	to finish
face afaceri	to do business	finlandez,-i *m.n.*	Finn,-s
face aluzie la	to allude to	fir,-e *n.n.*	line,-s
face apel la	to appeal to	fişă,-e *f.n.*	slip,-s (of paper)
face baie	to take a bath	fişă medicală	medical card
face bilanţul contabil	to draw up the balance sheet	fiu, fii *m.n.*	son,-s
face cumpărături	to go shopping	floare, flori *f.n.*	flower,-s
face lecţiile	to do the lessons	florărie,-i *f.n.*	florist's
face legătura	to put through	foarfece, foarfece *n.n.*	pair,-s of scissors
face mâncare	to cook		
face o aluzie	to drop a hint		

foarte *adv.*	very	gât,-uri *n.n.*	neck,-s / throat,-s
foarte rar *adv. phr.*	occasionally	geam,-uri *n.n.*	window pane,-s
folosi *v.*	to use	geană, gene *f.n.*	eyelash,-es
folositor,-oare; -i,-oare *adj.*	useful	gemeni *m.n.pl.*	twins
forma *v.*	to make up / form	genunchi, genunchi *n.n.*	knee,-s
forma un număr de telefon	to dial	Germania	Germany
fotbal *n.n.*	football	gheaţă *f.n.*	ice
fotbalist,-şti *m.n.*	football player,-s	gheată, ghete *f.n.*	boot,-s
fotograf,-i *m.n.*	photographer,-s	ghinion *n.n*	ill luck
fotografie,-i *f.n.*	photo,-s	ghişeu, ghişee *n.n.*	counter,-s
fotoliu,-i *n.n.*	armchair,-s	gimnastică *f.n.*	gymnastics
fragă,-i *f.n.*	wild strawberry,-ies	ginere,-i *m.n.*	son/,-s/-in-law
franc,-i *m.n.*	franc,-s	gleznă,-e *f.n.*	ankle,-s
francez,-i *m.n.*	Frenchman,-men	glumi *v.*	to joke
frate, fraţi *m.n.*	brother,-s	gogoaşă, gogoşi *f.n.*	dough-nut,-s
frigider,-e *n.n.*	refrigerator,-s	gogoşar,-i *m.n.*	red pepper,-s
fript,-ă; fripţi,-te *adj.*	roasted	Grăbeşte-te!	Hurry up!
friptură,-i *f.n.*	roasted meat	grad,-e *n.n.*	degree,-s
frizerie,-i *f.n.*	barber's	grafic,-e *n.n.*	graph,-s
fruct,-e *n.n.*	fruit	grăbi (se) *r.v.*	to hurry
frumos,-oasă; frumoşi,-oase *adj.*	beautiful	grăbit,-ă; grăbiţi,-te *adj.*	hurried
frunte, frunţi *f.n.*	forehead,-s	grătar,-e *n.n.*	grill,-s
fugi *v.*	to run	grâu *m.n.*	wheat
fulgi de porumb	corn flakes	greşeală, greşeli *f.n.*	mistake,-s
fuma *v.*	to smoke	greşi numărul	to get the wrong number
funcţionar,-i *m.n.*	clerk,-s	gri; gri *adj.*	grey
furcă (a telefonului) *f.n.*	hook / cradle	gripă *f.n.*	flu
		gros, groasă; groşi, groase *adj.*	thick
furculiţă,-e *f.n.*	fork,-s		
furnizor,-i *m.n.*	purveyor,-s	gulden,-i *m.n.*	guilder,-s
fustă,-e *f.n.*	skirt,-s	gumă,-e *f.n.*	rubber,-s
galben,-ă; galbeni,-e *adj.*	yellow	gunoi *n.n.*	garbage
		gură,-i *f.n.*	mouth,-s
gară, gări *f.n.*	railway station,-s	gust *n.n.*	taste
garsonieră,-e *f.n.*	bachelor flat,-s	gustare, gustări *f.n.*	snack,-s
gata *adv.*	ready	gutuie, gutui *f.n.*	quince,-s
găină,-i *f.n.*	hen,-s	Hai să mergem!	Let's go!
gălăgie *f.n.*	noise	haină,-e *f.n.*	coat,-s
găsi *v.*	to find	halbă,-e *f.n.*	mug,-s
găti *v.*	to cook	hartă, hărţi *f.n.*	map,-s
gândi *v.*	to think	hârtie,-i *f.n.*	paper
gândire *f.n.*	thinking	hol,-uri *n.n.*	entrance hall,-s
gâscă, gâşte *f.n.*	goose, geese	hotărî *v.*	to decide

hotărâre,-i *f.n.*	decision,-s
ianuarie	January
iar *adv.*	again
iarbă *f.n.*	grass
iarnă, ierni *f.n.*	winter,-s
Iată!	Look!
Iată-i / le!	Here they are!
iaurt *n.n.*	yogurt
idee, idei *f.n.*	idea,-s
ieftin,-ă;	cheap
ieftini,-e *adj.*	
ieri *adv.*	yesterday
ieşi *v.*	to get out
Imediat!	Right away!
imediat ce *adv. phr.*	as soon as
impozit,-e *n.n.*	tax,-es
imprimantă,-e *f.n.*	printer,-s
inel,-e *n.n.*	ring,-s
infirmieră,-e *f.n.*	nurse,-s
informaţie *f.n.sg.*	piece of information
informaţii *f.n.pl.*	inquiries / information
inginer,-i *m.n.*	engineer,-s
inimă,-i *f.n.*	heart,-s
injecţie,-i *f.n.*	injection,-s
insolvabilitate *f.n.*	insolvency
instalator,-i *m.n.*	plumber,-s
intenţiona *v.*	to intend
interesant,-ă;	interesting
interesanţi,-te *adj.*	
interior *n.n.*	extension (telephone)
interpret,-ţi *m.n.*	interpreter,-s
intersecţie,-i *f.n.*	crossroad,-s
intra *v.*	to enter
intrare, intrări *f.n.*	entrance,-s
intrare de serviciu	back entrance
intrare principală	main entrance
Intraţi!	Come in!
introduce *v.*	to insert
invita *v.*	to invite
invitat,-ţi *m.n.*	guest,-s
ipotecă *f.n.*	mortgage
istorie *f.n.*	history
iulie	July
iunie	June

iute; iuţi *adj*	spicy / hot
îmbolnăvi (se) *r.v.*	to get ill
îmbrăca *v.*	to dress
îmbrăca (se) *r.v.*	to get dressed
Îmi pare bine.	I am happy / delighted.
Îmi pare rău.	I'm sorry.
Îmi place…	I like…
împacheta *v.*	to pack
împinge *v.*	to push
împotriva *(+ Gen.) prep.*	against
împrumut,-uri *n.n.*	loan,-s
împrumuta *v.*	to lend
în *prep.*	in / into
în faţa *(+ Gen.) prep.*	in front of
în fruntea *(+ Gen.) prep.*	at the head of
în general *adv. phr.*	generally
în jurul *(+ Gen.) prep.*	(a)round (the)
în locul *(+ Gen.) prep.*	instead of
în mijlocul *(+ Gen.) prep.*	in the middle of
în spatele / urma *(+ Gen.) prep.*	behind / at the back of
în timpul *(+ Gen.) prep.*	during
în ultima vreme *adv. phr.*	lately
în vârstă *adj. phr.*	aged
înainte *adv.*	ahead
înaintea *(+ Gen.) prep.*	before
înalt,-ă; înalţi,-te *adj.*	high / tall
înapoi *adv.*	back
înăuntru *adv.*	in / inside
încă *adv.*	yet
încălţa (se) *r.v.*	to put the shoes on
încălţăminte *f.n.*	footwear
încălzire centrală	central heating
încântat,-ă; încântaţi,-te *adj.*	delighted
începe *v.*	to start / begin
început,-uri *n.n.*	beginning,-s

încerca *v.*	to try	la dreapta *adv. phr.*	to the right
încheietura mâinii	wrist	La mulţi ani!	Many happy returns!
închide *v.*	to shut / close	La revedere!	Good-bye!
închis,-ă;	shut / closed	la stânga *adv. phr.*	to the left
închişi,-se *adj.*		la timp *adv. phr.*	in due time
îngheţată,-e *f.n.*	ice-cream,-s	laba piciorului	foot
îngrijora (se) *r.v.*	to worry	lacăt,-e *n.n.*	padlock,-s
îngrijorat,-ă;	worried	(raion de)	dairy (counter)
îngrijoraţi,-te *adj.*		lactate *f.n.pl.*	
îngrozitor,-oare; -i,	awful	lalea, lalele *f.n.*	tulip,-s
-oare *adj.*		lampă, lămpi *f.n.*	lamp,-s
înlocui *v.*	to replace	lanţ,-uri *n.n.*	chain,-s
înot *n.n.*	swimming	lapte *n.n.*	milk
înota *v.*	to swim	lapte acru (bătut)	sour milk
însănătoşi (se) *r.v.*	to get well	lapte praf	powder milk
Înseamnă că...	It means that...	larg,-ă; largi *adj.*	loose
întâlni *v.*	to meet	lăcătuş,-i *m.n.*	locksmith,-s
întâlnire,-i *f.n.*	meeting,-s / appointment,-s	lămâie, lămâi *f.n.*	lemon,-s
		lăsa un mesaj	to leave / convey a message
întâlnire de afaceri	business meeting		
întâmpla (se) *r.v.*	to happen	lână *f.n.*	wool
întoarce (se) *r.v.*	to return / come back	lângă *prep.*	next to / near
întocmi *v.*	to draft / draw up	lectură,-i *f.n.*	reading,-s
întotdeauna *adv.*	always	legumă,-e *f.n.*	vegetable,-s
între *prep.*	between	leneş,-ă;	idle / lazy
întrebare,	question,-s	leneşi,-e *n., adj.*	
întrebări *f.n.*		leu, lei *m.n.*	ROL (romanian currency)
întreba *v.*	to ask		
într-o + *f.n.*	in a	leziune,-i *f.n.*	injury,-ies
într-un + *m.* or *n.n.*	in a	liber,-ă; liberi,-e *adj.*	free
înţelege *v.*	to understand	limbă,-i *f.n.*	language,-s / tongue,-s
învăţa *v.*	to learn / study		
învăţătură *f.n.*	learning	lingură,-i *f.n.*	spoon,-s
învinge *v.*	to win	linguriţă,-e *f.n.*	teaspoon,-s
jachetă,-e *f.n.*	jacket,-s	liră,-e *f.n.*	lira,-s
joc,-uri *n.n.*	game,-s	liră sterlină	pound sterling
joi *f.n.*	Thursday	listă,-e *f.n.*	list,-s
juca (se) *v., r.v.*	to play	literă,-e *f.n.*	letter,-s
jucărie,-i *f.n.*	toy,-s	litoral *n.n.*	seaside
judeţ,-e *n.n.*	county,-ies	loc de parcare	parking lot
jumătate,	half,-s	locui *v.*	to live / dwell
jumătăţi *f.n.*		locuitor,-i *m.n.*	inhabitant,-s
kilogram,-e *n.n.*	kilo,-s	logodnă,-e *f.n.*	engagement,-s
la *prep.*	at / to	lua *v.*	to take
la anul *adv. phr.*	next year	lua cina	to have supper
La ce oră...?	What time...?	lua cu împrumut	to borrow

lua cu chirie	to rent	măr, mere *n.n.*	apple,-s
lua masa	to have a meal	mărar *n.sg.*	dill
lua parte la	to take part into	mări *v.*	to rise / increase
lua trenul	to go by train	mărime / număr	size
Luaţi loc!	Sit down! / Take a seat!	mărire,-i *f.n.*	increase,-s
		mărunţiş *n.n.*	small change
lucra *v.*	to work	măslină,-e *f.n.*	olive,-s
lucru,-ri *n.n.*	thing,-s	măsuţă,-e *f.n.*	small table,-s
lumină electrică	electric light	mătase *f.n.*	silk
lunar *adv.*	monthly	mătuşă,-i *f.n.*	aunt,-s
lună,-i *f.n.*	month,-s	mâine *adv.*	tomorrow
lung,-ă; lungi *adj.*	long	mână, mâini *f.n.*	hand,-s
luni *f.n.*	Monday	mânca *v.*	to eat
luxaţie,-i *f.n.*	luxation,-s	mâncare, mâncări *f.n.*	food,-s / meal,-s
luxos,-oasă; luxoşi,-oase *adj.*	luxurious	meci,-uri *n.n.*	match,-es *(sport)*
magazin,-e *n.n.*	shop,-s	medic,-i *m.n.*	physician,-s / doctor,-s
magazin alimentar	food store	medicament,-e *n.n.*	medicament,-s / drug,-s
magazin universal	department store		
mai	May	membru, membre *n.n.*	limb,-s
mai bine *adv. phr.*	better	meniu,-ri *n.n.*	bill,-s of fare
mai întâi *adv. phr.*	first of all	mercerie,-i *f.n.*	haberdashery,-ies
mai târziu *adv. phr.*	later (on)	merge *v.*	to go
mai... decât	more... than	merge (pe jos) *v.*	to walk
maistru, maiştri *m.n.*	foreman,-men	mesele zilei	the meals of the day
mamă,-e *f.n.*	mother,-s	metrou,-ri *n.n.*	tube,-s
manual,-e *n.n.*	handbook,-s	mic,-ă; mici *adj.*	little / small
mapă,-e *f.n.*	portfolio,-es	micul dejun	breakfast
marţi *f.n.*	Tuesday	Mi-e foame.	I am hungry.
marcă, mărci *f.n.*	mark,-s (currency)	Mi-e sete.	I am thirsty.
mare; mari *adj.*	big	mie *num.*	thousand
marfă, mărfuri *f.n.*	goods	miercuri *f.n.*	Wednesday
maro *adj.*	brown	mijloace de transport	means of transport
marochinărie *f.n.*	leather goods		
martie	March	minciună,-i *f.n.*	lie,-s
masă, mese *f.n.*	table	minge,-i *f.n.*	ball,-s
masă / mâncare	meal	minut,-e *n.n.*	minute,-s
masă monetară	money supply	mobilă,-e *f.n.*	furniture
masaj,-e *n.n.*	massage,-s	model,-e *n.n.*	model,-s / pattern,-s
maşină,-i *f.n.*	car,-s / machine,-s	monedă,-e *f.n.*	coin,-s
maşină de scris	typewriter	monedă naţională	national / domestic currency
maşină de spălat	washing-machine		
materiale consumabile	consumables	morcov,-i *m.n.*	carrot,-s
mazăre *f.n.*	peas	Moş Crăciun	Santa Claus

Moş Nicolae	Saint Nicholas	**Noroc!**	Hello! / Good luck!
mov *adj.*	mauve	**norvegian,**	Norwegian,-s
mult,-ă *adj., pron.*	much	**norvegieni** *m.n.*	
mulţi,	many	**nostru, noastră;**	our
multe *adj., pron.*		**noştri, noastre** *adj.*	
Mulţumesc.	Thank you.	**notă de plată /**	bill
mulţumi *v.*	to thank	**factură**	
muncă,-i *f.n.*	work,-s / job,-s	**notă,-e** *f.n.*	(school) mark,-s
muncitor,-i *m.n.*	worker,-s	**notiţe** *f.n.pl.*	notes
munte, munţi *m.n.*	mountain,-s	**nou,-ă; noi** *adj.*	new
murături *f.n.pl.*	pickles	**nouă** *num.*	nine
mură,-e *f.n.*	blackberry,-ies	**nu** *adv.*	no
muta (se) *r.v.*	to move	**Nu-i aşa?**	Isn't it?
muzeu,-e *n.n.*	museum,-s	**Nu îmi place…**	I don't like…
muzică *f.n.*	music	**Nu ştiu.**	I don't know.
nară, nări *f.n.*	nostril,-s	**nuanţă,-e** *f.n.*	shade,-s
nas,-uri *n.n.*	nose,-s	**nucă,-i** *f.n.*	nut,-s
necesar de finanţare	financing needs	**numai** *adv.*	only
necesar de	liquidity	**nume, nume** *n.n.*	name,-s
lichiditate	requirements	**numerar** *n.n.*	cash
necesar de materiale	materials needed	**o** *indef. art. fem.*	a / an
nefericit,-ă;	unhappy	**oară, ori** *f.n.*	date,-s / time,-s
nefericiţi,-te *adj.*		**(prima) oară**	the first time
negociere,-i *f.n.*	negotiation,-s	**obiect,-e** *n.n.*	object,-s / thing,-s
negreşit *adv.*	by all means / of course	**obosit,-ă;**	tired
negru, neagră;	black	**obosiţi,-te** *adj.*	
negri,-e *adj.*		**obraz, obraji** *m.n.*	cheek,-s
nepoată,-e *f.n.*	grand-daughter,-s / niece,-s	**ocazie,-i** *f.n.*	occasion,-s
		ochelari *n.n.*	glasses / spectacles
nepot,-ţi *m.n.*	grandson,-s / nephew,-s	**ochi, ochi** *m.n.*	eye,-s
		octombrie *n.*	October
nici de… nici de	neither… nor	**ocupaţie,-i** *f.n.*	occupation,-s
nici unul	neither of them	**odihni (se)** *r.v.*	to take a rest
niciodată *adv.*	never	**oferi** *v.*	to offer
nimeni *pron.*	nobody	**ofertă de cumpărare**	bid
ninsoare, ninsori *f.n.*	snowfall,-s	**oglindă, oglinzi** *f.n.*	mirror,-s
nişte *indef. art. pl.*	some *(affirm.)* / any *(neg.)*	**olandez,-i** *m.n.*	Dutch,-es
		omenesc,-ească;	human
noapte, nopţi *f.n.*	night,-s	**omeneşti** *adj.*	
Noapte bună!	Good night!	**omletă cu şuncă**	ham and eggs
noi *pron.*	we	**opri** *v.*	to stop
noiembrie	November	**opţiune,-i** *f.n.*	option,-s
noptieră,-e *f.n.*	bedside table,-s	**opt** *num.*	eight
nor,-i *m.n.*	cloud,-s	**optician,**	optician,-s
noră, nurori *f.n.*	daughter/,-s/-in-law	**opticieni** *m.n.*	
		oraş,-e *n.n.*	town,-s

oră (de curs) *f.n.*	class	pătrunjel *m.n.*	parsley
oră, ore *f.n.*	hour,-s	pâine,-i *f.n.*	bread / loaf,-s
ordin permanent de plată	standing order	până *prep.*	until
		până acum *adv. phr.*	so far
ordona *v.*	to order	pântece, pântece *n.n.*	belly,-ies
orez *n.n.*	rice		
ori de câte ori *adv. phr.*	whenever	pe *prep.*	on
		pe cine *pron.*	whom
oricare, orice *adj., pron.*	any	Pe curând!	See you soon!
		pe jos *adv. phr.*	on foot
orice *pron.*	anything	pe lângă *prep.*	beside
oricum *adv.*	anyhow / anyway	Pe mâine!	See you tomorrow!
ospătar,-i *m.n.*	waiter,-s	pensionar,-i *m.n.*	pentioner,-s
ospitalier,-ă; -i, -e *adj.*	hospitable	pensionat,-ă; pensionaţi,-te *adj.*	retired
ou, ouă *n.n.*	egg,-s	pentru *prep.*	for
pachet,-e *n.n.*	packet,-s	pentru că *conj.*	because
pachet de acţiuni	stock	pepene galben	melon
pacient,-ţi *m.n.*	patient,-s	pepene verde	water melon
pagină,-i *f.n.*	page,-s	percepe *v.*	to charge
pahar,-e *n.n.*	glass,-es	perdea, perdele *f.n.*	curtain,-s
palat,-e *n.n.*	palace,-s	pereche,-i *f.n.*	pair,-s
palier,-e *n.n.*	landing,-s	pereche de ochelari	pair of glasses
palmă,-e *f.n.*	palm,-s	pereche de pantofi	pair of shoes
pantaloni *m.n.*	trousers	perete, pereţi *m.n.*	wall,-s
pantof,-i *m.n.*	shoe,-s	perforator,-oare *n.n.*	puncher,-s
papetărie *f.n.*	stationer's	performanţă,-e *f.n.*	performance,-s
pară, pere *f.n.*	pear,-s	permite *v.*	to allow
parc,-uri *n.n.*	park,-s / garden,-s	persoană,-e *f.n.*	person,-s
parfum *n.n.*	perfume	pescărie,-i *f.n.*	fish counter,-s
parfumerie,-i *f.n.*	perfumery	pescuit *n.n.*	fishing
partener,-i *m.n.*	partner,-s	peseta,-e *f.n.*	peseta,-s
partener de afaceri	business partner	peste *prep.*	over
participa *v.*	to participate	peşte,-i *m.n.*	fish,-es
pastilă,-e *f.n.*	pill,-s	petrece *v.*	to spend
Paşte *n.n.*	Easter	petrecere,-i *f.n.*	party,-ies
pat,-uri *n.n.*	bed,-s	piaţă, pieţe *f.n.*	market,-s / square,-s
pateu,-ri *n.n.*	pie,-s	piaţă de scont	discount market
patina *v.*	to skate	piaţă valutară	exchange market
patron,-i *m.n.*	employer,-s	picior,-oare *n.n.*	leg,-s
patru *num.*	four	piept,-uri *n.n.*	chest,-s
Păi...	Well...	piersică,-i *f.n.*	peach,-es
pălărie,-i *f.n.*	hat,-s	pijama *f.n.*	pyjamas
păr *m.n.*	hair	pivniţă,-e *f.n.*	cellar,-s
părinte, părinţi *m.n.*	parent,-s	pix,-uri *n.n.*	ballpen,-s
păstrăv,-i *m.n.*	trout,-s		

placat,-ă;	plated	**preşedinte,**	president,-s
placaţi, -te *adj.*		preşedinţi *m.n.*	
plan,-uri *n.n.*	plan,-s	**prezenta** *v.*	to introduce
plată, plăţi *f.n.*	payment,-s	**priceput,-ă;**	skilled
plăcea *v.*	to like	pricepuţi,-te *adj.*	
plăcere,-i *f.n.*	pleasure,-s	**prieten,-i** *m.n.*	friend,-s
plăcintă,-e *f.n*	pie,-s	**prim ajutor**	first aid
plămân,-i *m.n.*	lung,-s	**primăvară,**	spring,-s
plăti *v.*	to pay	primăveri *f.n.*	
pleca (de la) *v.*	to leave	**primi** *v.*	to get
pleca (la) *v.*	to leave for	**primul** *(m.,n.),*	the first
plecare, plecări *f.n.*	leaving	prima *(f.) num.*	
pleoapă,-e *f.n.*	eyelid,-s	**printre** *prep.*	among
plic,-uri *n.n.*	envelope,-s	**proaspăt,-ă;**	fresh
plictisitor,-oare;	boring	proaspeţi,-te *adj.*	
-i, -oare *adj.*		**proba** *v.*	to try on
ploaie, ploi *f.n.*	rain,-s	**problemă,-e** *f.n.*	problem,-s / matter,-s
poartă, porţi *f.n.*	gate,-s	**produs,-e** *n.n.*	product,-s
pod,-uri *n.n.*	garret,-s	**profesie,-i** *f.n.*	occupation,-s
podea, podele *f.n.*	floor,-s	**profesor,-i** *m.n.*	teacher,-s
Poftă bună!	Good appetite!	**program,-e** *n.n.*	programme,-s
Poftiţi!	There you are!	**proiect,-e** *n.n.*	project,-s / plan,-s
poimâine *adv.*	the day after	**proiect de investiţii**	investment project
	tomorrow	**proiector,-oare** *n.n.*	projector,-s
politeţe *f.n.*	politeness	**proprietar,-i** *m.n.*	owner,-s
polonez,-i *m.n.*	Pole,-s	**prosop,**	towel,-s
popor, popoare *n.n.*	people,-s	prosoape *n.n.*	
port,-uri *n.n.*	harbour,-s / port,-s	**provincie,-i** *f.n.*	province,-s
portar,-i *m.n.*	goal keeper,-s	**public** *n.n.*	audience
portocaliu,-e; -i *adj.*	orange	**pui, pui (de**	chicken
porumb *m.n.*	maize / corn	găină) *m.n.*	
potrivi (se) *r.v.*	fit	**pune** *v.*	to put
poveste, poveşti *f.n.*	story,-ies	**pune masa**	to lay the table
povesti *v.*	to tell / narrate	**pungă,-i** *f.n.*	bag,-s / purse,-s
prag de rentabilitate	break even	**purta** *v.*	to wear
prăjit,-ă;	fried	**putea** *v.*	can / to be able
prăjiţi, -te *adj.*		**putere,-i** *f.n.*	power,-s / strength,-s
prăjitură,-i *f.n.*	cake,-s	**putere de cumpărare**	purchasing power
prânz,-uri *n.n.*	lunch,-es / dinner,-s	**putere de stat**	state power
prea *adv.*	too	**puteri depline**	full powers
prea (mulţi)	too (many)	**puţin,**	a little
preciza *v.*	to specify	puţină *adj., pron.*	
precum şi... *prep.*	as well as...	**puţini,**	a few
prefera *v.*	to prefer	puţine *adj., pron.*	
pregăti *v.*	to prepare	**rade** *v.*	to shave
pregătire,-i *f.n.*	preparation,-s	**radiografie,-i** *f.n.*	radiography,-ies

raft,-uri *n.n.*	shelf,(-ve)s
rai *n.n.*	heaven
raion, raioane *n.n.*	department,-s / counter,-s
raion de mezeluri	ham-and-beef counter
rambursa *v.*	to repay
rambursare *f.n.*	repayment
rană, răni *f.n.*	injury,-ies
rapid,-ă; rapizi, rapide *adj.*	quick / rapid
raport, rapoarte *n.n.*	report,-s
rar / rareori *adv.*	seldom
rasol de peşte	boiled fish
rată de schimb	exchange rate
raţă,-e *f.n.*	duck,-s
răci *v.*	to catch a cold
răcoritoare *f.n.pl.*	soft drinks
rămâne *v.*	to remain
răspunde *v.*	to answer
răspundere,-i *f.n.*	responsibility,-ies
rău, rea; răi, rele *adj.*	bad
râu,-ri *n.n.*	river,-s
rece; reci *adj.*	cold
receptor,-oare *n.n*	receiver,-s
recomanda *v.*	to recommend / suggest
recomandabil,-ă; -i, -e *adj.*	advisable
reeşalona *v.*	to reschedule
rege,-i *m.n.*	king,-s
registru contabil	ledger
renume *n.n.*	good-will
renumit,-ă; renumiţi, -te *adj.*	famous
repara *v.*	to repair
repeta *v.*	to repeat
restaurant,-e *n.n.*	restaurant,-s
Revelion *n.n.*	New Year's Eve
revendica *v.*	to claim
reveni *v.*	to come back
reveni (a-şi) *r.v.*	to recover
revistă,-e *f.n.*	review,-s
rezolva *v.*	to solve
ridica *v.*	to pick up
ridica (se) *r.v.*	to get up
ridiche,-i *f.n.*	radish,-es
rinichi, rinichi *m.n.*	kidney,-s
robinet,-e *n.n.*	tap,-s
rochie,-i *f.n.*	dress,-es
român,-i *m.n.*	Romanian,-s
românesc,-ească; româneşti *adj.*	Romanian
roşie, roşii *f.n.*	tomato,-es
roşu, roşie; roşii *adj.*	red
roz *adj.*	pink
rubin,-e *n.n.*	ruby,-ies
rufă,-e *f.n.*	laundry
ruga *v.*	to ask / to beg
sac,-i *m.n.*	bag,-s / sack,-s
sacoşă,-e *f.n.*	bag,-s
salariu,-i *n.n.*	wage,-s / salary,-ies
sală, săli *f.n.*	hall,-s
sală de aşteptare	waiting-room
sală de conferinţe	conference room
sală de teatru	theatre hall
salon de cosmetică	beauty parlour
saltea, saltele *f.n.*	matress,-es
Salut!	Hello!
saluta *v.*	to greet
Salvarea	Ambulance Service
sandale *f.n.*	sandals
sandviş,-uri *n.n*	sandwich,-es
sarcină,-i *f.n.*	task,-s / mission,-s
sare *f.n.*	salt
sau *conj.*	or
sănătate *f.n.*	health
săptămână,-i *f.n.*	week,-s
sărat,-ă; săraţi,-te *adj.*	salted
sărbătoare, sărbători *f.n.*	holiday,-s / celebration,-s
sărbători *v.*	to celebrate
Să taci!	Shut up!
său / sa / săi / sale *pron., adj.*	his / her
sâmbătă *f.n.*	Saturday
sân,-i *m.n.*	breast,-s
sânge *n.n.*	blood
scadenţă *f.n.*	maturity / date of payment
scară, scări *f.n.*	stairs

scaun,-e *n.n.*	chair,-s	soare *m.n.*	sun
scădea *v.*	to decrease	societate,	society,-ies
scăpa (de) *v.*	to get rid (of)	societăţi *f.n.*	
schia *v.*	to ski	socru,-i *m.n.*	father/,-s/-in-law
schimba *v.*	to change / exchange	solicita *v.*	to require
schimbare,	change,-s	solicita un credit	to apply / ask for a
schimbări *f.n.*			loan
scrie *v.*	to write	soră, surori *f.n.*	sister,-s
scrisoare,	letter,-s	spălătorie,-i *f.n.*	laundry
scrisori *f.n.*		spăla *v.*	to wash
scula (se) *r.v.*	to get up	spaţios,-oasă;	large
scump,-ă;	expensive	spaţioşi,-oase *adj.*	
scumpi, -e *adj.*		spanac *n.n.*	spinach
scurt,-ă;	short	spaniol,-i *m.n.*	Spaniard,-s
scurţi,-te *adj.*		sparanghel *m.n.*	asparagus
seară, seri *f.n.*	evening,-s	spate *n.n.*	back
secară *f.n.*	rye	speze suplimentare	additional charges
secretar,-i *m.n.*	secretary,-ies	spital,-e *n.n.*	hospital,-s
secretariat,-e *n.n.*	secretariat,-s	spori *v.*	to rise / increase
secţie,-i *f.n.*	section,-s /	sprânceană,	eyebrow,-s
	department,-s	sprâncene *f.n.*	
seif,-uri *n.n.*	safe,-s	spre *prep.*	to
semna *v.*	to sign	spune *v.*	to say / tell
semnătură,-i *f.n.*	signature,-s	Spune-mi...	Tell me...
septembrie	September	stâng,-ă; stângi *adj.*	left
sertar,-e *n.n.*	drawer,-s	sta (pe loc) *v.*	to stay
Servicii telefonice	Call Services	sta în picioare	to stand
serviciu,-i *n.n.*	office,-s	sta de vorbă cu...	to talk to...
serviciu financiar	financial office	sta la rând	to (stand in a) queue
servietă	briefcase		/ line up
sfat *n.n.*	advice	sta la taifas	to chat
sfătui *v.*	to advise	sta pe roze	to be in the pink
sfânt, sfinţi *m.n.*	saint,-s	sta pe scaun	to sit
sfert,-uri *n.n.*	quarter,-s	stabili *v.*	to establish
sigur,-ă; siguri,-e *adj.*	sure	staţie,-i *f.n.*	station,-s
simţi (se) *r.v.*	to feel	staţie de metrou	tube station
simplu,-ă;	simple	staţie de taxi	taxi rank
simpli,-e *adj.*		staţie de autobuz	bus station
simptom,-e *n.n.*	symptom,-s	sticlă,-e *f.n.*	bottle,-s
sindicat,-e *n.n.*	(trade-)union,-s	stilist,-şti *m.n.*	stylist,-s
singur,-ă;	alone	stilou,-ri *n.n.*	fountain-pen,-s
singuri,-e *adj.*		stofe *f.n.pl.*	drapery
slujbă,-e *f.n.*	service / job,-s	stomac,-uri *n.n.*	stomach,-s
smântână *f.n.*	sour cream	stradă, străzi *f.n.*	street,-s
soţ,-i *m.n.*	husband,-s	strălucitor,-oare;	brilliant
soţie,-i *f.n.*	wife,-s	-i, -oare *adj.*	

strugure, struguri *m.n.*	grapes	**Te pot ajuta cu ceva?**	May I help you?
strung,-uri *n.n.*	lathe,-s	**terasă,-e** *f.n.*	terrace,-s
strungar,-i *m.n.*	turner,-s	**termina** *v.*	to finish
student,-ţi *m.n.*	student,-s	**timp** *n.n.*	time
studia *v.*	to study	**timp de ... ore**	for ... hours
sub *prep.*	under	**titlu de proprietate**	title deed
subsol,-uri *n.n.*	basement,-s	**toamnă,-e** *f.n.*	autumn,-s
suc de roşii	tomato juice	**tocmai** *adv.*	just
sudor,-i *m.n.*	welder,-s	**ton** *n.n.*	tone
suedez,-i *m.n.*	Swede,-s	**tot timpul** *adv. phr.*	all the time
sufragerie,-i *f.n.*	dining-room,-s	**tot, toată; toţi, toate** *indef. pron.*	all
sumă,-e *f.n.*	amount,-s	**tramvai,-e** *n.n.*	tram,-s
suna / a telefona *v.*	to call / ring up	**trandafir,-i** *m.n.*	rose,-s
supă,-e *f.n.*	soup	**tranşă de împrumut**	dollop / tranche
supărat,-ă *adj.*	upset / angry	**transfer automat în cont**	direct debit
sus *adv.*	high / above	**tratament** *n.n.*	treatment
şapte *num.*	seven	**traversa** *v.*	to cross (the street)
şcoală, şcoli *f.n.*	school,-s	**trebui** *v.*	must
şedinţă,-e *f.n.*	meeting,-s	**trece** *v.*	to pass
şef,-i *m.n.*	chief,-s	**trei** *num.*	three
şef de secţie	workshop chief	**tren,-uri** *n.n.*	train,-s
şi *conj.*	and	**trezi (se)** *r.v.*	to wake up
şifonier,-e *n.n.*	wardrobe,-s	**trimite** *v.*	to send
şniţel,-e *n.n.*	schnitzel	**troleibuz,-e** *n.n.*	trolley bus,-s
şti *v.*	to know	**trup,-uri** *n.n.*	body,-ies
ştiri *f.n.pl.*	information ; news	**trusă de machiaj**	make-up kit
şuncă *f.n.*	ham	**tu** *pron. sg.*	you
şvaiţer *n.n.*	swiss cheese	**turc,-i** *m.n.*	Turk,-s
tablă,-e *f.n.*	whiteboard,-s	**tuse** *f.n.*	cough
tablou,-ri *n.n.*	painting,-s	**tutungerie,-i** *f.n.*	tobacconist's
talpă, tălpi *f.n.*	sole,-s	**ţară, ţări** *f.n.*	country,-ies
tarabă,-e *f.n.*	(market) stall,-s	**ţelină** *f.n.*	celery
targă, tărgi *f.n.*	stretcher,-s	**ţigară, ţigări** *f.n.*	cigarette,-s
tată, taţi *m.n.*	father,-s	**ţine un discurs**	to make a speech
taxă de abonament	subscription charge	**uimitor,-oare; -i,-oare** *adj.*	amazing
tăietură,-i *f.n.*	cut,-s	**uita** *v.*	to forget
tânăr,-ă; tineri,-e *n., adj.*	young	**uita (se)**	to look
târziu *adv.*	late	**ultim,-ă; ultimi,-e** *adj.*	last
teatru,-e *n.n.*	theatre hall,-s	**umăr, umeri** *m.n.*	shoulder,-s
tei, tei *m.n.*	lime,-s	**un** *indef. art. masc.*	a / an
telefon,-oane *n.n.*	telephone,-s	**unchi, unchi** *m.n.*	uncle,-s
telefon mobil	mobile telephone	**unde** *adv.*	where
televizor,-oare *n.n.*	TV-set,-s		
temperatură *f.n.*	temperature / fever		

Unde este.. ?	Where is.. ?
unealtă, unelte *f.n.*	tool,-s
uneori *adv.*	sometimes
unghie,-i *f.n.*	nail,-s
unt *n.n.*	butter
unu *num.*	one
ură *f.n.*	hatred / enmity
urări de bine	good wishes
urca *v.*	to climb up / get into
ureche,-i *f.n.*	ear,-s
urgent *adv.*	urgently
urmări *v.*	to follow
urmărire penală	law suit
usturoi *m.n.*	garlic
uşă, uşi *f.n.*	door,-s
util,-ă; utili,-e *adj.*	useful
utiliza *v.*	to use
vacanţă,-e *f.n.*	holidays / vacation
vacanţă de vară	summer holidays
valută *f.n.*	currency
vamă, vămi *f.n.*	customs
vapor,-oare *n.n.*	ship,-s
vară, veri *f.n.*	summer,-s
varză, verze *f.n.*	cabbage
vas,-e *n.n.*	bowl,-s
vază,-e *f.n.*	vase,-s
Vă rog…	Please…
văr, veri *m.n.*	cousin,-s
vânătă, vinete *f.n.*	eggplant
vânătoare *f.n.*	hunting
vânzare cu amănuntul	retail
vânzare en gros	wholesale
vânzător,-i *m.n.*	shop-assistant,-s
vârstă *f.n.*	age
vechi, veche; vechi *adj.*	old / ancient
vedea *v.*	to see
veni *v.*	to come
venit *n.n.*	income; revenue
venituri / câştiguri *n.n.pl.*	earnings
venituri din vânzări	sales revenue
ventilator,-oare *n.n.*	fan,-s
verde; verzi *adj.*	green
verdeaţă, verdeţuri *f.n.*	green stuff
verifica *v.*	to check up
verighetă,-e *f.n.*	wedding ring,-s
vermut *n.n.*	vermouth
vişină,-e *f.n.*	sour cherry,-ies
vilă,-e *f.n.*	villa,-s
vin,-uri *n.n.*	wine,-s
vinde *v.*	to sell
vineri *f.n.*	Friday
violet,-ă; violeţi,-te *adj.*	violet
virgulă,-e *f.n.*	comma,-s
viteză *f.n.*	speed
vitrină,-e *f.n.*	glass-case / shop-window,-s
vizavi de *prep.*	opposite
vizita *v.*	to visit
vocală,-e *f.n.*	vowel,-s
voi *pron. pl.*	you
voinţă *f.n.*	will
vorbi *v.*	to speak
vorbi în vânt	to waste one's breath
vorbi aiurea	to speak nonsense
vorbi deschis	to speak one's mind
vorbi liber	to speak off-hand
vrea *v.*	to want
vreodată *adv.*	ever
yen,-i *m.n.*	yen,-s
zahăr *n.n.*	sugar
zece *num.*	ten
zi, zile *f.n.*	day,-s
zi de naştere	birthday
zi de salariu	pay-day
zi liberă	day-off
zi naţională	national day
ziar,-e *n.n.*	newspaper,-s
zilele trecute	the other day
zilnic *adv.*	daily
zmeură *f.n.*	raspberry